ACCESO GRATIS _a la Lectura en la Nube_

Para visualizar el libro electrónico en la nube de lectura envíe junto a su nombre y apellidos una fotografía del código de barras situado en la contraportada del libro y otra del ticket de compra a la dirección:

ebooktirant@tirant.com

En un máximo de 72 horas laborales le enviaremos el código de acceso con sus instrucciones.

COMUNICACIÓN PARA JURISTAS

COMUNICACIÓN PARA JURISTAS

CRISTINA CARRETERO GONZÁLEZ
*Profesora de Derecho Procesal
y de Técnicas de Oratoria y Redacción Jurídicas
Universidad Pontificia Comillas*

tirant lo blanch
Valencia, 2019

En caso de erratas y actualizaciones, la Editorial Tirant lo Blanch publicará la pertinente corrección en la página web www.tirant.com.

© TIRANT LO BLANCH
EDITA: TIRANT LO BLANCH
C/ Artes Gráficas, 14 - 46010 - Valencia
TELFS.: 96/361 00 48 - 50
FAX: 96/369 41 51
Email:tlb@tirant.com
www.tirant.com
Librería virtual: www.tirant.es
DEPÓSITO LEGAL: V-2753-2019
ISBN: 978-84-1313-757-5
IMPRIME Y MAQUETA: Tink Factoría de Color

Si tiene alguna queja o sugerencia, envíenos un mail a: *atencioncliente@tirant.com*. En caso de no ser atendida su sugerencia, por favor, lea en *www.tirant.net/index.php/empresa/politicas-de-empresa* nuestro procedimiento de quejas.

Responsabilidad Social Corporativa: http://www.tirant.net/Docs/RSCTirant.pdf

"No basta conocer el derecho y su aplicación práctica. La gente espera de uno algo más: ser escuchada. Y para que alguien escuche a otro debe, a su vez, interactuar con expresiones comprensibles, "descender" del Olimpo y aterrizar en la cotidianeidad".

Juan Mihovilovich. Magistrado, escritor y miembro correspondiente de la Academia Chilena de la Lengua

Índice

1. LA COMUNICACIÓN EN GENERAL

2. LA COMUNICACIÓN JURÍDICA COMO ESPECIALIDAD

3. LA COMUNICACIÓN JURÍDICA ESCRITA

4. LA COMUNICACIÓN JURÍDICA NO ESCRITA: ORAL O VERBAL Y NO VERBAL

5. BREVES CONCLUSIONES ACERCA DE LA COMUNICACIÓN EN EL ÁMBITO JURÍDICO

ABREVIATURAS Y SIGLAS MÁS FRECUENTES

CE:	Constitución Española (1978)
DEJ:	Diccionario del español jurídico
DLE:	Diccionario de la lengua española
LEC:	Ley de Enjuiciamiento Civil
LECrim:	Ley de Enjuiciamiento Criminal
LEJ:	Libro de Estilo de la Justicia
LOPJ:	Ley Orgánica del Poder Judicial
p.:	página
pp.:	páginas

AGRADECIMIENTOS

Hay muchos y no están todos lo que son. Han sido muchos años recogiendo ideas sobre la comunicación jurídica y muchas personas con las que he tenido la fortuna de ir coincidiendo en este camino de vida y estudio.

En primer lugar, a dos personas a quienes admiro profundamente, D. Antonio Garrigues Walker, jurista, y D. Salvador Gutiérrez Ordóñez, lingüista, que han constituido una preciosa fuente de inspiración e influencia en mi investigación desde que comencé a leerles y desde que tuve la oportunidad, y la suerte, de conocerles. Ambos, jurista y lingüista, tienen comunes denominadores, su magnífico saber que siempre comparten con increíble generosidad, y su bondad, humanidad y sencillez tan arrebatadoras. Han tenido a bien presentar este libro y, desde aquí, les expreso un agradecimiento muy emocionado.

A la editorial Tirant lo Blanch, y en su nombre, a la profesora y editora María José Gálvez, por su apoyo, profesionalidad y humanidad, y a Juan Luis Espinosa, por su buen y paciente hacer.

A mi Universidad Pontificia Comillas, que me dio la oportunidad de formar el Grupo de Investigación Derecho y Lenguaje, del que derivaron estudios y experiencias recogidas en este libro; a los sucesivos rectores, vicerrectores, decanos y equipos, por todos ellos, al profesor Antonio Obregón, gran comunicador, por su amistad, inspiración y constante apoyo. Y a la OTRI, porque durante años me han alentado a seguir con empeño. A todo el personal del decanato de mi Facultad de Derecho, y, en nombre de todos, a Miguel Ángel Pérez. Al servicio de Biblioteca de Comillas, que es increíble, y, en particular a Marta Soto, por tantos consejos regalados, y a Javier de Domingo y compañeros a quienes tantas veces he recurrido.

En especial, quiero dar las gracias a dos compañeros y amigos del alma, Alberto Serrano Molina, profesor de Derecho Civil y Alicia Duñaiturria Laguarda, profesora de Historia del Derecho, compañeros tantos años en mi Facultad de Derecho, en ICADE de Comillas, por el regalo de su bella y entrañable amistad; sin ellos, nada sería igual. Agradecimiento tengo, en general a todos los compañeros que han creído en la mejora del lenguaje jurídico, como mi querido amigo Antonio Castán, que me anima siempre a avanzar en este tema, y a mi Facultad de Derecho, en general.

A los alumnos de grado y posgrado, que entendían las razones de la mejora comunicativa y me animaban en esta empresa, porque su juventud, libre de ataduras mentales y su energía, son un motor en aceleración constante.

A quienes fueron miembros del Grupo de Investigación de Derecho y Lenguaje, a Ramón Garrido por comenzar conmigo, y a quienes se unieron posteriormente, así como a ciertas personas que han hecho de la vida un camino de amistad como Marina Ferrer, quien, desde hace ya muchos años, me ayuda con imprescindibles correcciones de las que aprendo y espero poder seguir aprendiendo y disfrutando con ello.

A Laura Gismera, profesora de ADE en Comillas, por todo lo que compartimos con emoción; a la estupenda doctora Marta Grande, por su amistad, inteligencia y sencillez; a María Barbado, fiel amiga y excelente profesora de inglés y a muchos otros amigos, por tantas razones, como Pablo Carbajosa, Angelo Valastro, Carmelo Alzas, a Juan Antonio Frago, a Javier Calvo y su esposa María Luisa García, *hacedores* de magia, y a mi querida Carmen Bustamante, mi centro.

Al profesor de Derecho Procesal de la Universidad Complutense, Rafael Hinojosa Segovia, así como a mis compañeros del Área Procesal de mi Facultad, por estar ahí, así como al Departamento de Disciplinas Comunes en el que encuentro apoyo constante. Hay algunas personas que solo faltan en presencia física pero jamás en mi memoria ni en mi corazón, a los profesores de Derecho Procesal Pedro Aragoneses Alonso y a Sara Aragoneses Martínez, que también y tan bien sembraron en mí el germen de la investigación y a quienes tuve la fortuna de agradecer su cariño.

A grandes amigos expertos en lenguaje jurídico como, y cito solo unos poquitos, como mi admirado y querido amigo y periodista Javier Badía, que con generosidad y desinterés comparte siempre su inmenso saber y la vida; a mi amigo, el profesor, Víctor M. González Ruiz, ejemplo de sencillez e inteligencia con quien comparto tareas del lenguaje jurídico claro con alegría siempre; a José Luis Martín Ovejero, por sus enseñanzas y amistad o a Carlos Lluch por sus constancia y ánimos, y a Ricardo Oliva, quien creó la web del Instituto del Lenguaje Jurídico, por difundirlo.

A los directores y creadores de los seminarios sobre comunicación jurídica, María Pilar Ballesteros Panizo y Jesús Hernández Galilea, que llevaron por primera vez a la Universidad Menéndez Pelayo, en Santander, la claridad jurídica que me permitió conocer a unos maravillosos compañeros y alumnos, como a los geniales José Antonio González Salgado o Mar Garachana, entre muchos.

A Marta Ballesteros, amiga y letrada del Consejo General de la Abogacía Española, siempre apoyando. A este Consejo en conjunto, a la Mutualidad de la Abogacía, al Colegio de Abogados de Madrid, por su gran labor e impulso a una comunicación jurídica adaptada a los tiempos, y a los amigos que he encontrado en todos ellos. A dos abogados a los que admiro y aprecio a partes iguales: Isidro Sardina Chaveinte y Antonio Guerrero Maroto. Por estar ahí tantos años. A Juan Carlos Campo, magistrado y político incansable, por no dejar de luchar por este reto de un lenguaje jurídico comprensible.

Al citado catedrático y académico de la lengua, Salvador Gutiérrez Ordóñez, por su saber profesional y humano que siempre comparte. A los catedráticos Antonio Briz (amigo, quien, con su inmensa simpatía, afirmó que, si él era un lingüista con alma de jurista, yo era una jurista con alma de lingüista), a Estrella Montolío y a Julio Borrego, por ser todos ellos una fuente de inspiración. A Julia SanMartín, profesora de la Universidad de Valencia, por su contagiosa alegría y saber, y por su amistad, y de la UV, también, a Cristina Villalba y a Mª Amparo Valero, por ser estupendas personas e investigadoras.

A CRIMIJOV: Grupo de Investigación en Criminología y Delincuencia Juvenil de la Universidad de Castilla-La Mancha, en Albacete, por apostar tan decididamente por el lenguaje claro; por todos ellos, a mi querida Esther Fernández Molina.

Al grupo formado en de la universidad Complutense, en Madrid, para trabajar en un proyecto de innovación docente basado en el lenguaje jurídico claro, en el que participamos con tantísima alegría, representados por la estupenda profesora Susana García León.

A dos periodistas, a José Antonio Hernández, de El País, por su amistad, su saber y sus atentos envíos sobre causas judiciales y de investigación y a Luis Javier Sánchez, por su amistad durante años y su interés por el lenguaje jurídico.

Al magistrado Rafael Rosel Marín, amigo también, por su inspiración, incisivos consejos, ánimos y sus maravillosos autos y sentencias en un lenguaje claro que es admirable, y a la magistrada Natividad Braceras Peña, amiga, extraordinaria jurista y filóloga.

A mis amigos de otras latitudes, y solo son una pequeña representación, como Guillermo D. González Zurro por su afecto y por sus resoluciones en lenguaje jurídico claro que realiza como magistrado en Buenos Aires, Natalia Stagliano, por su saber callado y admirable, mis queridos Jorge Bravo y Sergio Salinas, Natalia de Lucía, Carmen de Cucco, Joanna Richardson, Washington Jaña, preocupado por hacer que en Chile haya una justicia cercana a través de sus resoluciones, como tantos otros amigos magistrados allá, como Juan Mihovilovich, magistrado y escritor, cuya obra literaria —que me envía con tanta generosidad—, nutre mi alma; a Betsy Y. Perafán, otra magnífica jurista y un huracán luchador por la claridad jurídica en Colombia; y a grandes profesionales de Alemania, Argentina, Australia, Bélgica, Chile, Colombia, Estados Unidos, Finlandia, Hungría, Méjico, Suecia, Reino Unido…, solo una muestra de muchas de las personas con las que me une el agradecimiento y a las que se suman cada día más.

A *Clarity International*, a quien represento en España, y a sus gestores y compañeros representantes, por su impulso al lenguaje claro. A *Plain Language Association International* (PLAIN), por su lucha constante por acercar la sencillez y la claridad a las instituciones.

Al Ministerio de Justicia, por crear la Comisión de Modernización del lenguaje jurídico y, en especial a mi admirado y muy querido amigo Julio Carlos Fuentes Gómez, del que dije, y mantengo, que es el mejor técnico de la Administración Civil que he tenido la suerte de conocer y quien tantos años dedicó allí sus esfuerzos por mejorar la Justicia en España —nunca dejará de hacerlo porque lleva ya al Ministerio de Justicia en las venas— y que ha continuado, cada día con mayor implicación, con numerosas actividades tendentes a conseguir para España una comunicación del Derecho clara con beneficios para toda la ciudadanía. Siempre cuento con él para hacer equipo en esta misión de lograr para España políticas públicas de claridad, todo un privilegio para mí.

Dejo muchos amigos, conocidos y profesionales sin nombrar, pero estáis en mi agradecimiento colectivo.

Finalmente, a mi familia, que me demuestra siempre su amor incondicionalmente: a mis padres, José y María Rosaura, por su fe entusiasta (y ciega) en mis proyectos y a su amiga y amiga de todos, Bene Pato, que sigue con sonrisa mis andanzas. A mi muy querida hermana Sara y a los maravillosos Jorge, Mateo, Rodrigo, por estar ahí y amar.

Por último, y en un lugar prioritario, a mis cariños de casa, por su gran paciencia conmigo ante mi tiempo de estudio e investigación y por mis ausencias, por su aliento, dedicación, amor, ánimos e ilusión, que han sido finalmente los míos: a Alejandro González Praetorius, quien, además de ser una persona extraordinaria, ha tenido la paciencia de leer este texto y aportar sus siempre atinados comentarios, y a nuestras hijas y niñas de mis ojos, Olga y Vera.

PRESENTACIÓN

El mundo jurídico en su conjunto tiene un papel decisivo en la regulación, el mantenimiento y la protección de la convivencia social en un marco de derechos y deberes que deben formularse con la mayor precisión para que puedan ser asumidos y entendidos por la ciudadanía.

La profesora Cristina Carretero, ha decidido afrontar el tema de cómo una falta de claridad en el lenguaje jurídico puede poner en peligro los objetivos mencionados y lo hace con pausa, con cuidado y con método. Da gusto seguir sus ideas y consejos y aprender a evitar errores. Es un libro serio y tremendamente útil.

Tenemos que aceptar que tanto en la comunicación escrita como en la verbal (y la no escrita y no verbal) el margen de mejora en el mundo español e iberoamericano es grande comparado con el europeo continental y, sobre todo, con el mundo anglosajón. La autora hace un recorrido fascinante por las distintas culturas y países y analiza las distintas asociaciones que se dedican desde hace décadas a luchar por un lenguaje claro y llano.

Se ocupa de temas como "las pausas y los silencios", "el miedo escénico", "la postura corporal", "indicadores de la mentira", "la ortotipografía", y otros muchos que confirman su decisión de abarcar en profundidad un tema profundo y completo.

Yo quiero garantizar al lector una cosa muy simple: le merecerá la pena, una expresión muy española, prácticamente desconocida en los demás países, que demuestra nuestra tendencia a enfatizar lo negativo. Se lo reitero: no habrá pena sino beneficio y grande en esta lectura.

Antonio Garrigues Walker
Jurista y Presidente de honor de Garrigues, despacho de abogados
Madrid, 2019

PRÓLOGO

En el primer capítulo de *El nombre de la rosa*, el joven novicio Adso manifiesta la sorpresa por la forma en que Guillermo de Baskerville ha podido llegar a un conocimiento exacto de un caballo extraviado al que ni siquiera ha logrado ver. La respuesta es aleccionadora:

>   — Mi querido Adso —dijo el maestro—, durante todo el viaje he estado enseñándote a reconocer las huellas por las que el mundo nos habla como por medio de un gran libro. Alain de Lille decía que:
> *omnis mundi creatura*
> *quasi liber et pictura*
> *nobis est in speculum*
> [...] Pero el universo es aún más locuaz de lo que creía Alain, y no solo habla de las cosas últimas... sino también de las cercanas, y en esto es clarísimo.
> (U. Eco, *El nombre de la rosa*, Ed. Lumen, p. 32).

La cita nos remite a la concepción medieval de la significación, entendida como comunicación universal. Toda la naturaleza está llena de símbolos que nos hablan. Solo hay que saber mirar y escuchar para interpretarlos.

El proceso comunicativo humano pertenece a ese maravilloso mundo de la significación. Significación intencional, socializada. Requiere la existencia de un código, un medio o canal, un contexto (espacio, tiempo, cultura...). Y, sobre todo, las figuras de un emisor, que cifra el mensaje, y de un receptor, que lo interpreta. Ambos son conocedores del sistema de claves para desvelar lo que está cifrado. A la vez (¡Este es el gran descubrimiento de la pragmática!), están dotados una inteligencia deductiva que les permite inferir e interpretar el sentido (intencional, figurado, contextual...) del que vienen cargados los mensajes.

La comunicación finaliza con éxito cuando el destinatario logra desentrañar no solo el significado literal, sino también el sentido intencional de lo enunciado. En caso contrario, aparece la ruina, el acto fallido, la incomprensión.

Para evitar el fracaso, los mensajes han de atenerse al sistema lingüístico en los diferentes niveles de su arquitectura formal (gramática) y semántica (léxico). También a la norma fónica o, en su caso, ortográfica. La violación de las reglas que ordenan estos ámbitos de lugar a incorrecciones gramaticales, faltas ortográficas e impropiedades léxicas que ponen en peligro la interpretación.

Para evitar el fracaso comunicativo, hemos de atenernos asimismo a otros valores de una *axiología pragmática* o *retórica*, que evalúa los mensajes según parámetros del tipo: ± verdadero, ± claro, ± adecuado, ± relevante, ± cortés, ± coherente, ± oportuno… La sociedad castiga su violación con calificaciones negativas como *falso, oscuro, inadecuado, insuficiente, impertinente, descortés, inconveniente, inoportuno, soez, maleducado, machista, racista, violento, soberbio, presuntuoso…*

En la eficacia del discurso hablado, que es constitutivo de algunos géneros jurídicos, interviene de forma decisiva la comunicación no verbal: el paralenguaje (timbre de voz, entonación, articulación, inflexiones, pausas, velocidad…), la cinésica (movimientos de rostro, de manos y de cuerpo…), la proxémica (posición, cercanía, mirada, atención, aseo, vestimenta…). Estas formas de discurso oral han generado normas de buena formación comunicativa: 'No grites', 'No hables excesivamente bajo', 'No titubees', 'No hagas imitaciones hirientes' (paralenguaje); 'No realices gestos feos, obscenos, molestos', 'No hables con la boca llena'… (cinésica); 'Mira a los ojos de tu interlocutor', 'No interrumpas'…(proxémica).

La norma lingüística (gramatical, ortográfica y léxica) nunca ha abandonado por completo el currículo docente, por más que siempre constituye un campo minado, tristemente muy visitado por las transgresiones. Por el contrario, la norma retórica y la comunicación paraverbal rara vez constituyen objeto de estudio en la formación de profesionales, incluidos aquellos cuyo trabajo se halla en relación directa con la comunicación. Es una ausencia que no se producía en la Antigüedad:

> Si usted fuera ciudadano de una ciudad estado griega del siglo III a.C. su formación incluiría cuatro años de retórica ideada para enseñarle a comprender los argumentos persuasivos y a formarse los suyos propios. […] Los estudiantes romanos del siglo I participaban en cursos de persuasión impartidos por el profesor de retórica quizá más grande de todos los tiempos, Quintiliano, cuyo manual sobre la materia se utilizó durante casi mil años.
> (A. Pratkanis & E. Aronson: La era de la propaganda, 1994: p. 32).

El desprestigio de la retórica y su expulsión de las aulas a partir del Renacimiento es una de las causas de esta laguna formativa. Las consecuencias son patentes incluso en los ámbitos más especializados. Así las reflejaba M. Campo Vidal en el inicio de una obra muy conocida:

> Es una lástima: personas con alto nivel de formación en su profesión (arquitectos, economistas, abogados médicos, periodistas, ingenieros, policías, políticos, deportistas o profesores de cualquier asignatura) no comunican bien. No comunican bien ni sus proyectos, ni siquiera lo que saben, lo que aprendieron en la universidad o en la escuela especializada.
> (M. Campo Vidal, *¿Por qué los profesionales no comunicamos mejor?*, Barcelona, RBA, p. 17).

El mundo del derecho es sin duda uno de los espacios profesionales más ligados a la comunicación. En el ámbito escrito, el volumen de textos administrativos y jurídicos (tanto normativos como jurisdiccionales) es inmenso y de enorme transcendencia para la vida social e individual de los ciudadanos. En la vertiente oral, son numerosas las actividades ligadas al mundo de la Justicia (desde la discusión parlamentaria de una norma hasta el ejercicio de la abogacía) cuyo éxito está ligado al buen dominio de la palabra. Y, sin embargo, en su período universitario el estudiante de derecho no ha recibido ni una clase de comunicación escrita ni de oratoria. Peor aún, en esos años, su contacto con la jerga leguleya le habrá habituado a una forma de expresarse que parece diseñada por los demonios de la confusión: párrafos larguísimos de un solo punto, llenos de incisos, de arcaísmos, de tecnicismos no siempre necesarios, de fórmulas perifrásticas y circunloquios, de expresiones vagas, indeterminadas e imprecisas, de secuencias ambiguas, de un discurso opaco, de una puntuación que favorece simultáneamente una lectura y su contraria, de citas legales completas y ensartadas en línea...

Y, sin embargo, nada hay más contrario al espíritu de las normas que este oscurantismo y esta opacidad. Los escritos legales y administrativos afectan de forma directa tanto al ciudadano de a pie como al perito en leyes. Y, si desde el primer instante de la promulgación de una norma se ve obligado a cumplirla, a todos nos asiste el indiscutible derecho a comprenderla de principio a fin, con puntos y comas. La defensa de la claridad y de la comprensión universal en los textos jurídicos es un principio defendido desde las raíces del derecho: Roma (*Leges ... intellegi ab omnibus debent*), Alfonso el Sabio («Todo lo que saliere de la ley, que lo entiendan luego todos los que lo oyeren, é que lo sepan sin toda dubda, é sen nenguna gravedumbre», *Fuero Juzgo*), Montesquieu, Benthan, etc.

Desde finales del siglo XX, asistimos en todo el mundo a un movimiento en defensa del *lenguaje claro* en todos los escenarios del mundo jurídico. En España han tenido lugar diversas intervenciones desde la Administración, cuya manifestación más explícita y completa ha sido el *Informe* de la *Comisión para la Modernización del Lenguaje Jurídico* (2011). Dicho texto partía de las aportaciones de diferentes equipos de investigación y se sustentaba sobre un nuevo derecho, el *derecho a comprender*, proclamado ya en el 2002 por el Congreso de los Diputados y defendido por el *Plan de Transparencia Judicial* (Acuerdo del Consejo de Ministros de 21 de octubre de 2005).

Aparte de una serie de recomendaciones a los profesionales y a las instituciones, el *Informe* insiste en la importancia de la formación lingüística del profesional del derecho (desde la universidad hasta la educación continua). En este último apartado subraya la necesidad de crear materiales de consulta y de ayuda para que los juristas desarrollen con mayor efectividad y transparencia su profesión. En esta línea se sitúa la aparición de publicaciones como el *Libro de estilo de la Justicia*, dirigido por Santiago Muñoz Machado y publicado por la Real Academia Española y el Consejo General del Poder Judicial.

Este encomiable propósito es el que dirige el espléndido trabajo que hoy prologamos. Cristina Carretero es una auténtica especialista en la evolución de los movimientos del *lenguaje claro*. Es una excelente profesora universitaria. Dirigió la redacción de un completísimo informe sobre *Políticas públicas comparadas* para la Comisión de Modernización del Lenguaje Jurídico y su extraordinaria competencia la ha convertido en presencia constante en reuniones y ciclos sobre este tema. *Comunicación para juristas* es una obra guiada por el propósito, tan noble como necesario, de ayudar al profesional del derecho "descienda del Olimpo" y se revista de la toga de la claridad, de la cotidianidad y de la efectividad.

Aparte de una necesaria introducción sobre el proceso comunicativo, en general, y sobre la comunicación jurídica, en particular, la autora divide la obra en dos grandes bloques temáticos (escritura y oralidad), que se corresponden con las dos formas capitales de la expresión y de la actuación jurídica. Es una utilísima y completa introducción a los tipos de discurso relacionados con el derecho. Es un breve tratado de retórica moderna para profesionales de la Justicia. Siempre se mueve en terreno seguro, pues parte de los fundamentos lingüísticos y psicológicos de la comunicación. Siempre se compromete con consejos prácticos. Atiende tanto a la dimensión gramatical como a la semántica, lo mismo a la expresión oral que a la escrita, de igual modo a la comunicación verbal que a la no verbal. Derrocha mayor esfuerzo en el tratamiento práctico de aspectos por los que otras obras pasan de puntillas: me refiero a los consejos que proporciona para conseguir una mayor eficiencia en el discurso hablado y en el análisis de la importancia que otorga a la comunicación no verbal.

En la organización de su texto, tanto en la sección del lenguaje escrito como en la de la comunicación verbalizada y en la no verbal, parte de un análisis de sus rasgos más notables y finaliza con una serie de recomendaciones destinadas a mejorar las fases de preparación, de proyección, de elaboración y de ejecución de los discursos. Es un trabajo bien fundamentado y justo en la cita de los investigadores que han aportado ideas relevantes sobre la materia. A la vez, la autora logra construir una obra bien estructurada e informativa. Tan diáfana como la claridad que propone. Y, sobre todo, útil. Por la minuciosidad de las recomendaciones que aporta, por la abundancia de casos prácticos que analiza, es un libro necesario. Por eso, en estos momentos en los que el bajel suelta amarras, le auguro una feliz singladura.

Salvador Gutiérrez Ordóñez
Real Academia Española

INTRODUCCIÓN

La razón de este libro. Desde que inicié mi acercamiento al Derecho, muy niña a causa de las visitas desde mi colegio al trabajo de mi padre en los juzgados de Talavera de la Reina, en la provincia de Toledo, tuve la impresión —que se transformó con el tiempo en certeza— de que el Derecho no se entendía bien porque no se comunicaba claramente y así se distanciaba de su destinatario natural, de todos nosotros como ciudadanos.

En 1998 comencé a impartir clases de Derecho Procesal en la Facultad de Derecho de ICADE, en la Universidad Pontificia Comillas. Fue en 2005 cuando planteé a un compañero, el profesor Ramón Garrido Nombela, la idea de crear un grupo de investigación que se dedicara a analizar la forma de comunicación del Derecho, con sus aciertos y sus carencias, y así, poder trabajar por su mejora. Así lo hicimos, y se formó, junto a otros profesores juristas interesados en la expresión del Derecho —Francisco Bueno Arús, Javier Gómez Lanz y Miguel Grande Yáñez— el Grupo de Investigación denominado: *Derecho y Lenguaje*, que coordiné, y que llegó, con el tiempo, a conformarse por una mayoría de juristas y también por filólogos.

Entre los estudios que llevamos a cabo en el grupo, fue uno de ellos el que mayor impacto ha tenido en mi investigación. Se debió a un encargo de la Comisión de Modernización del lenguaje jurídico, del Ministerio de Justicia español, acerca del estudio de las políticas públicas —y privadas— adoptadas en el mundo con relación al lenguaje jurídico. Después de analizar una importante muestra de países, comprobamos que la mejora del lenguaje jurídico contaba, fuera de España, con iniciativas trazadas ya incluso en los años sesenta del pasado siglo en algún país, que continuaron en los años setenta, y que han tenido una evolución constante y progresivamente imparable en numerosos países. Pues bien, hoy día, en España, salvo la constitución de dicha Comisión de modernización de lenguaje jurídico, cuya efímera existencia finalizó en 2011, y contadas iniciativas, no se han desarrollado aun políticas públicas integrales ni con visos de continuidad.

Con estos mimbres, después de diversos proyectos de investigación en los que trabajamos, y tras redactar varios libros, capítulos de libros, artículos, publicar noticias, ofrecer ponencias dentro y fuera de España, y de impartir docencia sobre oratoria y redacción jurídicas y, actualmente, también empresarial, decidí que había llegado el momento de sintetizar estos conocimientos y experiencias en un texto único.

Muchos de los contenidos de este libro provienen de la lectura, durante estos años, de multitud de manuales y artículos, por un lado, y de otro, del trabajo de campo. Con las palabras "trabajo de campo" me refiero a la asistencia constante, durante más de veinticinco años, como abogada al inicio y como profesora observadora e investigadora después, estudiando comportamientos y escritos en juzgados y tribunales, Administraciones, despachos de abogados, empresas, reuniones de trabajo, conferencias, seminarios y otros eventos que he ido analizando y de los que he extraído conclusiones. Mi propia experiencia como ponente en distintos lugares e instituciones, además de escribir sobre el tema de manera continuada, me ha servido, para experimentar en primera persona muchas de las observaciones que se recogen en este libro.

Ademas, en un momento de mi vida académica, y con el objetivo de hallar afinidades y sinergias, conocí la institución *Clarity International*, como asociación internacional, fundada en el Reino Unido en 1983 y compuesta fundamentalmente por juristas, filólogos y personas de ámbitos relacionados, que promueve la claridad del lenguaje jurídico. Está presente en más de cincuenta países y tiene un representante en cada uno de ellos. Represento a esta asociación en España desde 2015 y siento que pertenezco a un grupo fuerte y motivado de personas que creemos y luchamos por la claridad del lenguaje del Derecho, lo cual fortalece el espíritu y me anima en los esfuerzos que ello conlleva.

Dicho lo anterior, afirmo la necesidad de una mejora de la comunicación del Derecho a través de una expresión jurídica clara para que los destinatarios reales de todas las decisiones en materia de Justicia puedan comprenderlas. Este es un requerimiento que ha manifestado la ciudadanía una vez más y que recoge el V Barómetro externo del Consejo General de la Abogacía Española en 2015. Literalmente se dice[1], por lo que a la expresión del Derecho y su comprensión respecta, que:

---

[1]   http://www.abogacia.es/2015/11/25/los-ciudadanos-demandan-una-reforma-a-fondo-de-la-justicia-y-un-pacto-de-estado/ Consultado el 3 de febrero de 2018.

El lenguaje y los procedimientos de la Justicia son excesivamente complicados y difíciles de entender para el ciudadano medio (82%).

A esto se une el hecho de la percepción de falta de inversión en medios adecuados para las necesidades de la Justicia. En palabras del V Barómetro referido:

"Sondeo tras sondeo, una masiva proporción de españoles (81%) expresa una misma amarga conclusión: todos los gobiernos, del color que sean, han tenido más interés por controlar la Justicia que por dotarla de los medios suficientes para que pueda funcionar mejor"[2].

La necesidad de tratar este tema y de realizar políticas públicas, insisto, resultan imprescindibles.

Los objetivos y el contenido del libro. He pretendido recoger un importante número de cuestiones relativas a la comunicación jurídica que se desarrollan en torno al lenguaje escrito y al no escrito, de modo general. Alrededor de estos dos campos principales, se introducen numerosas cuestiones sin ánimo de profundizar en ellas, porque lo que pretendo es que se repare en la comunicación como un universo de competencias que se pueden desarrollar con interés y esfuerzo para que resulte eficaz y completa. Por ello, se explica, por ejemplo, y por una parte, cómo en el mundo entero progresan las políticas públicas y privadas basadas en la comunicación jurídica más clara y adaptada a los tiempos actuales, hoy día con tendencia generalizada hacia la claridad, como se verá, y, por otra, se reflejan o apuntan, brevemente, desde cuestiones relativas al cerebro o a las denominadas "soft skills", hasta la vestimenta o la detección de la mentira al hablar. Todo comunica y en eso se basa este libro que expone la existencia de múltiples perspectivas de la expresión.

Dado que el campo de la comunicación jurídica es inmenso, en este texto he pretendido fijarme y tratar aquellos aspectos de la comunicación que me han parecido especialmente interesantes y, siempre, sin ánimo de minusvalorar ninguna otra cuestión que no se trate aquí. He preferido ofrecer panorámicas generales y visiones amplias de cuestiones muy diversas. No

---

[2]   http://www.abogacia.es/2015/11/25/los-ciudadanos-demandan-una-reforma-a-fondo-de-la-justicia-y-un-pacto-de-estado/ Consultado el 3 de febrero de 2018.

he tratado de hacer un manual de estilo y no lo es (los hay excelentes ya, para todo el que tenga interés en ellos, y, de hecho, al final de este libro se recomiendan algunos), ni he pretendido tratar solo el lenguaje escrito o el oral, sino ofrecer otros aspectos relacionados con la forma y el fondo de la comunicación jurídica.

El libro tiene, en definitiva, varios objetivos: analizar el estado actual de la comunicación jurídica, concienciar acerca de la importancia de utilizar adecuadamente el lenguaje del derecho como un instrumento indispensable para su relación con la ciudadanía en general, requerir políticas públicas, y transmitir la idea, base de todas las iniciativas posibles, de que siempre hay que tener presente al destinatario de los mensajes y ofrecer pautas comunicativas efectivas. Esto supone que, en ocasiones, los receptores de la comunicación serán juristas, esto es, personas que ejercen una profesión jurídica o relacionada con el derecho, y, por tanto, el registro comunicativo debería ser técnico, y, en muchas otras, se dirigirá a personas sin formación jurídica y aquí la expresión, oral o escrita, debería ser lo más llana y explicativa posible, es decir, muy clara.

Acerca del contenido de este libro, está estructurado en cinco partes:

- La primera, como cuestión de base, está referida a la comunicación en general y a ciertos aspectos que influyen y se relacionan con ella tales como el cerebro, la memoria en particular, la programación neurolingüística o las denominadas "soft skills" o habilidades personales, que tanta importancia tienen.

- La segunda parte trata la comunicación jurídica como especialidad; en ella se hace referencia a sus características generales, sus carencias, la claridad como tendencia a nivel mundial, con análisis de medidas puntuales adoptadas en algunos países y a nivel de Unión Europea, y, finalmente, la situación en España.

- La tercera parte aborda la comunicación jurídica escrita, desde sus aspectos generales hasta sus particularidades. Algunos son aspectos más formales, como los gramaticales, con el tratamiento de las palabras, el léxico que se utiliza o los párrafos, y otras cuestiones, como la semántica o la puntuación. Otros aspectos se refieren a la elaboración de textos jurídicos y a la redacción según el género más común, ya sea narración, descripción o argumentación. Además, se tratan, desde el punto de vista de sus comunes denominadores, las diversas partes de los escritos: los encabezamientos, hechos, fundamentos jurídicos y peticiones o decisiones.

- La cuarta parte trata la comunicación jurídica no escrita y queda dividida en oral o verbal y en no verbal, es decir, se exponen materias desde la forma de elaborar el mensaje oral, pasando por el control de los nervios o los imprevistos, hasta la indumentaria o pistas en la detección de la mentira.

- Por último, en la quinta parte, se extraen conclusiones que sintetizan la forma de comunicar correcta y eficazmente en el ámbito jurídico y se solicita la adopción de políticas públicas, que hoy día son ya imprescindibles.

1. LA COMUNICACIÓN EN GENERAL

1.1. ¿Qué es la comunicación?

De latín, *communicatio,-ōnis*, la primera acepción que ofrece el Diccionario de la lengua española[3] (DLE, en adelante) es la de: acción y efecto de comunicar o comunicarse, y no nos ofrece demasiada información útil. Las restantes acepciones del diccionario nos aclaran algo más, pero me quedo con la tercera: transmisión de señales mediante un código común al emisor y al receptor.

El título del libro de CAMPO VIDAL "*¿Por qué los profesionales no comunicamos mejor?*" ya resulta bastante revelador por el hecho de encontrarnos ante un problema que afecta, en general, a todas las profesiones y a sus profesionales.

Al pensar en las razones por las que el estudio del lenguaje le parecía fascinante, NOAM CHOMSKY[4] decía que una razón personal la constituía el hecho de que resultaba tentador considerar que el lenguaje era, según la expresión tradicional "un espejo para la mente", e indicaba que ese espejo lo es en un sentido profundo y significativo, como un producto de la inteligencia humana, creado de nuevo en cada individuo mediante operaciones que se encuentran más allá de la voluntad o la conciencia.

Estoy de acuerdo con dicha afirmación, por eso no es extraño que, desde mi perspectiva de jurista, me resultara tan atrayente todo lo relativo al estudio del lenguaje jurídico, un espejo de la mente del jurista, con toda la trascendencia que tiene la materia jurídica en la vida de todas las personas.

Finalmente, traigo a estas líneas la percepción de GUTIÉRREZ ORDÓÑEZ[5] quien analizó el paso que se daba desde el arte gramatical hasta la competencia comunicativa, entendida esta como un compendio de com-

---

3   http://dle.rae.es/?id=A58xn3c Consultado el 6 de marzo de 2016.
4   CHOMSKY, NOAM, *Reflexiones sobre el lenguaje*, Ariel, 1979, pp. 12 y 13.
5   GUTIÉRREZ ORDÓÑEZ, S., *Del arte gramatical a la competencia comunicativa*, Discurso leído en la RAE, el día 24 de febrero de 2008, Madrid, 2008, http://www.rae.es/sites/default/files/Discurso_Ingreso_Salvador_Gutierrez.pdf, p. 37 y ss.

petencias que van desde el dominio de las reglas del sistema y de las unidades del léxico hasta el dominio de los conocimientos necesarios al hablante para producir y comprender enunciados y discursos adaptados al contexto. Por mi parte, entiendo igualmente, y así lo haré notar más adelante, la comunicación jurídica como algo que va más allá de la mera comunicación de contenidos jurídicos de la forma más tradicional, gracias a la incorporación de nuevas habilidades que derivan en una nueva forma de comunicar el derecho.

1.2. Elementos de la comunicación en general

Comunicar, de *communicare*, supone compartir o poner en común, lo que tiene sentido porque se trata de una palabra derivada de otra: común, en latín: *communis*.

Prefiero la acepción del DLE[6] relativa a la comunicación como la transmisión de señales mediante un código común al emisor y al receptor. Vamos a acercarnos a estos factores de la comunicación en general desde el propio concepto del diccionario: el emisor, el receptor, el mensaje o las señales y el código, para dejar apuntados estos extremos y referirnos a ellos así en adelante.

El emisor. En un acto de comunicación, es la persona que enuncia el mensaje.

El receptor. En un acto de comunicación, persona que recibe el mensaje.

El código. Combinación de letras, números u otros caracteres que tiene un determinado valor dentro de un sistema establecido. Por eso, en la comunicación eficaz, el receptor tendrá que descodificar el mensaje para comprenderlo.

El mensaje o las señales. Acerca del término "señales", de entre sus acepciones del diccionario, escojo la de imagen o representación de algo. Las señales pueden ser sonidos, gestos, señas… No obstante, me quedo con la palabra mensaje porque resulta mucho más claro al englobar la posible variedad.

---

[6]   http://dle.rae.es/?id=A58xn3c Consultado el 6 de marzo de 2016.

La **transmisión o canal.** El medio para hacer llegar el mensaje del emisor al receptor.

Pues bien, como ha afirmado Garrido Nombela[7], "para trasmitir un mensaje se precisa una lengua, o al menos un código [...]. Al emplear la lengua en los menesteres jurídicos somos los alfareros que construyen el edificio del derecho (*masons of the law*, en la vieja y hermosa expresión inglesa). Y en este edificio cabe toda la vida en sociedad, con muy escasas excepciones. Lengua y derecho son dos realidades cuya interconexión nos permite observar la vida desde una miríada de perspectivas: ya observó con razón el clásico que el derecho es la vida contemplada desde un determinado punto de vista". Totalmente de acuerdo con el autor.

1.3. El procedimiento de la comunicación

El proceso de comunicación lo ha resumido muy claramente Gómez Fernández[8]. Explica que el proceso comunicativo puede ser contemplado desde distintas perspectivas y se refiere a los planteamientos de los autores Saussure, Bloomfield y Shannon & Weaver. Tras indicar cómo se produce el proceso comunicativo, según cada uno de los autores indicados, afirma que casi todo estaba en Saussure[9]. Por eso nos remitimos a la parte en la que explica cómo es el proceso comunicativo según Saussure.

En síntesis, se necesitan dos personas A y B para establecer un circuito y lo explica así:

"El punto de partida del circuito está en el cerebro de uno de ellos, por ejemplo, en el de A, donde los hechos de conciencia que llamaremos conceptos, se hallan asociados con las representaciones de los signos lingüísticos o imágenes acústicas que sirven a su expresión. Supongamos que un concepto dado desencadena en

---

[7]   Garrido Nombela, R., "Los jueces y la penumbra de las palabras", en *Jueces y ciudadanos: elementos del discurso judicial*, Carretero González, C.; Garrido Nombela, R.; Gómez Lanz, J., Grande Yáñez, M., Dykinson, Madrid, 2009, p. 73.

[8]   Gómez Fernández, D., "El proceso comunicativo. Una revisión", *CAUCE*, núm. 18-19. p. 789. Disponible en línea.
      http://cvc.cervantes.es/literatura/cauce/pdf/cauce18-19/cauce18-19_47.pdf
      Consultado el 12 de julio de 2017.

[9]   P. 797 del texto citado.

el cerebro una imagen acústica correspondiente: éste es un fenómeno enteramente psíquico, seguido a su vez de un fenómeno fisiológico: el cerebro transmite a los órganos de la fonación un impulso correlativo a la imagen; luego las ondas sonoras se propagan de la boca de A al oído de B: proceso puramente físico. A continuación, el circuito sigue en B un orden inverso: del oído al cerebro, transmisión fisiológica de la imagen acústica; en el cerebro, asociación psíquica de esta imagen con el concepto correspondiente. Si B habla a su vez, este nuevo acto seguirá —de su cerebro al de A— exactamente la misma marcha que el primero y pasará por las mismas fases sucesivas…".

El proceso es aparentemente sencillo. Solo dejamos este breve apunte y no nos detenemos más en este apartado, dado que el propósito de este libro no es describir el procedimiento de la comunicación en sí mismo, para el que existen excelentes manuales de expertos en la materia.

1.4. Otros factores relativos a la comunicación: el cerebro en general, la memoria, la programación neurolingüística y las "soft skills" o habilidades personales

Por su relación directa con la comunicación, me parecía interesante dejar apuntadas algunas cuestiones relativas al funcionamiento del cerebro en general y otras cuestiones citadas en este apartado.

1.4.1. El cerebro en general

Con relación al cerebro en general, indica el neurólogo y neurocientífico FACUNDO MANES[10] que las diferentes partes del cerebro se activan en conjunto al formar redes neuronales que van a intervenir en una función determinada. Esas redes se distribuyen en el cerebro "de manera tal que una mitad del mismo se especializa en determinadas funciones, y la otra mitad, en otras diferentes. Se sabe, entonces, que el hemisferio izquierdo se especializa en el lenguaje y en el pensamiento lógico, mientras que el hemisferio derecho es experto en la percepción visual, en el procesamiento espacial, en el arte, la

---

[10]   MANES, FACUNDO, Y NIRO, MATEO, *Usar el cerebro,* Paidós Contextos, 4ª impr., 2015. ISBN: 978-84-493-3085-8, 4, pp. 49 y 50.

creatividad y en el procesamiento holístico de la información". Como bien explica, cada parte del cerebro llega a ser experta en algunas funciones. Eso sí, los hemisferios están comunicados por el cuerpo calloso, que tiene por misión transmitir entre ambos hemisferios la información de manera conjunta.

Algunos investigadores sugieren la existencia de un área del cerebro que estaría encargada de monitorizar las conductas de distintas redes neuronales y de interpretar cada acción individual para logar crear una idea unificada de sí mismo. Esa área, que sitúan en el hemisferio izquierdo, ha sido denominada como "el intérprete". Este intérprete crearía historias y creencias para poder explicar acontecimientos internos y externos y darle a la persona un sentido de unidad.

En el mundo jurídico, esta cuestión es relevante porque la narración de hechos, por las partes, por los testigos, o por cualquier persona que deba narrar, es algo que se produce diariamente. Así lo explica el citado autor:

> "A lo largo de cada día de nuestras vidas, el hemisferio izquierdo toma la información que tiene (percepciones, memorias, acciones y la relación entre ellas) e inventa un "relato" coherente para nuestra conciencia, creando así una narrativa personal. Es decir que nuestra narrativa personal está basada tanto en memorias verdaderas como en aquellas "memorias falsas" que son el resultado de la interpretación del hemisferio izquierdo sobre los datos que le llegan. De esta manera, poseemos una experiencia consciente de ser uno, de percibirnos y sentirnos como un yo, como esas consignas de escritura que nos permitieron aprobar lengua en la escuela: una composición con "coherencia y cohesión".

Por otra parte, y tratando —entre otras cuestiones— las divergencias entre el cerebro de hombres y mujeres, García García[11], en un artículo sobre neuropsicología y género, explica —en la línea tratada anteriormente— que el cerebro humano está asimétricamente organizado, de modo que el hemisferio izquierdo procesa la información y controla la motricidad de la parte derecha del cuerpo, mientras que el hemisferio derecho controla la parte izquierda. El hemisferio izquierdo es responsable del lenguaje en el 98% de

---

[11]   García García, E., "Neuropsicología y género", *Revista de la Asociación Española de Neuropsiquiatría* [en linea] 2003, (junio): [Fecha de consulta: 24 de septiembre de 2017] Disponible en:<http://www.redalyc.org/articulo.oa?id=265019667002> ISSN 0211-5735, p. (14) 2182 y ss.

la población que es diestra, mientras que en el hemisferio derecho tienden a radicar funciones de carácter visoespacial y razonamiento matemático.

El cuerpo calloso, por otra parte, está formado por el conjunto de fibras neurales que comunican entre sí los dos hemisferios. Pues bien, algunos estudios han mostrado diferencias en la conformación del cuerpo calloso de hombres y mujeres. Las mujeres tendrían mayor cantidad de fibras y conexiones. Acerca del comportamiento emocional, por ejemplo, mientras que las mujeres lo expresan con preferencia mediante la verbalización y la expresión oral, los hombres tienen mayor tendencia a expresarlo mediante conductas algo más impulsivas. Ello sería consecuencia del proceso evolutivo que recogió por selección natural aquellas ventajas adaptativas para la supervivencia de la especie. El hombre vivía en grupos de cazadores-recolectores con división del trabajo entre sexos. Los varones se habrían encargado, generalmente, de la caza mayor que requería recorrer largas distancias, orientarse en los desplazamientos, representar mapas mentales del territorio, desarrollar rapidez en el lanzamiento de proyectiles, etc. Las mujeres recolectarían alimentos, vestimentas, cuidados de los hijos; precisarían orientación en espacios próximos, amplitud de memoria para los detalles, capacidades motrices finales, percepción de los cambios en el entorno y especial observación del comportamiento y estados emocionales.

Sostiene el autor que no se trata de defender la superioridad mental de un género frente a otro. Como tendencia general, las mujeres superan a los hombres en las pruebas de velocidad perceptiva, cuando hay que identificar objetos concordantes, o en las pruebas de fluidez verbal (encontrar palabras que comiencen con las mismas letras).

En este sentido, según la profesora Nuria Chinchilla[12], el funcionamiento del cerebro femenino sería "más simétrico" que el del hombre, es decir, en ellas se activarían ambos hemisferios a la vez (el izquierdo y el derecho). Al ser el funcionamiento del cerebro masculino más asimétrico, el hecho de poner en marcha un razonamiento no supondría activar al mismo tiempo las

---

[12]   Chinchilla, N., "Cerebro de hombre, cerebro de mujer: ¿son diferentes?", http://blog.iese.edu/nuriachinchilla/2014/11/cerebro-de-hombre-cerebro-de-mujer-son-diferentes/ Consultado el 24 de septiembre de 2017.

emociones del mismo modo que en las mujeres. Consiguientemente, unos y otros desarrollarían diferentes habilidades:

- La estrategia femenina en temas visoespaciales sería predominantemente de "recuerdo y reconocimiento", mientras que la masculina sería la de "construir" manipulando mentalmente el objeto con el fin de reorientarlo en el espacio.
- Las mujeres aventajarían a los hombres en fluidez verbal.
- Las mujeres estarían más atentas a los detalles y tendrían mejor memoria a corto plazo.

También existirían diferencias específicas en el procesamiento de las emociones, lo que llevaría a que:

- Las mujeres serían más vulnerables que los hombres a la presión psicológica que suponen los conflictos interpersonales.
- El estrés agudo facilitaría el aprendizaje y la memoria en los hombres y lo reduciría en las mujeres.
- Hombres y mujeres usarían diferentes estrategias para comprender la expresión facial de las emociones de alegría y tristeza.
- Las mujeres recordarían mejor las emociones y los varones, mejor los acontecimientos.
- Los cerebros femeninos predispondrían a la empatía y los masculinos, a la sistematización.

Por su parte, ARAMBURU-ZABALA[13] indica que las mujeres tienen grandes ventajas en la negociación, y para muchos juristas, esta es la base de un buen acuerdo. Afirma que practican mejor la escucha activa, atienden mejor al lenguaje no verbal y le dan coherencia con el verbal, del que saben que las palabras tienen más carga que la aparente; que no les obsesiona tener razón a toda costa por una imagen ganadora en todo momento y que son más flexibles a la hora de buscar soluciones pensando en que puedan ganar todas las partes.

---

[13]   ARAMBURU-ZABALA HIGUERA, L., *Guía de la negociación para mujeres*, Pirámide, 2010, pp. 17-19.

Son citas y apreciaciones de las que quiero dejar constancia, más allá de acuerdos o desacuerdos, porque entiendo que aportan diferentes visiones comunicativas y pueden resultar útiles en diversas situaciones.

1.4.2. La memoria en particular

Comenzamos con una breve y brillante distinción, importante, ya que la memoria no tiene una única manifestación, sino varias. Para BAJO MOLINA y otros[14] el modelo más influyente en el que se establece una distinción entre estructuras con capacidad y duración de almacenamiento diferenciado fue el de ATKINSON y SHIFFRIN, que distingue entre tres tipos de memoria. A) *Sensorial*. Muy breve, encargada de mantener la información sensorial durante milisegundos, hasta que procesos posteriores actúen sobre ella para seleccionar la información relevante. B) *Memoria a corto plazo*. De capacidad limitada, tiene la función principal de mantener la información activa mediante el repaso mientras esta resulta relevante para la tarea. Y C) *Memoria a largo plazo*. Permite mantener la información en estado pasivo durante largos periodos de tiempo.

Otra clasificación referida a los diversos tipos de memoria y a sus finalidades, se describe por LAVILLA CERDÁN[15]. Los tipos de la memoria y sus fines son estos:

1) **Memoria sensorial**. Sirve para conservar y recordar las impresiones que se adquieren por los sentidos y así, según las vías de aprendizaje (gusto, oído, vista…) la memoria resulta clasificada aquí en: visual, auditiva, olfativa, gustativa, táctil y quinestésica[16].

---

[14]   BAJO, FERNÁNDEZ, RUIZ Y GÓMEZ-ARIZA, "Memoria: estructura y funciones", *Mente y cerebro*, Bajo Molina y otros (Coords.), Alianza Editorial, Madrid, 2016, p. 207.

[15]   LAVILLA CERDÁN, L, "La memoria en el proceso de enseñanza/aprendizaje", *Pedagogía Magna*, 11, 2011, pp. 311-319.

[16]   Esta palabra, como tal, no se encuentra en el Diccionario de la lengua española. En su lugar, y de donde suele provenir esta palabra escrita de este modo o de este: kinestésico, es realmente la palabra aceptada por este diccionario: Cinestesia. Según el diccionario, significa, en psicología: "Percepción del equilibrio y de la posición de las partes del cuerpo". Etimológicamente proviene del francés: Del fr. *cinesthésie*, y este del gr. κίνησις *kínēsis* 'movimiento' y αἴσθησις *aísthēsis* 'sensación'.

Si en este momento obviamos las relativas al gusto, tacto y olfato, y a la cinestesia, nos quedamos con las más relevantes relativas al aprendizaje, y por extensión a la comprensión de lo que se explica, es decir, la auditiva y la visual.

La *memoria auditiva* nos hace recordar lo que se oye, y en especial, lo que se comprende. Si no se comprende, las conexiones que se establecen desaparecen con facilidad. De ahí que, cuando se busca que un mensaje se interiorice y se recuerde, es de gran importancia que se explique a cada persona o auditorio de modo que sea perfectamente comprensible lo que se dice.

Si deseamos que se recuerde lo que se dice en el ámbito jurídico, y aunque contemos con medios de reproducción audiovisual, si usted consigue elaborar un mensaje claro, tendrá más posibilidades de que el mismo llegue con facilidad, se recuerde mejor, y hasta se acepte mejor (me refiero a una aceptación no de cualquier argumento, sino a la predisposición positiva a aceptar un argumento razonable, aunque esto es únicamente una impresión personal).

Con la *memoria visual* se recuerda lo visto. Según el autor, los estímulos visuales permanecen cierto tiempo en el sujeto en forma de imagen. Por eso, quienes se fijan más en las imágenes, quienes necesitan ver una representación gráfica o complementar una explicación con una imagen, captarán y retendrán mejor la información que si solo pueden escuchar un argumento.

Precisamente, una de las razones por las que la lectura fácil tiene una importancia creciente en sectores con dificultades de lectura o comprensión es porque utilizan diversos recursos, en especial, visuales, que facilitan la lectura. La lectura fácil se encarga, fundamentalmente, de hacer accesibles los textos para que, en particular, las personas que puedan tener diversas dificultades los puedan comprender. Utiliza, por ejemplo, fotografías y dibujos y letras a mayor tamaño en las fuentes para que resulten más sencillas de leer.

2) **Memoria reproductiva o mecánica.** Se utiliza la repetición, la asociación de unas palabras conectadas.

Con ello, debemos atender a la importancia de la reiteración, siempre que resulte oportuno y para centrar o cerrar un argumento, sin que resulte tedioso o impertinente.

Y aunque aquí la comprensión tiene, para el autor, menor significado debido a que esta memoria lo que hace es reproducir y por tanto supone escasa actividad mental, en nuestro caso, aconsejaría, además, utilizar esta memoria repetitiva una vez que se ha comprendido lo que se lee o escucha.

3) **Memoria lógica o comprensiva.** Implica el entendimiento y, por ello, se necesita comprender y razonar previamente a memorizar.

Pienso que puede resultar interesante conocer estos distintos tipos de memoria y poder combinar diversos recursos comunicativos cuando lo que deseamos lograr es que un escrito o un discurso oral se entienda y se recuerde con facilidad. Como ya he mencionado, se trataría de argumentar intentando dirigirnos a nuestro receptor desde el contenido visual, auditivo e incluso emocional, por una parte, y, por otra, con la reiteración de ideas de modo claro para que puedan comprenderse bien y retenerse a más largo plazo.

1.4.3. La programación neurolingüística

También conocida por sus siglas: PNL, surgió en la universidad de California en Santa Cruz, con un estudiante de psicología y un lingüista. Si la traemos a colación ahora es por la parte práctica que puede tener con relación a la memoria.

Pero ¿qué es la programación neurolingüística? Por una parte, según RAMIRO J. ÁLVAREZ[17], se trataría del estudio sobre los modos empleados por cada individuo para comunicarse con su entorno y consigo mismo, y por otra parte, se propone descubrir el "mapa" que utilizan quienes destacan en alguna habilidad para hacerlo operativo y ponerlo al alcance de quienes deseen mejorar su rendimiento en esa misma habilidad.

---

[17]   RAMIRO J. ÁLVAREZ, *Manual práctico de P.N.L. Programación Neurolingüística,* Desclée De Brouwer, Bilbao, 1996, pp. 18 y ss.

Indica que si se denomina "programación neurolingüística" es porque, con la palabra "programación" se hace referencia a la necesidad de programar los circuitos internos que desembocan en los objetivos que se desean. Para ello se analizan las conductas dentro de un mapa y dentro del conjunto de mapas que posee un sujeto y que definen un atlas particular. Con la palabra "neuro", se hace referencia a que la base de toda la programación cerebral son las vías nerviosas, las neuronas, con estudio del funcionamiento del cerebro. Y la parte "lingüística" supone la utilización del lenguaje en la comunicación, con uno mismo o con los demás. El empleo de las palabras tendría una importancia muy relevante, tanto para establecer nuevos comportamientos como para modificarlos y buscar soluciones a muchos problemas.

La PNL, en definitiva, explica los canales o medios diversos a través de los que nos llega la información. Con sus mecanismos podemos comunicar de una manera más eficaz y ayudar a conectar y comunicar.

Explica el citado autor que buena parte de la información que nos llega utiliza las modalidades sensoriales: visual, auditiva, kinestésica[18] (y en esta última incluimos gusto, olfato, tacto, movimiento…, y otras englobadas en la vivencia de emociones y sentimientos por las repercusiones fisiológicas que las acompañan).

Lo más interesante, a mi juicio, para un jurista que está tratando constantemente con personas en su quehacer diario es intentar averiguar si alguno de estos canales o modalidades sensoriales puede ser predominante o preferente, sin que ello quiera decir que no se utilicen los otros canales, porque se pueden combinar perfectamente los tres. El canal preferente se completa con otras denominaciones, como sistema director, utilizado por ejemplo por O´Connor y Seymour[19] y definido como "medio preferido de llevar información a nuestros pensamientos conscientes".

---

[18]   Ya se ha mencionado que esta palabra, como tal, no se encuentra en el Diccionario de la lengua española. En su lugar, y de donde suele provenir esta palabra escrita de este modo (o de este: quinestésico), es la palabra aceptada por este diccionario: Cinestesia. Según el diccionario, significa, en psicología: "Percepción del equilibrio y de la posición de las partes del cuerpo". Etimológicamente proviene del francés: Del fr. *cinesthésie*, y este del gr. κίνησις *kínēsis* 'movimiento' y αἴσθησις *aísthēsis* 'sensación'.

[19]   O´Connor, J. y Seymour, J., *Introducción a la PNL*, Urano, Barcelona, 2012, p. 67.

Analicemos brevemente con el autor anteriormente citado[20] cada una de estas tres tipologías teniendo en cuenta que existen dos tipos de indicios a través de los que podemos intentar averiguar si nos encontramos ante una persona con un canal predominantemente visual, auditivo o cinestésico[21]: uno de los indicios es la terminología utilizada y otro es el movimiento ocular. Combinando ambos indicios, nos referimos a esos tres tipos de canales. O´Connor y Seymour[22], añaden en su explicación que se hace referencia general a las personas diestras, porque en personas zurdas podría ocurrir al contrario de lo que se explica a continuación:

– **Visual**. Puede haber personas que comprendan fácilmente un mensaje a través de imágenes, a las que la comunicación les llegue, la entiendan más fácilmente con expresiones visuales y términos relativos a la visión; son los "visuales". Por eso, la utilización de términos tales como: ver, mirar, mostrar, aclarar, ocultar, o expresiones como: "a simple vista", "tener en perspectiva", u otras similares, resultarán muy útiles en la mejora de la comunicación.

En cuanto a los movimientos oculares, los visuales suelen responder o conversar dirigiendo su mirada a la altura de los ojos, hacia arriba, en general, y según el autor, hacia la derecha cuando se trata de crear o elaborar una realidad, es decir, se trata de una nueva construcción de algo que no hemos visto aún. Si se dirige a la izquierda, por lo general, se estará recordando algo que sí se ha vivido, como la indumentaria que llevábamos ayer.

– **Auditivo**. Puede haber personas que comprendan más eficazmente un mensaje con explicaciones más detalladas, con todo lo relacionado con el oído; son los "auditivos". En consecuencia, los términos relacionados con los sonidos, los tonos, las intensidades, como: oír, escuchar, callar, comentar, contar, alto/fuerte, o expresiones como: "hacerse oír", "aguzar al oído" o "a tono", son frecuentes y útiles.

[20]   Ramiro J. Álvarez, Manual práctico de P.N.L. PROGRAMACIÓN NEUROLINGÜÍSTICA, Desclée De Brouwer, Bilbao, 1996, pp. 42 y ss.
[21]   Recordemos: también escrita como kinestésico o quinestésico.
[22]   O´Connor, J. y Seymour, J., Introducción a la PNL, Urano, Barcelona, 2012, p. 71.

En cuanto al movimiento ocular, en el caso de los "auditivos", se dirigirá predominantemente a la zona del rostro situada a la altura de los oídos. Si se dirige a la derecha a esa altura, se estará, generalmente, inventando o creando un sonido que no se ha escuchado en la realidad. Si se dirige a esa altura hacia la izquierda, sugiere que se está recordando, recreando algún sonido que se ha escuchado previamente, como una canción o una voz.

- **Cinestésico.** Relativo a sensaciones, emociones y sentimientos, serán términos frecuentes algunos como: sentir, agarrar, áspero, amargo, dulce, temblar, presionar, estremecer, delicia, perfumado, cálido, acogedor, blando, o expresiones como: "tener la sensación de…", "oler a…", "dejar un sabor de boca…".

En cuanto a los movimientos oculares, en los "cinestésicos", la mirada se dirigirá hacia abajo en general. Si de dirige hacia abajo y hacia la derecha, la persona estará entrando en contacto con las sensaciones que provienen de su organismo o con sus emociones o sentimientos. Si dirige su mirada abajo y a la izquierda, estará conversando consigo mismo en una especie de diálogo interno.

Para O´Connor y Seymour[23]en el caso de las personas zurdas, suele invertirse: miran a la derecha para recordar imágenes y sonidos, y a la izquierda para construir imágenes y sonidos. Con ellos destacaría que siempre hay excepciones y por eso conviene analizar bien a una persona antes de situarla en tal o cual grupo de preferencia.

Por otra parte, para estos autores[24], una memoria completa contendría todas las visiones, sonidos, sentimientos, sabores y olores de la experiencia original (añado, en la medida en que se disfruten de todos estos sentidos). Sin embargo, indican que preferimos ir a una única de esas características para recordarlo. Nos proponen el siguiente ejemplo:

> Piense en sus vacaciones. ¿Qué ha venido primero…? ¿Una imagen, un sonido o una sensación? Y nos dicen que aquí entraría el sistema director. Por ejemplo, puede que yo recuerde mis vacaciones y empiece a ser consciente de las sensaciones de relajación que tuve; pero la manera en que inicialmente lo haga puede

---

23   · O´Connor, J. y Seymour, J., *Introducción a la PNL*, cit., p. 71.
24   O´Connor, J. y Seymour, J., *Introducción a la PNL*, cit., p. 67.

ser mediante una imagen. En este caso, mi sistema director es visual y mi sistema preferido es cinestésico.

Para estos autores, la mayoría de las personas tienen un sistema de acceso preferido, aunque una persona pueda tener un sistema director distinto para diferentes tipos de experiencia. Por ejemplo, puede emplear imágenes para recordar experiencias dolorosas, y sonidos para recordar experiencias agradables.

Un cierto uso empático de los términos y formas de expresión conseguirá llegar y fijar, en definitiva, captar la atención, comunicar y memorizar con más facilidad cualquier información.

En cualquier caso, dado que en la mayoría de las ocasiones no dispondremos de información que nos permita distinguir si nuestro interlocutor es más visual que auditivo, por ejemplo, o se da el caso de tener varios interlocutores al tiempo, mi recomendación es presentar los contenidos variados: con imágenes, suficientes explicaciones, y con utilización de términos que denoten "emociones", de modo que intentemos llegar al receptor o receptores gracias a cualquiera de esas vías.

1.4.4. *Las denominadas "soft skills" o habilidades personales*

Traigo aquí las denominadas "soft skills" porque comenzó a hablarse de ellas hace un tiempo (en los años 80 en las empresas americanas y en los años 90 en las universidades americanas igualmente) y ha sido progresiva su incorporación a la comunicación como factores muy relevantes por tratarse de habilidades personales.

Las "soft skills" como habilidades personales (o sociales, según se empleen) surgieron, básicamente, porque el mundo empresarial comenzó a demandar un nuevo modelo de trabajador, el que más allá de un buen conocimiento técnico de su trabajo contara con otra serie de características complementarias, tan importantes o más (en determinados casos) que las del conocimiento técnico.

Estas otras características podrían ser las que siguen enmarcadas en estas categorías, siguiendo a Mussico[25]:

> "1. Introspectivas: aprender a gestionar emociones, cambiar creencias limitadoras, identificar fortalezas y puntos de mejora, incrementar la auto-conciencia y el sentido de auto-eficacia.
> 2. Diagnósticas y de acción: planteamiento y resolución de problemas, examen de los recursos disponibles, creatividad, capacidad para afrontar situaciones nuevas y cambios profundos, flexibilidad, iniciativa, planificación, gestión del tiempo, etc.
> 3. Relacionales: empatía, escucha activa, asertividad, comunicación eficaz, gestión de conflictos, negociación y consenso, gestión y trabajo en equipo y liderazgo".

De entrada, las tres categorías, con varias de sus distintas características, influyen en la comunicación porque nos conforman, porque son parte de nuestro contexto, porque una persona capaz de cambiar gestionar emociones, mostrarse flexible o ser empática, comunica mejor que otra que no lo sea. Tengo la convicción de que el entrenamiento y la posesión de habilidades de este tipo consiguen un comunicador más completo y eficaz.

De entre las diferentes categorías de habilidades antes mencionadas (introspectivas, diagnósticas y relacionales), me interesa, en especial, la comunicación eficaz, porque implica que tiene capacidad para logar el efecto que desee: comunicar, transmitir información, y solo se comunica, realmente, cuando la comunicación resulta eficaz, cuando quien emite el mensaje resulta comprensible y cuando el receptor del mensaje lo comprende. Y esa comunicación eficaz, en la especialidad jurídica, es la que se trata a continuación.

---

[25]   Mussico, G., "*Soft skills & coaching*: motor de la Universidad en Europa", *Revista Universitaria Europea* Nº 29. julio-diciembre 2018: 115-132 ISSN: 1139 -5796, p. 118.

2. LA COMUNICACIÓN JURÍDICA COMO ESPECIALIDAD

2.1. Prejuicios y características generales de la comunicación jurídica

Explica HERNÁNDEZ GALILEA[26] que la relación entre derecho y lenguaje se ha puesto constantemente en relieve por estudiosos de ambas realidades y ha dado lugar, especialmente en las últimas décadas, a interesantísimos trabajos desde ambas disciplinas. Destaca que, en los orígenes del derecho como objeto de estudio, ya existió una especial conexión con el lenguaje y, desde entonces hasta nuestros días, se ha mantenido. Ya son muy numerosas las contribuciones que, desde diversas ramas de la lingüística en los últimos tiempos, se han hecho al mundo jurídico, e incluso en la propia jurisprudencia se aprecia una tendencia a valorar el lenguaje y a exigir que se valore[27]. Otros autores, como SANZ BAYÓN[28] ponen el acento en la función de intermediación del jurista en un estado de Derecho:

> "La importancia de un lenguaje jurídico nítido y sencillo en el marco de un Estado de Derecho es clave porque de su redacción e interpretación depende en última instancia la interlocución entre las estructuras políticas, esto es, el poder gubernativo o *kràtos*, y el cuerpo social, el *demos*. La denominada "sociedad jurídica", la compuesta por los juristas, es la intermediaria entre la sociedad política y la sociedad civil".

---

[26]   HERNÁNDEZ GALILEA, J. M., «El proceso judicial como "espacio comunicativo"», Revista de Llengua i Dret, Journal of Language and Law, núm. 64, 2015, p. 31.

[27]   Como ejemplo, los acuerdos de la Sala de lo Civil del Tribunal Supremo relativos a la casación, de 12 de diciembre de 2000 y de 30 de diciembre de 2011. Allí, junto a cuestiones muy específicas sobre la regulación del acceso al recurso de casación, se abordaban otras que o son estrictamente lingüísticas o están estrechamente relacionados con el lenguaje.

[28]   SANZ BAYÓN, P., "El desafecto de la sociedad hacia el mundo del derecho: breve comentario sobre la situación en España", en Carvalho Leal, V./Álvarez Robles, T. (coords.), Direito, Sociedades e Meio Ambiente, Ed. Fasa, Recife (Brasil), 2018, pp. 151-168. ISBN: 9788570843586, p. 164.

Porque, como él mismo sostiene:

> "Al fin y al cabo los juristas son los profesionales que detentan la misión de realizar la intermediación en la relación entre los textos legales y los actos o hechos humanos, entre el poder político y el ciudadano, es decir, son depositarios, en última instancia, de la alta misión de buscar la justicia a través de las palabras de las normas y de los actos derivados de ellas, y de la subsunción de los hechos en el tenor de las normas a fin de aplicar las consecuencias jurídicas que se establezcan".

Totalmente de acuerdo. Pero vamos hacia un escalón anterior, uno de los puntos de partida para tratar esa comunicación del lenguaje jurídico: la percepción de la Justicia y el Derecho por la ciudadanía. Por comenzar de modo distendido, dos periodistas especializados en información de tribunales, Javier Ronda y Jorge Muñoz[29] expresaban, de forma amena e ilustrativa, algo que está en la mente de muchas personas que se acercan a la Justicia:

> "Participar en un juicio constituye una de esas experiencias que, para los ciudadanos poco familiarizados con la judicatura, adquiere singular relieve y trascendencia. A pesar del empeño de los poderes públicos por acercar la Justicia a los ciudadanos, para muchos no deja de ser una experiencia a medio camino entre una ceremonia religiosa y una operación quirúrgica. En ocasiones no es para menos, sobre todo si alguien se juega en la causa años de su vida o un patrimonio nada desdeñable; en otras ocasiones, bastan una toga y las peculiaridades del lenguaje jurídico para que el ataque de nervios esté servido. Y así pasa lo que pasa".

Y continúan indicando que "uno de los primeros obstáculos con los que suele tropezarse cualquier profano en materia judicial es la aparentemente enrevesada terminología legal".

En mi opinión, estos periodistas dan en la diana del sentir ciudadano con respecto a la Justicia en general, y el Derecho en particular. Por razones lógicas de cercanía del contenido de este libro, me centro en ese complicado lenguaje jurídico, sin desdeñar en absoluto otras cuestiones que contextualizan la peculiar comunicación jurídica, como los ceremoniales y usos del mundo jurídico que contribuyen a la imagen que se tiene de la Justicia en general.

---

[29]   Javier Ronda y Jorge Muñoz, *De juzgado de guardia*, Ed. Oberón, Madrid, 2002, pp. 11 y ss.

El gran Lázaro Carreter[30] decía de modo muy directo, igualmente: "[...] el idioma jurídico, tan amojamado y mustio hasta ahora..."; y al referirse a las pretendidas renovadoras intenciones de claridad de la Ley de Exposición de Motivos de la Ley de Enjuiciamiento Civil, escogía varios párrafos de la misma ley para ejemplificar su evidente opinión al respecto:

> "Así lo declara en su exposición de motivos la Ley de Enjuiciamiento Civil del año 2000, donde dice: 'En otro orden de cosas, la Ley procura utilizar un lenguaje que, ajustándose a las exigencias ineludibles de la técnica jurídica, resulte más asequible para cualquier ciudadano'. Para ello, sigue, va a 'mantener diversidades expresivas para las mismas realidades'. Y ejemplifica ese recién nacido desparpajo anunciando que se dispone a utilizar como sinónimas las palabras *juicio* y *proceso*, y que va a usar indistintamente *pretensión* y *pretensiones*, y *acción* y *acciones*. Sólo menciona estas audacias, pero hay más, muchas más. Así, en el párrafo citado, que comienza con el tópico periodístico, *sonrojante* en una Ley: *En otro orden de cosas* y utiliza *asequibles* por *accesibles*, solemnizando tan disparatada sinonimia".
>
> "De momento, ahí va un ejemplo de la claridad que de sí mismo proclama este aborto de las Cortes: 'Esta realidad, mencionada mediante la referencia a los consumidores y usuarios, recibe en esta Ley una respuesta tributaria e instrumental de lo que disponen y puedan disponer en el futuro las normas sustantivas acerca del punto, controvertido y difícil, de la concreta tutela que, a través de las aludidas entidades, se quiera otorgar a los derechos e intereses de los consumidores y usuarios en cuanto colectividades'. Olé".

Queda claro que hasta cuando hay buenas intenciones, si de claridad se trata, se ha de ser coherente y exponer de modo verdaderamente claro. No extraña el "óle" final del maestro Carreter porque el párrafo no puede ser mucho más enrevesado para expresar una idea sencilla. De hecho, en mi opinión, es lo que suele ocurrir, porque a los juristas nos pesa tanto la tradición de lo leído, escrito y aprendido, que nos cuesta enormemente cambiar ese estilo interiorizado. No es fácil, lo reconozco porque soy una de las personas que, cuando acudo al auxilio de los correctores (debería hacerlo siempre), me indican que puedo expresar mi mensaje de modo más sencillo.

Con gran razón, Pérez Colomé[31] se refería al lenguaje especializado de los abogados de este modo:

---

30   Lázaro Carreter, F, "Para nada" http://elpais.com/diario/2001/06/05/opinion/991692006_850215.html
31   Pérez Colomé, J., *Cómo escribir claro*, UOC, Barcelona, 2011, pp. 40 y 41.

"Hay estilos cargados que son intencionados, no inocentes como los de un escritor novel. La redundancia es ideología, decía el escritor inglés George Orwell. Hay sobre todo grupos de profesionales que se esconden detrás de jergas complicadas. Los abogados o los médicos son una buena muestra. Entre ellos se entienden y con ese lenguaje dan a entender a los demás que no son como ellos. Ellos están en una categoría; el resto, en otra…".

Parece evidente que la idea de la comunicación de los juristas —extiendo yo la del ámbito de la abogacía, a la que se refería el autor, a otros cuerpos, a todos los juristas— resulta, justificadamente, muy negativa.

Aunque no es un problema aislado, ocurre en muchos ámbitos. En el periodístico, William Lyon[32], por ejemplo, se pregunta literalmente por el motivo por el que se llegan a escribir tantas palabras para dar una noticia, relativa a presos en este caso, cuando puede ofrecerse con bastantes menos. Pone un ejemplo concreto:

"Leamos la siguiente frase:
"Una veintena de presos internados en la cárcel de Basauri (Vizcaya) han sido beneficiados con un permiso especial que les autoriza a permanecer fuera de la prisión durante las fechas navideñas".

Dice: "se entiende sin problemas, y nos hemos acostumbrado tanto a este tipo de escritura que muchas veces ni nos damos cuenta de lo artificial que es. Pero si el autor hubiera pensado un poco más podría haber conseguido una oración más natural y directa, con once palabras menos":

"Veinte presos de la cárcel de Basauri (Vizcaya) han recibido un permiso especial para salir de la prisión en Navidad".

En su opinión, el motivo de utilizar más palabras de las necesarias es:

"Por pereza, por no prestar atención, por falta de experiencia, porque muchas personas adoptan sin darse cuenta un estilo pretencioso. Incluso las hay que creen que las palabras superfluas y las frases recargadas les otorgan cierta cultura, cuando es todo lo contrario. Cuantas más palabras superfluas se eliminan, más gana la escritura en fuerza y nitidez. Al lector se le revela lo que de verdad se quiere decir y se le exige un esfuerzo mucho menor".

---

[32]   Lyon, William, *La escritura transparente. Cómo contar historias*, Libros del K.O. S.L.L., 2ª ed. 2015, p. 82.

Termina el autor con una cita del tercer presidente de Estados Unidos, Thomas Jefferson: "el más valioso de todos los talentos es no utilizar nunca dos palabras cuando una es suficiente".

En el mundo del Derecho, como sabemos y revisaremos, es algo que se produce con demasiada frecuencia. Evitémoslo.

2.1.1. Lenguaje especializado: el lenguaje jurídico

Dentro de los diversos tipos de lenguaje, el jurídico está considerado como un lenguaje especializado.

Según el Libro de estilo de la Justicia[33], se denomina lenguaje jurídico a aquella variedad del idioma que se utiliza en los textos legales, judiciales, administrativos, notariales y otros concernientes a la aplicación y la práctica del derecho, como los producidos por los abogados y otros colaboradores del derecho. Indica, a este respecto, que la ciencia jurídica tiene su propio "tecnolecto". La palabra "tecnolecto" se refiere a las características del habla de una ciencia, técnica u oficio, y recibe también el nombre de lengua de especialidad. El lenguaje es especializado porque se refiere al propio de la ciencia jurídica y tiene una terminología propia, un léxico propio dotado de precisión que evita la ambigüedad y la vaguedad.

Este mismo libro explica que la terminología jurídica española hereda muchas de sus voces de las fuentes en las que se inspira. Así del derecho romano han llegado latinismos literales, como: *ab initio*, y palabras derivadas, como: jurisdicción. Toma otras palabras del griego como hipoteca y, por otra parte, como el derecho español recibió una gran influencia del derecho francés —en especial del siglo XIX—, el español jurídico contiene herencias galas en términos tales como: aval o ejecutar. Pero, para el citado libro, y suscribo su parecer, el lenguaje jurídico va más allá del *tecnolecto* porque tiene una finalidad normativa y su función dominante es la apelativa por contener mandatos vinculantes para las instituciones públicas y para los ciudadanos.

---

[33]   *Libro de estilo de la Justicia*, Real Academia Española, Espasa, Consejo General del Poder Judicial, Muñoz Machado, S., (Dir.), Barcelona, 2017, pp. 2 a 4.

Además, un hecho que contribuye a la diferenciación del lenguaje jurídico de otras ciencias es que el derecho es una disciplina no solo teórica sino aplicada con una repercusión social, institucional, económica e individual que no se produce en otras disciplinas.

Como bien ha señalado González Zurro[34], "…es indudable que el lenguaje y el Derecho están profundamente vinculados. Pocas profesiones están tan comprometidas con el lenguaje como el Derecho. Efectivamente, si bien este último tiene que ver con los hechos: con los individuos y con la sociedad, con conductas, y por supuesto con normas y principios, se ha dicho que es a través del lenguaje como el Derecho se va construyendo". Y lo construimos con lenguaje común y con lenguaje especializado, el lenguaje jurídico o lenguaje del Derecho.

Hoy día, y aunque se tratará en páginas posteriores, se adelanta ya que, desde diferentes latitudes, la lucha por la mejora de este lenguaje como instrumento del Derecho ha sido constante; en el caso de países como Suecia, Alemania, Gran Bretaña, Bélgica, Chile, Méjico, Argentina, Australia, Canadá, Colombia, Perú o los Estados Unidos, se han propiciado diversas medidas, tanto públicas como privadas, para promocionar una comunicación de la materia jurídica de forma más clara. Incluso asociaciones internacionales reconocidas como *Plain Language*[35], o *Clarity International*[36] llevan muchos

---

[34]   González Zurro, G.D., *Otra mirada a las decisiones de la Corte Suprema*, EBM, 2015, New York University, p. 17.

[35]   http://plainlanguagenetwork.org/ *Plain Language Association InterNational* (PLAIN) reúne a ejercientes y simpatizantes del lenguaje sencillo en todo el mundo. Es una asociación sin ánimo de lucro que se financia con aportaciones voluntarias. La red incluye miembros que trabajan en comunicación clara en más de 10 lenguas y en cerca de 20 países. El objetivo de PLAIN es buscar la asociación internacional para promover el lenguaje sencillo en cualquier lengua.

[36]   http://www.clarity-international.net/ Es una red mundial de profesionales que promueven el lenguaje legal claro y sencillo. Tiene más de 650 miembros que provienen de 50 países y, con esta temática, es la organización más grande en el mundo. Los miembros son personas que creen en los beneficios del lenguaje legal sencillo e incluye a jueces, abogados, funcionarios, alumnos y profesores y representantes de organizaciones no gubernamentales. Otros son personas que utilizan este Derecho sencillo, como editores, escritores, investigadores, consultores, con experiencia en lenguaje jurídico claro. Fue fundada en el Reino Unido en 1983 por un pequeño grupo de profesionales del Derecho. Clarity ahora tiene representantes en unos 30 países y un equipo de volunta-

años dedicándose a explicar los beneficios de un Derecho claro y esta idea se va expandiendo por todo el mundo. En España, nuestra trayectoria de medidas públicas es muy corta en el tiempo y escasa en el contenido. Privadamente se aprecia más reivindicación y propuestas, pero sin el necesario apoyo público, se reducen a diagnósticos de situación y buenos deseos.

2.1.2. Carencias en la formación y soluciones

He sostenido en alguna ocasión anterior (Carretero González[37]) que, en materia de comunicación, los juristas o hemos carecido de ella o bien ha sido, en general, muy escasa, y eso implica, en mi opinión, carecer de recursos para saber cuándo emplear el discurso adecuado en cada momento y a su destinatario natural. Como han lamentado, con razón, Taranilla y Yúfera[38], a pesar de que la producción del discurso narrativo es muy relevante en las profesiones jurídicas, en la práctica del Derecho no se ha trasladado a la enseñanza de habilidades comunicativas para finalidades jurídicas. En general esto es cierto, aunque, afortunadamente, se aprecian ahora tendencias reformistas en este sentido y podemos ser optimistas al respecto. Continuemos, por el momento, con la comunicación en general.

Vamos a comenzar por el principio. El primer dato que he querido traer a este apartado es el nivel de formación medio en la población adulta en España. Me parece muy importante este punto de partida porque muchos autores, al escribir sobre los receptores del lenguaje jurídico o del Derecho, nos hemos referido al conjunto de los ciudadanos o a un posible "ciudadano medio". Al pensar en quién es un ciudadano "medio", me llevó a cuestionarme cuál era la media de estudios de la mayoría de los destinatarios del Derecho y quise conocer una muestra suficientemente representativa como para

---

rios dedicados a promocionar localmente el uso del lenguaje legal sencillo en lugar de utilizar legalismos. Publican anualmente un periódico denominado *The Clarity Journal*.

[37]   Carretero González, C., "Reflexiones acerca de la expresión y comunicación del Derecho por los juristas españoles en la actualidad", Revista Aranzadi Doctrinal, núm. 1, 2015. p. 232.

[38]   Taranilla, R y Yúfera, I., «La tipología textual en la enseñanza de la lengua del derecho: consideraciones a partir de una experiencia docente», *Revista de Llengua i Dret*, 58, Barcelona, 2012, p. 45.

apreciar qué conocimientos tienen aquéllos que leen, escuchan y a quienes se les exigen responsabilidades y obligaciones derivadas de las normas.

En consecuencia, conocer el nivel medio de estudios nos tiene que llevar a pensar en el nivel comunicativo lógico y, por tanto, en la forma más efectiva de hacerlo.

Como premisa, el Instituto Nacional de Estadística tiene los datos de formación de la población adulta[39]. Según su página web, el nivel de formación de la población adulta, de entre veinticinco (25) y sesenta y cuatro años (64), es un indicador relacionado con el desarrollo y los niveles de empleo de la sociedad actual y futura. Por nuestra parte, nos sirve para conocer a qué nivel educativo nos enfrentamos en España y extraer una conclusión acerca del modo de comunicarnos al utilizar el lenguaje jurídico. Como bien dice la web del citado Instituto, se trata de un indicador del desarrollo, y, por ello, incluye el grado de estudios alcanzados por los españoles, como media.

Los datos publicados[40], que se refieren además a varios niveles educativos según la CINE-2011[41] y la CNED-2014[42], son:

–   Nivel 0-2: preescolar, primaria y 1ª etapa de educación secundaria.
–   Nivel 3-4: 2ª etapa de educación secundaria y postsecundaria no superior.
–   Nivel 5-8: 1º y 2º ciclo de educación superior y doctorado.

Además, según los datos, en la franja de edad de entre 25 y 64 años (y con diferenciación entre mujeres y hombres), por etapas, tenemos estas cifras:

–   Primera etapa de educación secundaria e inferior (nivel 0-2).

Mujeres: 38,3%

Hombres: 43,5%

Media total: 40,9%

[39]   Instituto Nacional de Estadística:
       http://www.ine.es/ss/Satellite?L=es_ES&c=INESeccion_C&cid=12599254816
       59&p=1254735110672&pagename=ProductosYServicios%2FPYSLayout. Consultado el 17 de junio de 2018.
[40]   Actualizado a 5 de junio de 2018. Los datos publicados en julio de 2019 son similares.
[41]   Clasificación Internacional Normalizada de la Educación 2011.
[42]   Clasificación Nacional de Educación 2014.

- Segunda etapa de educación secundaria y educación postsecundaria no superior (nivel 3-4).

Mujeres: 22,7%

Hombres: 22,7%

Media total: 22,7%

- Educación superior (incluye doctorado). Nivel 5-8.

Mujeres: 38,9%

Hombres: 33,8%

Media total: 36,35%

Pues bien, en el rango de edad de entre 25 y 64 años, en el año 2017, un 43,5% de hombres y un 38,3% de mujeres (de 25 a 64 años) tenían un nivel de formación correspondiente a primera etapa de educación secundaria e inferior (nivel 0-2). En los niveles superiores de formación, los porcentajes de población eran más bajos.

Por grupos de edad, en la población de 25 a 34 años un 36,5% de hombres y un 48,8% de mujeres tenían un nivel de formación correspondiente a educación superior y doctorado (nivel 5-8). En este nivel de educación se producía la mayor diferencia entre sexos. Para ese mismo grupo de edad, con nivel de formación inferior a la 2ª etapa de educación secundaria, los porcentajes eran de un 39,4% de hombres y un 28,2% de mujeres.

Según los datos, solo un tercio de la población tiene educación superior. El resto, un 63,7 %, tiene niveles educativos inferiores y el mayor porcentaje, cerca de la mitad de la población española (alrededor del 41%), tiene un nivel de educación correspondiente a niveles de secundaria e inferior.

Según la misma fuente, en la UE-28 —en el año 2017— el porcentaje más alto corresponde a la población con 2ª etapa de educación secundaria (nivel 3-4), siendo superior el porcentaje de los hombres (47,9%) al de las mujeres (44,3%). Estos valores duplican a los de España (22,7% de hombres y 22,57 de mujeres). En la UE-28, el porcentaje más bajo de población corresponde a la 1ª etapa de educación secundaria (nivel 0-2), con un 22,7% de hombres y un 22,3% de mujeres.

Por el contexto, son interesantes también estos datos; en la UE, los valores reflejados son sensiblemente superiores a los de España.

Esto nos lleva a una primera reflexión. Si los licenciados suponen un tercio de esa población y el resto tiene unos niveles educativos inferiores, ¿se está comprendiendo un lenguaje jurídico cuyo destinatario, solo por lo que a normativa se refiere, es el 100% de la población? Este lenguaje es eminentemente técnico y no se facilita, por lo general, otro tipo de discurso más accesible en su comunicación.

Por otra parte, y sobre la forma de comunicar en España, tras leer diferentes manuales sobre comunicación y extraer conclusiones sobre las razones de las deficiencias comunicativas en España, pensé que la carencia más o menos acusada de formación en comunicación a niveles educativos básicos, repercute en la calidad de nuestra comunicación como personas e influye directamente en dificultades para que los mensajes lleguen y sean comprendidos por sus destinatarios.

Para el ya citado periodista y autor, "quien se moleste en repasar los programas de estudio de las principales escuelas de negocios, apenas encontrará referencias a la comunicación, como si esa asignatura estuviera ya enseñada —¿dónde?— en la universidad o en la enseñanza media"[43].

PÉREZ COLOMÉ[44] se queja, además y con razón, de la falta de preparación de los profesores. Cita las palabras de Frank McCourt, quien fue profesor muchos años, y manifestó:

> "...Creo que hay gente que enseña que no sabe escribir —esos catedráticos que son jefes de departamento y cuyas cabezas están en nubes académicas y que quieren ser sofisticados y retorcidos y que temen la simplicidad. Una de las debilidades, creo, del sistema educativo es la llegada de nuevos profesores que acaban de salir de la universidad y que han estado oyendo a profesores que hablan sin parar de la nueva crítica y el modernismo y el posmodernismo y leyendo libros académicos llenos de notas al pie y bibliografías. Llegan a clase y no saben hablar".

Esto es una realidad palpable, y debo decir que, dado que la docencia universitaria es mi profesión, doy fe de esas palabras por los numerosos profesores que yo también he tenido y en ocasiones padecido. También he observado una evolución importante en los profesores más jóvenes que tratan

---

[43]   CAMPO VIDAL, M., *¿Por qué los españoles comunicamos tan mal?* Plaza & Janés, Barcelona, 2008, pp. 22 y 23.
[44]   PÉREZ COLOMÉ, J., *Cómo escribir claro*, UOC, Barcelona, 2011, p. 35.

de hacerse entender porque comprenden que en esta era digital y trepidante, la comunicación más sencilla es la más efectiva.

En algunas profesiones se van exigiendo pautas de claridad y comprensión en su forma de expresión. Recordemos que existen exigencias normativas impuestas por la Ley 34/2006, de 30 de octubre, sobre el acceso a las profesiones de Abogado y Procurador de los Tribunales[45] y el Real Decreto 775/2011[46] que aprueba el Reglamento de esta ley, que requieren de ciertas habilidades relativas al dominio del lenguaje jurídico y su comunicación, normas a las que nos referiremos más adelante.

La importancia de la buena expresión ha sido puesta de manifiesto por numerosos autores. Así, de entre las cuestiones que destaca Pérez De La Cruz[47] con relación a la formación de los abogados, en primer lugar encontramos: saber Derecho, y en segundo lugar: saber expresarse, ya que "aunque se trate sólo del relato de los hechos en escritos de naturaleza procesal o en informes orales, de los antecedentes y estipulaciones de un contrato si se nos ha encomendado su redacción o de los presupuestos que han de tomarse en consideración para la distribución del caudal partible en una sucesión hereditaria, se ha de contar necesariamente con un notable dominio de la lengua que permita hallar y emplear el vocablo adecuado a la situación que pretende describirse o al resultado que pretende obtenerse, así como una reconstrucción sintácticamente correcta de la frase que permita al lector o al oyente captar sin mayor esfuerzo, con todos sus matices —y, sobre todo, sin error— la idea que el autor pretende expresar".

Totalmente de acuerdo. Y de acuerdo, por experiencia, con De Cucco[48] cuando manifiesta que "…muchos estudiantes de derecho arrastran una deficiente formación que la universidad no solo no saneará, sino que profundizará al enfrentarlos con las dificultades adicionales que plantea un lenguaje técnico como el jurídico. Guiados por el afán de pertenencia, estudiantes y

---

[45]   BOE de 31 de octubre de 2006.
[46]   BOE de 16 de junio de 2011.
[47]   Pérez De La Cruz, A., *Abogado en ejercicio*, Pons, Madrid, 2009, pp. 21 y ss.
[48]   De Cucco Alconada, M.C., "¿Cómo escribimos los abogados? La enseñanza del lenguaje jurídico", *Academia. Revista sobre enseñanza del Derecho*, Año 14, número 28, Buenos Aires, Argentina, p. 135.

abogados jóvenes invierten más tiempo y esfuerzo en imitar el estilo ajeno que en intentar construir uno propio". Al final, la autora reclama formación en los estudios de derecho del lenguaje jurídico para los futuros juristas, y con un importante eje principal, la claridad como marca del buen estilo.

Es un gran problema, efectivamente. El hecho de imitar es frecuentísimo en la profesión jurídica y el estilo que se suele imitar, está muy lejos de ser claro y comprensible.

He puesto de manifiesto en varias ocasiones que es de vital importancia la formación integral de los juristas. La adquisición de habilidades relativas a la comunicación es una de las más relevantes a mi juicio[49]. Hay incluso, en ese camino lento pero imparable, normas que regulan algunas profesiones que incluyen un contenido en el que resulta significativo el lugar que las habilidades comunicativas ocupan. Por ejemplo, el que probablemente es el más numeroso colectivo en una profesión de juristas, el de los abogados, cuenta con la normativa anteriormente citada la Ley 34/2006, de 30 de octubre, sobre el acceso a las profesiones de Abogado y Procurador de los Tribunales[50] y el Real Decreto 775/2011[51] que aprueba el Reglamento de esta ley.

En este reglamento hay un precepto que se refiere, en exclusiva, a las competencias que deben garantizarse en la realización de los cursos de formación para el acceso a la profesión de abogado.

El reglamento indica en su artículo 3.1 que los títulos universitarios de grado a que se refiere la letra a) del artículo 2 (requisitos generales) deberán acreditar la adquisición de ciertas competencias jurídicas y, entre ellas, su apartado g) indica:

g) Manejar con destreza y precisión el lenguaje jurídico y la terminología propia de las distintas ramas del derecho: redactar de forma ordenada y comprensible documentos jurídicos. Comunicar oralmente y por escrito ideas, argumentaciones y razonamientos jurídicos usando los registros adecuados en cada contexto.

---

[49]   CARRETERO GONZÁLEZ, C., "La formación de abogados y el lenguaje jurídico", en *Retos de la abogacía ante la sociedad global*, CARRETERO GONZÁLEZ, C, y DE MONTALVO JÄÄSKELÄINEN, F., (Dirs.), Civitas-Thomson Reuters, Cizur Menor (Navarra), 2012, p. 273.

[50]   BOE de 31 de octubre de 2006.

[51]   BOE de 16 de junio de 2011.

Exige a los nuevos abogados, el artículo 10 del mismo Reglamento lo siguiente:

"Saber exponer de forma oral y escrita hechos, y extraer argumentalmente consecuencias jurídicas, en atención al contexto y al destinatario al que vayan dirigidas, de acuerdo en su caso con las modalidades propias de cada ámbito procedimental".

Resultan sumamente interesantes estos preceptos que vienen a suponer un antes y un después en la concienciación del importante aspecto que implica el correcto manejo del lenguaje jurídico.

Lo cierto es que, para que esto pueda ser una realidad, lo primero que hay que mejorar es el manejo del lenguaje en general; pero esto pertenece a otros ámbitos académicos sobre los que únicamente podemos ahora llamar la atención.

Continuando con los citados preceptos, se exige, por partes:

1) "Manejar con destreza y precisión el lenguaje jurídico". Con destreza supone con maestría, soltura, fluidez o habilidad. Con precisión supone utilizar la palabra adecuada, la técnica, apropiada o exacta.

2) "Y la terminología propia de las distintas ramas del derecho: redactando de forma ordenada y comprensible documentos jurídicos". La terminología propia, viene ligada a la precisión, pero precisión ya por ramas, expresando, por ejemplo, la capacidad civil con sus términos concretos (jurídica y de obrar) a diferencia de la capacidad en procesal (para ser parte y procesal). Y que se haga de forma ordenada; basta con leer algunas demandas y otros escritos procesales para comprobar el insoportable amasijo de palabras que se encuentran más o menos unidas en aparentes frases.

También se exige que resulten comprensibles los documentos jurídicos. Que se comprenda parece fácil, pero no parece serlo con mucha frecuencia. Existen muchos juristas que no repasan, no revisan sus escritos, dando lugar a primeras redacciones que quedan como definitivas y difíciles de entender, y ello no es lo más deseable.

3) Comunicar oralmente y por escrito ideas, argumentaciones y razonamientos jurídicos usando los registros adecuados en cada contexto.

Es lógico pensar que el nivel de lenguaje jurídico empleado por un abogado debe resultar más técnico en función de la circunstancia jurídica y procesal en la que se encuentre. Si está ante un juez, por ejemplo, solicitando y argumentando la pertinencia de una prueba, debe usar la terminología técnica adecuada, la más precisa, por rigor y economía procesal. Si el abogado está en el despacho con su cliente y le debe explicar por qué plantear una reconvención, dado el caso, lógicamente debe resultar inteligible por el cliente sin demasiada complicación. Y si debe explicar un requerimiento, lo debe hacer con sencillez y sin perjuicio de que quede claro tanto lo que se le solicita desde el tribunal, como las consecuencias contenidas en ese requerimiento.

El artículo 10 incide en otros aspectos. También se requiere: "Saber exponer de forma oral y escrita hechos". Tan importante es resultar inteligible en exposiciones escritas, tradicionalmente más cuidadas, como oralmente. En la actualidad, con el Tribunal del Jurado y en numerosísimas actuaciones orales en el mundo del proceso y de la abogacía en general, la preparación o formación en expresión oral con un uso del lenguaje jurídico correcto y persuasivo se impone como una necesidad. Se observan, con mayor frecuencia cada vez, los cursos de formación que tratan estas habilidades.

Realmente debe formarse en la propia universidad. Desde el primer curso, se ha de esperar —al menos— que se realicen exposiciones, con formación continua hasta el último curso y, por descontado, en el postgrado, en el que el alumnado debería profundizar y practicar lo aprendido para propiciar el acceso a la profesión de abogado.

Se requiere igualmente: "Extraer argumentalmente consecuencias jurídicas, en atención al contexto y al destinatario al que vayan dirigidas, de acuerdo en su caso con las modalidades propias de cada ámbito procedimental". Esto enlaza con lo que se acaba de comentar de utilizar el registro adecuado a cada situación, para comunicar a cada interlocutor las consecuencias jurídicas de cada fase procesal.

Como nos recuerda GRAIEWSKI[52]: "Escribir de manera apropiada y sencilla no requiere de habilidades especiales. Todos tenemos discursos diferentes según la audiencia a la que nos dirigimos: estamos naturalmente programa-

[52]   GRAIEWSKI, M., "El lenguaje como herramienta para superar la oscuridad", *Clarín*, 12-05-18, https://www.clarin.com/opinion/lenguaje-herramienta-superar-oscuridad_0_HJSV_uXAz.amp.html
Consultado el 13 de mayo de 2018.

dos para explicarnos de manera diversa cuando hablamos con nuestra familia o amigos que cuando queremos decir algo a un superior o transmitir un contenido a alumnos. Solo se trata de adecuar el discurso". En efecto; en materia puramente jurídica ya recordaba el Decano del Colegio de Abogados de Madrid en 2007, MARTÍ MINGARRO[53] que, al vivir los abogados de la palabra:

"...Necesitamos convencer, encontrar la forma adecuada de contar las cosas. No tanto por una voluntad de estilo, por resultar brillantes, sino para persuadir. Y aunque el estilo no sea una finalidad en sí mismo, si se carece de él, la palabra queda inerme, plana, meramente imitativa, y acaso trufada de errores arrastrados e inerciales... Una buena retórica logra que el mensaje alcance su objetivo mucho más fácilmente. Que sea más inteligible, menos ambiguo, más creíble, menos opinable...Quien escucha o lee un alegato en justicia, debe quedar convencido, se pretende que despeje sus dudas, y las resuelva...".

Creo que las recomendaciones que se acaban de reflejar para los abogados, por lo que suponen de esfuerzo comunicativo, se puede hacer extensivas a la mayoría de las profesiones en las que intervengan los juristas.

En definitiva, para evitar esas carencias de formación, como ya he manifestado[54], los juristas deberían, en síntesis, conocer y aplicar las normas ortográficas, gramaticales y utilizar correctamente el léxico. Deberían dirigirse con un registro adecuado a sus interlocutores, redactar con párrafos y oraciones de extensión recomendada (más adelante me refiero a la extensión de oraciones y párrafos), con una terminología igualmente en función del contexto y los receptores, y variar la expresión, escrita u oral según la finalidad del mensaje.

2.2. La eficacia comunicativa en el ámbito jurídico y los problemas generados por su falta

Nada como un buen ejemplo del problema más común de la redacción jurídica escrita y una de las razones por las que, año tras año, se critica la escasa evolución en comunicación y la falta de claridad: la excesiva longitud de párrafos que convierten los textos en lecturas imposibles. El siguiente

---

[53] MARTÍ MINGARRO, L., Prólogo al *Libro de estilo del Ilustre Colegio de Abogados de Madrid,* ICAM y Marcial Pons, Madrid, 2007, pp. 9 a 11.

[54] CARRETERO GONZÁLEZ, C., «La formación lingüística de los futuros juristas en España", *Anuari de Filología. Estudis de Lingüística,* núm. 7, 2017, ISSN-e 2014-1408, pp. 153 y ss.

ejemplo es una resolución publicada en el BOE; se trata de uno de los Hechos (concretamente es un Hecho; completo, eso sí) de una Resolución de la Dirección General de los Registros y del Notariado[55].

"Doña E. M S. A., procuradora de los tribunales, en nombre y representación de la sociedad «Innovaciones Tecnológicas de La Mancha, S.L.», interpuso recurso contra la anterior calificación, mediante escrito que causó entrada en el Registro de Mercantil y de Bienes Muebles de Ciudad Real el día 22 de mayo de 2015, en el que expresa las siguientes alegaciones: «Primero: La negativa del Registro que impugna esta parte, es la concerniente a la siguiente argumentación de la Sra. Registradora: "se deniega ya que la junta debería haberse convocado por la totalidad del órgano de administración, artículo 166 LSC…" Esta parte entiende que la convocatoria fue correcta, acorde a ley y acorde a los estatutos de la sociedad, como en adelante se expondrá. Segundo: Primero reiterar que el artículo 166 LSC dice: Artículo 166. Competencia para convocar La junta general será convocada por los administradores y, en su caso, por los liquidadores de la sociedad. Los estatutos de la sociedad, tal y como constan aprobados y protocolizados en la escritura notarial de fecha de 25/01/2001, por el Notario D. Miguel Mestanza Iturmendi con número de protocolo 143, en la redacción realizada para la adaptación de los mismos a las normativas legales, en su apartado III. Funcionamiento de la sociedad, dice de forma expresa: III. Funcionamiento de la sociedad. 8. Administración y Representación. La representación de la Sociedad en juicio y fuera de él, con las más amplias facultades de gestión, administración y disposición comprendidas en el giro o tráfico de la empresa, se podrá confiar a un administrador único, a varios administradores que actúen solidaria o conjuntamente, o a un Consejo de Administración. Se encomienda a la Junta General la determinación en cada caso de la estructura concreta que haya de tener el órgano de administración, acuerdo que se adoptará con las mayorías previstas para la modificación de estos Estatutos, pero sin que suponga modificación de su texto. En caso de pluralidad de administradores, solidarios o mancomunados, o Consejo de Administración, habrá un máximo de doce y un mínimo, en el supuesto del Consejo, de tres, y en los demás casos de dos. En el caso de varios administradores conjuntos, el poder de representación y actuación se ejercerá mancomunadamente, por dos cualesquiera de ellos. —En caso de ser necesario, la Junta General designará Auditores de Cuentas. Los administradores ejercerán su cargo por tiempo indefinido. Visto lo anterior, la escritura pública de fecha de 14/06/2001, por el Notario D. Miguel Mestanza Iturmendi con número de protocolo 997, dice: Nombramiento como Administradores mancomunados a Don F. C. B., Don R. N. J.

---

[55]   Resolución de 27 de julio de 2015, de la Dirección General de los Registros y del Notariado, en el recurso interpuesto contra la negativa de la registradora mercantil y de bienes muebles de Ciudad Real a inscribir determinados acuerdos adoptados por la junta general de una sociedad. https://www.boe.es/boe/dias/2015/09/30/pdfs/BOE-A-2015-10452.pdf.

y Don E. G. M., pudiendo indistintamente actuar dos cualesquiera de ellos, cuyas circunstancias personales constan en la comparecencia de esta escritura, y cuya duración será
por tiempo indefinido, y con las facultades previstas en la Ley, salvo las indelegables que a
titulo enunciativo y no limitativo se encuentran descritas en el Artículo 10 de los estatutos
de la sociedad. Por tanto, el consejo de administración de la sociedad, según los estatutos
es posible de formarlo un mínimo de dos administradores mancomunados y un máximo
de 12. Según acuerdos de la sociedad, deciden que el consejo de administración sea el
de dos administradores mancomunados, donde se designan a tres administradores, de
los cuales, deben actuar obligatoriamente dos de ellos. No debe confundirse, con ser tres
administradores mancomunados, y obligados los tres en su actuación, que no es el presente caso, puesto que por parte de la Junta General se designan a dos administradores
mancomunados, para regir la administración de la sociedad, pero se designan a tres para
que estos actúen de forma mancomunada entre dos de ellos, sin necesidad de la firma
del tercer para obligar y regir la sociedad. Se cumplen, por consiguiente, en la presente
convocatoria de la junta, los estatutos sociales, y a su vez, se cumplen los requisitos
del artículo 166 LSC. Existen sentencias de Audiencias provinciales donde otorgan plena
validez a dichas convocatorias como las Sentencias de la Audiencia Provincial de Murcia
(Sección 4.ª) núm. 153/2000 de 30 de mayo, de la Audiencia Provincial de Granada (Sección 3.ª) núm. 31/2012 de 27 de enero y de la Audiencia Provincial de Madrid (sección 28)
núm. 252/2012 de 17. de septiembre, han admitido esta convocatoria realizada por algunos (pero no todos) de los administradores mancomunados de una sociedad, afirmando
esta última Sentencia la validez de la convocatoria cuando la junta es convocada por uno
de los administradores mancomunados, siendo participada o notificada al otro administrador mancomunado, como sería el presente supuesto. Y así también lo tiene declarado
el Tribunal Supremo en Sentencias de 13 de febrero de 2006 y 8 de mayo de 2003, a pesar
de la naturaleza imperativa de las normas sobre convocatorias de juntas mercantiles, "lo
anterior no significa que esta Sala admita un ejercicio abusivo del derecho a impugnar los
acuerdos sociales por incumplimiento de los requisitos formales de la convocatoria ni un
ejercicio contrario a la buena fe". Razones para estimar la validez de la convocatoria realizada por dos de los tres administradores mancomunados hay varias: —Evitar el abuso de
poder de un solo administrador mancomunado obligando a una convocatoria judicial no
suficientemente motivada. —Evitar los supuestos en que siendo el objeto de la junta cesar a uno de los administradores mancomunados, éste difícilmente se prestará a suscribir
la convocatoria. —Que si bien es cierto que el poder de representación mira hacia fuera,
en la intención de las personas que nombran varios administradores mancomunados para que actúen solo dos de ellos, debe estar contemplada la de que dichos administradores
lleven a cabo todas las facultades del órgano de administración de la sociedad salvo las
señaladas como típicamente indelegables, es decir, de formulación de cuentas y el ejercicio de las facultades concedidas por la junta como no delegables. —Que la intención
del legislador al prohibir la administración mancomunada de más de dos personas en la
sociedad anónima, es la de evitar la paralización de la sociedad por la posible oposición de
uno de los administradores nombrados y esta regla, al menos en espíritu, debe aplicarse a

la sociedad limitada cuando los socios evitan esta paralización en los estatutos atribuyendo el poder de representación a dos o los que ellos señalen, pero no a todos ellos. —Que si los administradores mancomunados nombrados son múltiples, no hay límite legal para ello, parece excesivo que la oposición de uno solo de ellos obligue a la sociedad a acudir a una convocatoria judicial de junta, con las dilaciones y gastos que ello supone. —La doctrina que inspira la nota de calificación de la Sra. Registradora Mercantil de Ciudad Real está en contradicción con el espíritu de las más recientes normas mercantiles que se centran en facilitar la vida societaria evitando costes innecesarios. —Finalmente, si un Consejero Delegado (según ha afirmado la propia DGRN en alguna Resolución) puede convocar, y éste según el art. 149.3 del RRM tiene el mismo poder de representación que los administradores, no se entiende muy bien el porqué si dos mancomunados tienen también ese ámbito de representación no puedan convocar junta».

Este párrafo único perteneciente a uno de los "Hechos" de una resolución, ilustra perfectamente cómo no debemos redactar jamás. A mi juicio, por otra parte, más que un "Hecho", contiene una especie de embutido de hechos[56]. Este tipo de escrito es, lamentablemente, no infrecuente en nuestro lenguaje del derecho. Bastaría preguntar a cualquier persona que haya tenido que leer textos que aparezcan en boletines oficiales, ya sean leyes, resoluciones como esta o sentencias publicadas, cuántas lecturas necesitan realizar para comprender bien sus contenidos.

Uno de los factores más reiterados y reconocibles de estos escritos se encuentra, en muchas ocasiones como decimos, en la extrema longitud de párrafos y de frases.

Aprovechando la cita del ejemplo, aligero el inicio de ese texto y muestro así que no cuesta excesivo trabajo. Lo único que hago es modificar, mínimamente, la redacción de la parte introductoria, y, dado que debemos respetar las alegaciones —que se copian literalmente—, separo los motivos en distintos párrafos y añado las negritas para que las palabras primero y segundo resulten más claras, en términos de visualización.

Veamos:

"...Doña E. M S. A., procuradora de los tribunales, en nombre y representación de la sociedad «Innovaciones Tecnológicas de La Mancha, S.L.», interpuso recurso contra

---

[56]   Embutir, en su segunda acepción, es: llenar, meter algo dentro de otra cosa y apretarlo. http://dle.rae.es/?id=EiQyblU Consultado el 26 de marzo de 2019.

la anterior calificación, por escrito que entró en el Registro de Mercantil y de Bienes Muebles de Ciudad Real el día 22 de mayo de 2015".

En dicho escrito se expresan estas alegaciones:

«Primero: La negativa del Registro que impugna esta parte es la concerniente a la siguiente argumentación de la Sra. Registradora: "se deniega ya que la junta debería haberse convocado por la totalidad del órgano de administración, artículo 166 LSC...". Esta parte entiende que la convocatoria fue correcta, acorde a ley y acorde a los estatutos de la sociedad, como en adelante se expondrá.

Segundo: Primero, reiteramos que el artículo 166 LSC dice: Artículo 166. Competencia para convocar: la junta general será convocada por los administradores y, en su caso, por los liquidadores de la sociedad...».

Pienso que separar párrafos y hacerlos más comprensibles es sencillamente una cuestión de voluntad.

Ahora escojo otro extracto y vuelvo a modificar, fundamentalmente, su estructura para dejarlo así:

«...Existen sentencias de Audiencias provinciales en las que se otorga plena validez a dichas convocatorias como las siguientes:

- Audiencia Provincial de Murcia (Sección 4.ª) núm. 153/2000 de 30 de mayo,
- Audiencia Provincial de Granada (Sección 3.ª) núm. 31/2012 de 27 de enero,
- Y Audiencia Provincial de Madrid (sección 28) núm. 252/2012 de 17 de septiembre,

que han admitido esta convocatoria realizada por algunos (no todos) los administradores mancomunados de una sociedad. La última sentencia citada declara la validez de la convocatoria en el caso de que la junta se convoque por uno de los administradores mancomunados, siendo participada o notificada al otro administrador mancomunado, como sería el presente supuesto.

También lo tiene declarado el Tribunal Supremo en sentencias de 13 de febrero de 2006 y 8 de mayo de 2003, a pesar de la naturaleza imperativa de las normas sobre convocatorias de juntas mercantiles, cuando se indica que:

"...lo anterior no significa que esta Sala admita un ejercicio abusivo del derecho a impugnar los acuerdos sociales por incumplimiento de los requisitos formales de la convocatoria ni un ejercicio contrario a la buena fe".

Razones para estimar la validez de la convocatoria realizada por dos de los tres administradores mancomunados hay varias:

1) Evitar el abuso de poder de un solo administrador mancomunado obligando a una convocatoria judicial no suficientemente motivada.

2) Evitar los supuestos en que siendo el objeto de la junta cesar a uno de los administradores mancomunados, este difícilmente se prestará a suscribir la convocatoria.

3) Si bien es cierto que el poder de representación mira hacia fuera, en la intención de las personas que nombran varios administradores mancomunados para que actúen solo dos de ellos, debe estar contemplada la de que dichos administradores lleven a cabo todas las facultades del órgano de administración de la sociedad. Se exceptuarían las señaladas como típicamente indelegables, como la formulación de cuentas y el ejercicio de las facultades concedidas por la junta como no delegables...».

En esta última ocasión, he modificado algo la redacción, he añadido signos de puntuación para lograr más párrafos, he realizado un listado y los he enumerado.

El ejercicio es muy sencillo y se consigue una mayor comprensión; sin embargo, el peso de la inercia sigue produciendo, como resultado, constantes escritos como el transcrito.

A mi juicio estos textos son fácilmente sustituibles y convendremos en que, de otro modo, no fluye el mensaje por falta de comprensión. Si la comunicación no produce el efecto deseado, que es trasladar un mensaje de una a otra persona, no es eficaz y se produce el fracaso comunicativo. Precisamente, el *Libro de estilo de la Justicia* tiene, como se mencionó, un apartado dedicado a dicho fracaso[57].

Hay que tener en cuenta que hablar es comunicar y la comunicación es eficaz cuando el interlocutor comprende no solo lo que el emisor de un mensaje le dice, sino también lo que le quiere decir, es decir, cuando "descifra" el significado literal del mensaje, además del sentido pretendido. Si ese proceso no culmina con éxito, se pierde la comunicación.

---

[57] *Libro de estilo de la Justicia*, cit., p. 12.

Pues bien, para cumplir con su función en el discurso, según indica el citado libro, los textos, además de atenerse a las reglas gramaticales, ortográficas y léxicas, han de poseer valores como la coherencia, la adecuación, la propiedad, la precisión o la economía.

Si la coherencia es la propiedad interna del texto que se origina por el enlace o conexión de unas partes del texto con otras, la adecuación es el ajuste del escrito a los fines y exigencias del contexto. Por ello, un discurso resulta inadecuado cuando no se adapta al nivel de lengua o a la capacidad de comprensión del destinatario, cuando choca con las normas sociales del contexto en que se genera, cuando no se acomoda a la finalidad perseguida y, por ejemplo, rompe con el nivel de formalidad que exige el entorno. Pues bien, la claridad es uno de los rasgos más importantes en la adecuación de los textos jurídicos.

Para apoyar la claridad, hay movimientos impulsores en todo el mundo; se examinan a continuación.

2.3. La claridad del lenguaje jurídico. Tendencia mundial e iniciativas en España

2.3.1. La claridad del lenguaje jurídico

Nunca dejaré de recomendar la claridad. Como apuntaba anteriormente, la claridad ha pasado de ser una tendencia general en el mundo a una esperable exigencia.

Es aconsejable, de manera ordinaria, para todas las situaciones, pero en materia jurídica, en particular, debe procurarse para todas las ocasiones en las cuales el destinatario sea el ciudadano.

Uno de los reproches más reiterados con respecto al lenguaje del Derecho es su falta de claridad. Como señalaba FUENTES CARSÍ[58] en 1951, eventualmente se llega a hacer de los escritos forenses "un amasijo de giros trasnochados y de manifestaciones redundantes, cuando no jocosas, que no resisten un

---

[58] FUENTES CARSÍ, F., "La terminología procesal y sus arcaísmos", *Revista General del Derecho*, febrero de 1951, p. 68.

examen acerca de su significado sin llegar a la conclusión de su vetustez incompatible con los progresos del idioma".

Según Joaquín Bayo[59], se puede calificar el lenguaje forense como de estilo barroco, consecuencia de siglos de tradición; lo grave es que "ese estilo requiere una gran pericia expositiva y gramatical y la experiencia demuestra que en pocos casos se da. El resultado es un lenguaje aparentemente culto, pero realmente plagado de errores gramaticales y expositivos. El mejor antídoto es, por tanto, la simplificación, que evita errores y potencia la claridad".

El origen del estilo, heredado generacionalmente, en palabras de Bayo[60] «hay que buscarlo, entre otras razones, en la ausencia de puntos y aparte, para evitar la intercalación de palabras, y el sistema de arancel de los antiguos escribanos o secretarios, que reproducían textos dentro de otros textos para aumentar su longitud y, por ende, sus derechos arancelarios. La concepción de la sentencia, de ahí su nombre, como una oración única con *fallo* como verbo principal también ha coadyuvado a modelar ese estilo forense».

Por añadidura, como ha sostenido con acierto Sánz Bayón[61]: "No puede obviarse que abundantes litigios guardan una directa relación con los problemas interpretativos y la falta de claridad en la redacción de los textos jurídicos, pues como reza el adagio latino: "interpretatio cessat in claris". En consecuencia, no es extraño que el lenguaje jurídico se presente como un factor de desafecto de la sociedad hacia el derecho".

Se entiende perfectamente ese desafecto del que habla el autor ya que la falta de claridad y la complejidad, en general, del lenguaje jurídico lo han convertido en un lenguaje muy alejado del lenguaje coloquial, del lenguaje más comprensible.

Javier Ronda y Jorge Muñoz[62] en su divertido libro sobre experiencias periodísticas en tribunales decían, ya en la misma introducción, que resulta-

---

[59]   Bayo Delgado, J., "El lenguaje forense: estructura y estilo", *Lenguaje Forense,* Estudios de Derecho Judicial, nº 32, Escuela Judicial del Consejo General del Poder Judicial, Madrid, 2000, p. 38.

[60]   Bayo Delgado, J. «El lenguaje forense: estructura y estilo», cit. p. 38.

[61]   Sanz Bayón, P., "El lenguaje jurídico: factor del desafecto social hacia el derecho", *Revista jurídica de la Universidad de León,* Nº 3, 2016, págs. 140-141. ISSN: 1137-2702, p. 140.

[62]   Javier Ronda y Jorge Muñoz, *De juzgado de guardia,* Ed. Oberón, Madrid, 2002, pp. 12 y 13.

ba inevitable comenzar el texto con "los problemas de entendimiento tan frecuentes, a veces provocados por tomarse la letra de la ley al pie la letra y otras veces debido a que la terminología jurídica trae de cabeza a más de uno cuando tiene que comparecer ante *su señorita*, tratamiento que ha recibido más de una magistrada". E ilustran esta afirmación con otros equívocos como: disolvente por insolvente, el "in dubio o te arreo" por *in dubio pro reo*, o el "Corpus Christi" por el *habeas corpus*. Después vamos con el tratamiento de los latinismos.

Como ha señalado JUANES PECES[63]: "[...] la claridad no está reñida con el rigor técnico...; no se trata de utilizar un lenguaje coloquial que dé lugar a la banalización de las resoluciones judiciales, sino de ser claros en los planteamientos y en la resolución de los mismos mediante sentencias fundamentadas y basadas en un lenguaje comprensible para la ciudadanía...".

También estoy totalmente de acuerdo con MUÑOZ MACHADO[64] cuando manifiesta que: "La claridad de los textos es un deber para el jurista". La necesidad de un derecho inteligible ha sido sostenida desde hace mucho tiempo y desde la óptica de muy variados argumentos. Así, KARL N. LLEWELLYN[65] afirmaba:

"[...] la necesidad de que el Derecho justo sea inteligible, esto es, intelectualmente accesible al pueblo al que este Derecho ha de servir y a quien pertenece: aquellos que pueden ser llamados consumidores de Derecho y que efectivamente lo utilizan. Desde el punto de vista de los técnicos del Derecho, podría lograrse ciertamente la función de éste a base de un lenguaje que no tuviera ningún sentido para el profano o que le comunicara un sentido equivocado. Pero, como he tratado de hacer ver en otro lugar, aunque durante algún tiempo se lograra cierta eficacia con el empleo de un hábil lenguaje de ocultación, debería desecharse, pues sería imposible confiar en la persistencia de semejante eficacia. Sólo la regla que muestra su razón con claridad puede aspirar justificadamente a cierta continuidad de eficacia; de manera que el hecho de dar satisfacción, en este punto, a la necesidad de que el Derecho sea relativamente accesible a los profanos, con una razón que tenga pleno sentido y sea entrañablemente sentida, equivale al mismo tiempo a desempeñar un trabajo

63   JUANES PECES, A., Entrevista a D. Ángel Juanes Peces, *Revista Acceso a la justicia, Lenguaje claro*, nº 4, 2017, p. 13. https://issuu.com/pedropalacios7/docs/revista_4_lenguaje_claro_eb7e84026c3ad4. Consultado el 13 de mayo de 2018.

64   https://politica.elpais.com/politica/2017/01/24/actualidad/1485287452_141787.html. Consultado el 20 de febrero de 2018.

65   LLEWELLYN, K.N., *Belleza y estilo en el Derecho*, Bosch, Barcelona, 1953, pp. 78 y 79.

funcionalmente más eficaz por el lado de la pura técnica. No hay que temer, pues, el riesgo de confundir los atributos de la belleza al ampliar nuestro punto de vista acerca de la tarea que incumbe a las reglas de Derecho. Todo lo contrario, pues considerar la más amplia función equivale a encontrar de nuevo el camino que conduce a esa regla de Derecho más justa y hermosa, la que expresa su finalidad y su razón con claridad [...]".

Hoy día, el consumidor lo es también del Derecho. El consumidor, todos lo somos, debe poder comprender lo que consume, el Derecho que subyace tras cada cuestión que toca directamente en su vida, lo que le afecta y lo que puede llegar a hacerlo.

Me resultó curioso, por infrecuente y por lo que lleva implícito, lo que escribió un magistrado en su sentencia, que refleja perfectamente su sentir por lo que se refiere a escribir para que le entiendan los destinatarios de su resolución[66]:

"... pido disculpas a los profesionales del Derecho por no aprovechar un juicio, como el presente, para exponer un estudio detallado sobre las diferentes interpretaciones y corrientes doctrinales y jurisprudenciales referidas al delito fiscal.
La razón es que soy de la opinión, de que la mayor parte de las resoluciones judiciales están destinadas a ser conocidas por los ciudadanos, cobrando especial interés, entre ellas, las definitivas, o sea las que ponen fin al juicio, como la presente sentencia. Por tanto, estas resoluciones tienen que ser comprendidas por los acusados, máxime en el presente caso en el que el principal acusado, R. G, ha insistido, una y otra vez, a lo largo del juicio y en el trámite de 'la última palabra', en que tiene serias dificultades para leer y escribir, que es 'analfabeto', que lo único que hizo fue trabajar y crear trabajo y que para eso contrató a los mejores profesionales, no interfiriendo en ningún momento en las decisiones tomadas por éstos. Por consiguiente, aunque tan solo sea por respeto a los acusados intentaremos dictar la presente resolución en términos que sean comprendidos por ellos, en la convicción de que son los principales destinatarios de la misma".

Al respecto, hago notar lo siguiente:

– En primer lugar, pide disculpas a los profesionales, por los motivos que expresa.

---

[66] Fundamento de Derecho segundo de la sentencia nº 50/2017, de 15 de febrero, del Juzgado de lo Penal número 3 de Córdoba.

Personalmente no creo que deba pedir disculpas. Una sentencia de un juzgado de lo Penal, sobrepasaría con mucho su objetivo esperado si, además de exponer los hechos, los fundamentos jurídicos y el fallo, expone un estudio detallado sobre las diferentes interpretaciones y corrientes doctrinales y jurisprudenciales referidas al delito fiscal, como indica. Los estudios detallados de tipos de doctrina y fuentes compiladoras de estas interpretaciones y corrientes, creo que son prescindibles, y si buscamos la brevedad como característica recomendable, son contraproducentes.

- Posteriormente dice que "...la mayor parte de las resoluciones judiciales están destinadas a ser conocidas por los ciudadanos..."; bueno, en efecto, por lo que a las sentencias respecta, al ser públicas, todos somos destinatarios de las mismas en cuanto a su posible conocimiento. Por descontado, deben ser comprendidas por sus destinatarios directos y, para ello, el juzgador debe poner atención para que esas resoluciones estén redactadas de un modo adecuado en cuanto a precisión y comprensión.

- Además, añado que, ante los cambios de cultura que se van imponiendo en materia de sencillez y claridad en la redacción y oratoria jurídicas, un juez debe aspirar a ser comprendido y resultar especialmente explicativo y no tanto porque un determinado acusado pueda presentar algún grado de analfabetismo; y en este caso se trata de un acusado, por ser materia penal, pero podríamos extenderlo igualmente a cualquier demandado en el resto de jurisdicciones. Con un nivel educativo medio de primaria, e incluso de secundaria, estimo que, en la mayoría de las ocasiones, no podría comprenderse bien lo reflejado en una resolución judicial.

Soy consciente del grado o volumen de trabajo de muchos profesionales relacionados con la Justicia, pero precisamente se trata, como ocurre con otros —como en la medicina— de campos que nos conciernen de una manera tan importante para nuestras vidas, que el esfuerzo merece la pena además de resultar exigible.

2.3.2. La tendencia mundial hacia la claridad en la expresión del lenguaje jurídico

Desde el grupo de investigación de Derecho y Lenguaje de la Universidad Pontificia Comillas, estudiamos, a petición de la Comisión de Modernización del lenguaje jurídico, del Ministerio de Justicia español, las políticas públicas y privadas a nivel mundial que se producían en materia de lenguaje jurídico. Tratamos las medidas adoptadas en diferentes países para lograr que el lenguaje del Derecho resultara comprensible por la ciudadanía.

En el mundo se ha producido un imparable y paulatino avance en materia de claridad, tanto a nivel de políticas públicas como privadas (véase ALSINA NAUDI[67]). Prueba de ello son las numerosas medidas e instituciones creadas al efecto. La asociación *Clarity International*[68], claridad internacional, en español, comenzó en los años ochenta, gracias al esfuerzo de un grupo de abogados y, hoy día, se ha convertido en una asociación internacional, con cerca de setecientos miembros y presencia en cincuenta países, cuyo fin es el de promover la práctica del lenguaje jurídico claro.

The Plain language association[69] es una asociación internacional no lucrativa de profesionales del derecho y otras profesiones, con miembros en veinte países que lucha de forma prioritaria por la claridad del lenguaje en, al menos, diez lenguas.

Para mostrar algunas iniciativas de distintos países, sin carácter exhaustivo y solo a modo de muestra, veamos las siguientes, por orden alfabético:

En **Argentina**, ya desde hace tiempo contaban con un proyecto denominado *Comunicación en Lenguaje Claro*, por el que se pretende mejorar la comunicación escrita de la administración financiera nacional. En una primera etapa, el proyecto se centró en las comunicaciones entre administraciones y, posteriormente, se extendió a la comunicación entre la administración y la ciudadanía. En octubre de 2017, se promovieron las primeras jornadas de

---

[67] ALSINA NAUDI, A.,"Endeavours towards a plain legal language: The case of Spanish in context", *International Jorunal of Legal Discourse*, vol. 3, Isue 2,2018, p. 235. Published Online: 2018-11-27 | DOI: https://doi.org/10.1515/ijld-2018-2010.

[68] http://www.clarity-international.net/about/aboutus/ Consultado el 10 de marzo de 2017.

[69] www.plainlanguagenetwork.org Consultado el 10 de marzo de 2017.

lenguaje claro: "El derecho a entender". Las mismas tuvieron como objetivo principal concienciar sobre la necesidad de utilizar un lenguaje claro en la comunicación con la ciudadanía como una garantía de acceso al derecho a la información y una práctica de transparencia y construcción de la democracia, así como reflexionar sobre la necesidad de utilizar un lenguaje claro en la comunicación intrainstitucional, como una herramienta garante de la equidad dentro del propio Estado.

Lo más interesante es que en estas jornadas se creó la Red Nacional de Lenguaje Claro, con el compromiso de que desde los tres clásicos poderes se generen documentos que permitan la comprensión y el acceso real de toda la ciudadanía a los mismos[70]. Incluso, existe un decreto[71] de la Administración Pública Nacional de aprobación de Buenas Prácticas en Materia de Simplificación, en el que, por ejemplo, se indica que: "Las normas y regulaciones que se dicten, deberán ser simples, claras, precisas y de fácil comprensión"[72].

Y en materia judicial, traigo aquí parte del Fallo de una sentencia argentina de la Cámara de Trabajo de Córdoba[73], con firma del magistrado D. Angel Rodolfo Zunino, quien, al final de la sentencia, redactó un apartado en que resume su decisión "en lenguaje llano".

> "El resultado de la sentencia en lenguaje llano: Partiendo de la idea de que los fallos judiciales se elaboran —y así debe ser—, con un lenguaje técnico, propio de la ciencia jurídica, pero muchas veces ininteligible para el común de los ciudadanos y en particular para las partes, y sobre la base también de la convicción de que, pese a ello, desde una perspectiva democrática y de comprensión del Poder Judicial como servicio público, es evidente que tales pronunciamientos deben ser cabalmente comprendidos en su sentido, alcance, y fundamentos por aquellas —más allá de la explicación o "traducción" que puedan hacer sus letrados—, este Tribunal entiende necesario incorporar a la sentencia este apartado en el que se plasma una síntesis del resultado del juicio y de las razones que le dan sustento, con un lenguaje que intenta ser ausente de tecnicismos,

---

[70]   https://www.argentina.gob.ar/noticias/se-acordo-formar-la-primera-red-nacional-de-lenguaje-claro Leído el 5 de noviembre de 2017.

[71]   Decreto 891/2017. Boletín Oficial Nº 33.743 - Primera Sección. Jueves, 2 de noviembre de 2017.

[72]   Artículo 3 del Decreto.

[73]   La sentencia completa se puede leer aquí, descargando desde este artículo de Ariel Alberto Neuman: http://thomsonreuterslatam.com/2017/07/derecho-a-comprender-el-resultado-de-la-sentencia-en-lenguaje-llano/ Consultado el 17-07-2017.

corriente, sencillo y al alcance de cualquier persona sin formación jurídica. Así corresponde decir que, en este caso concreto, la sentencia admite la demanda entablada por C.J. R. R. tanto en contra de C. del C. V. como de M. C. M.

La condena respecto de ambas personas se da porque se tiene por cierto que las dos se beneficiaban con la explotación del taxi que conducía R., y eran sus empleadores. Los rubros que la demanda admite son "Diferencias salariales por horas extras al 50% no abonadas" (porque no estaba en duda que el actor realizaba una jornada de 12 horas por día, y no hay constancia de pago de las horas extras, es decir las cumplidas por arriba de 8 horas); Días de enfermedad impagos (porque el empleador no puede no abonar los salarios mientras dura la enfermedad del trabajador, fundándose en la opinión de sus médicos, sino que se debió recurrir a una junta médica independiente que determinara si R. estaba o no en condiciones de prestar servicios); Haberes correspondientes a los meses de octubre —íntegro— y noviembre de 2007 —22 días que incluyen 10 días de suspensión— (porque estando vigente la relación laboral no acreditó el pago y en relación a los días de suspensión, porque no probó los hechos en los que se basó para aplicar esa sanción); Vacaciones año 2007, haberes marzo/2008 (16 días), SAC 2do. semestre 2007, SAC 1er. semestre 2008 proporcional, y vacaciones proporcionales 2008 (porque su pago corresponde por ley y no se acreditó haberlos abonado); Indemnización por antigüedad, indemnización por falta de preaviso, e integración del mes de despido (porque se entendió que el trabajador se dio por despedido correctamente, ya que no se le reconoció la verdadera fecha de ingreso —15 de febrero de 2000—, Expediente Nro. 3078290-57/59 le pagaron los sueldos mientras estaba enfermo y porque la empleadora pretendió reducir y cambiar su jornada de trabajo, cosa que está prohibida por la ley de contrato de trabajo); Indemnización art. 10 de la ley 24.013 (porque la ley prevé esta sanción para los casos como este, en los que al trabajador se lo registra con una fecha de ingreso falsa); Incremento indemnizatorio del art. 2 de la ley 25323 (porque la ley dispone esta sanción para los casos en que el empleador no paga las indemnizaciones por despido y obliga así al trabajador a iniciar juicio para poder cobrarlas como le ocurrió a R.); La sentencia condena además a las demandadas a la entrega de certificación de cese de servicios, y a pagar una multa por no haber entregado estas certificaciones en el plazo que ella fija).

Todos los costos del juicio son a cargo de la parte demandada. El fallo debe ser comunicado a la AFIP, porque así lo establece una norma (ley 24.013) en los casos en que el tribunal verifica la existencia de empleo no registrado o erróneamente registrado, como ocurrió en el caso de R. que figuraba con una fecha de ingreso posterior a la real".

Acerca de esta síntesis realizada, totalmente ejemplar, me parece que supone una llamada de atención a todos los jueces, quienes viendo este paso adelante, el de redactar un apartado dedicado expresamente a "traducir" en lenguaje llano la sentencia para que se pueda entender por el común de los ciudadanos, puedan llegar a dar otro mucho mayor, el de que toda la sentencia esté redactada para el común de los ciudadanos, o, como dice la sentencia, al alcance de cualquier persona sin formación jurídica. Este sería el paso definitivo para alcanzar la claridad desde el Poder Judicial. Un claro ejemplo de cómo se debe entender esta cuestión, se puede consultar en el artículo de un magistrado argentino[74], Guillermo D. González Zurro, que es un referente para mí y para todo el que esté interesado en acercar el Derecho al ciudadano, por su saber en materia de lenguaje claro y porque sus resoluciones las redacta en lenguaje jurídico claro. Por último, han editado un *Glosario Jurídico en Lenguaje Claro*[75] y un *Manual SAIJ de lenguaje claro*[76], entre otras muchas iniciativas.

En **Australia,** en 1987, se creó una unidad encargada de reescribir documentos ya existentes con el fin de ahorrar gastos utilizando el uso del lenguaje claro. A partir de ahí surgieron varias iniciativas como la de la *Office of Parliamentary Counsel* (1990) que aprobaba el *"Green Paper"* para introducir el lenguaje sencillo en la actividad de la Administración.

Por otra parte, *Law and Justice Foundation* es una iniciativa privada promovida por la *Fundación Derecho y Justicia,* cuyo objetivo principal es la promoción del inglés sencillo para hacer más comprensible la información legal a través de guías, las cuales, abarcan desde la redacción de documentos, hasta la elaboración de páginas web en lenguaje sencillo, incluyendo diferentes consejos prácticos al respecto. Australia es muy activa en la promoción del lenguaje jurídico claro en su territorio.

Bélgica, es un país muy proactivo en la búsqueda de un lenguaje jurídico claro desde hace años. Desde 1999, el gobierno federal belga integró la simplificación normativa como parte de sus políticas públicas. La ley de 10 de agosto de 2005 creó un sistema denominado *Phenix*, con varios objetivos; uno de ellos fue la simplificación del lenguaje judicial. El Consejo superior de Justicia (formado por magistrados y otros juristas, fundamentalmente), entre

---

[74] GONZÁLEZ ZURRO, G.D., "Sentencias en lenguaje claro", *Revista Jurídica Argentina La Ley*, Buenos Aires, 26/12/2018, 1. On line: R/DOC/2608/2018.

[75] http://editorial.jusbaires.gob.ar/libros/242 Consultado el 26 de marzo de 2019.

[76] https://www.justicia2020.gob.ar/wp-content/uploads/2018/04/Manual-SAIJ-de-lenguaje-claro.pdf Consultado el 26 de marzo de 2019.

otras tareas busca la modernización del sistema judicial y, entre sus fines está conseguir la mejora de la comunicación con la ciudadanía.

Para finalizar, destaco un par de las muchas iniciativas del país: una, de una organización solidaria, *Droits quotidiens*[77], que trabaja por la comprensión del derecho desde hace más de veinte años. Y otra, las iniciativas del *Conseil supérieur de la Justice*, por su *Proyect flavour, Clear language on the agenda of the judicial system*, por contener toda una admirable declaración y recomendaciones de lenguaje claro en materia de Justicia.

En **Canadá,** desde 1971 con la Comisión para la Reforma de Ley, y a partir de 1976 con la *Conferencia de Lenguaje Uniforme*, se elaboraron las Convenciones para *Escritura Legislativa* incorporando principios de lenguaje sencillo y claro con el fin de modernizar y estandarizar los estilos de escritura en todo documento normativo. A partir de ese momento, existe un esfuerzo gubernamental permanente a través del *Comité Intersecretarial de Plain Language y la Secretaría Nacional de Alfabetización* para adoptar el uso de las técnicas del lenguaje sencillo y claro[78]. Igualmente, se trata de un país activo en esta materia.

En **Chile**, se han ido dando pasos tan firmes que en pocos años se ha convertido en uno de los países más adelantados del mundo en la lucha por la clarificación del lenguaje.

Ya en agosto de 2004 se celebró el *Seminario Transparencia, derecho y lenguaje ciudadano*, en el que participaron destacados académicos. El seminario analizó el desafío que supone conectar el trabajo legislativo con la ciudadanía a través de un lenguaje claro[79].

Carlos Aránguiz Zúñiga, siendo Ministro de la Corte Suprema y Presidente de la Comisión de Lenguaje Claro del Poder Judicial, informó de la firma del Acuerdo de Colaboración de la Red de Lenguaje Claro con la Corte Suprema de Chile, la Cámara de Diputados de Chile, la Contraloría General de la República, el Consejo para la Transparencia, la Pontificia

77 En https://www.droitsquotidiens.be/fr
78 http://www.btb.termiumplus.gc.ca/tcdnstyl-chap?lang=eng&lettr=chapsect13&info0=13 Consultado el 26 de marzo de 2019.
79 http://www.gobernacion.gob.mx/work/models/SEGOB/Resource/148/1/images/Manual_lenguaje_ciudadano.pdf

Universidad Católica de Valparaíso y la Biblioteca del Congreso Nacional. Por este motivo, aplaudo la iniciativa de este país en especial, ya que hay un compromiso de que todo lo que conlleve dificultades de comprensión pueda ser explicado de modo claro y sencillo. A dos meses de la firma del acuerdo, se sumó el Poder Ejecutivo a través de sus oficinas de transparencia, lo que ha constituido un segundo paso de gigante en este país. Y continúan sumando instituciones sin parar. Se puede leer otro artículo que trata esta cuestión además de ofrecer una mirada al lenguaje claro en el ámbito latinoamericano[80]. En julio de 2018 realizaron el primer seminario internacional sobre lenguaje claro, con gran éxito de asistencia e interés generado tanto en instituciones públicas como privadas y público en general.

En **Colombia,** cuentan desde octubre de 2018 con una Red de lenguaje claro que incluye el lenguaje jurídico. Para ello habían recorrido un camino previo. Con el fin de "traducir el lenguaje administrativo a un lenguaje más cotidiano, para fomentar la participación ciudadana", se elaboró en 2010 la *Guía de lenguaje ciudadano para la Administración Pública colombiana* y, continuando con la labor, se elaboró, en el año 2014, la *Ley 1712* por medio de la cual se crea la Ley de Transparencia y del Derecho de Acceso a la Información Pública Nacional y se dictaron otras disposiciones.

Más recientemente, en julio de 2015, se publicó la *"Guía de Lenguaje Claro para Servidores Públicos colombianos"*[81]. La finalidad de esta guía es que toda la información al ciudadano esté en lenguaje claro; en la guía se presentan recomendaciones prácticas para facilitar la comunicación, fundamentalmente escrita, entre el Estado y su principal interlocutor, el ciudadano. Me agrada, especialmente, que hayan considerado que la comunicación entre ciudadanos y entidades es un medio para aumentar la confianza en la Administración Pública y reduce costes administrativos y financieros, además de permitir un ejercicio de derechos efectivo; inclu-

---

[80] POBLETE, CLAUDIA ANDREA y FUENZALIDA GONZÁLEZ, PABLO, «Una mirada al uso de lenguaje claro en el ámbito judicial latinoamericano». Revista de *Llengua i Dret, Journal of Language and Law*, núm. 69, (junio 2018), pp. 119-138.

[81] http://www.portaltributariodecolombia.com/wp-content/uploads/2015/07/portaltributariodecolombia_guia-de-lenguaje-claro-para-servidores-publicos.pdf. Consultado el 3 de abril de 2017.

so, como ha afirmado Arenas Arias[82]: "el Congreso de Colombia ha querido recoger diversos esfuerzos y arreglos institucionales orientados hacia la renovación y modernización de la administración pública, introduciendo por vía legal una estrategia de lenguaje claro".

Para que esa comunicación sea real, debe estar en lenguaje claro. Lo que no es claro, obliga a destinar más tiempo y más recursos para aclararle al ciudadano la información que se ha percibido como poco precisa. Al final, esos costes terminan repercutiéndose a la propia ciudadanía. Desde 2017 se ha trabajado en un admirable proyecto de ley de lenguaje claro que busca garantizar el derecho que tiene todo ciudadano colombiano a comprender la información pública, promoviendo el uso y desarrollo de un lenguaje claro, comprensible y accesible en los textos legales y formales, a fin de hacer efectivos el goce de los derechos y el cumplimiento de los deberes sin complicaciones y sin necesidad de intermediarios.

Estados Unidos. A raíz de la publicación del libro *Plain English for Lawyers* (Lenguaje Llano para Abogados) y la aprobación de una ley especial en el 1976, se promovió el uso del lenguaje llano en las normas jurídicas. Además, como pequeña muestra de entre numerosas iniciativas, a finales de la década de 1990, el presidente Bill Clinton lo incorporó en un memorándum presidencial formalizando el requerimiento de que todas las nuevas normas y regulaciones de su gobierno fueran escritas en este estilo[83]. Entre las muy numerosas iniciativas posteriores, destacamos el *Plain Writing Act*, de 2010, una ley federal que requiere la utilización de lenguaje claro y sencillo en los documentos gubernamentales.

Francia: Aunque hay varias iniciativas destaco la creación del COSLA *(Comité d'orientation pour la simplification du langage administratif)* con la misión de mejorar la calidad del lenguaje oficial para que sea más claro para los ciudadanos[84].

---

[82]   Arenas Arias, Germán, "Lenguaje claro (derecho a comprender el Derecho)", *Eunomía. Revista en Cultura de la Legalidad*. ISSN 2253-6655 Nº. 15, octubre 2018–marzo 2019, p. 257.

[83]   http://www.plainlanguage.gov/index.cfm

[84]   http://www.fonction-publique.gouv.fr/files/files/Espace_Presse/plagnol/cosla_151203.pdf.

México: En 2004 se lanzó la iniciativa para el uso del Lenguaje Ciudadano y se realizaron varias acciones, entre las que destacaba la entrega de los *Reconocimientos de Lenguaje Ciudadano* con el fin de valorar el esfuerzo que las instituciones gubernamentales realizaban para fomentar la claridad de sus documentos. Se forma y evalúa a algunos servidores públicos y se incorpora el uso del Lenguaje Ciudadano dentro del Manifiesto Nuevo León sobre Usabilidad y Accesibilidad para los Portales Gubernamentales Mexicanos[85].

El lenguaje ciudadano desde el Derecho es una reivindicación y un trabajo en constante desarrollo en este país. Una muestra la tenemos en un artículo del Magistrado Raúl Arroyo, conocido, entre otras cuestiones por su defensa del lenguaje claro desde todas las instancias en general, y desde la judicial en particular en que aboga por esta claridad[86] o el Magistrado Carlos A. Soto Morales, quien difunde y promueve igualmente el uso del lenguaje claro y las sentencias ciudadanas[87].

Nueva Zelanda. No hace mucho tiempo, incluyó el lenguaje claro en el Código de Buenas Prácticas regulatorias[88]. Hay gran actividad, y muy variada, en la consecución de un lenguaje claro y en la evitación del lenguaje técnico, en especial cuando se dirige a la ciudadanía. Por todos los documentos, se puede ver: *Legislation Advisory Committee Guidelines. Guidelines on Process and Content of Legislation, 2014 edition*[89].

En **Perú**, ya en 2007, mediante la Unidad Ejecutora del Proyecto Apoyo a la Reforma del Sistema de Justicia del Perú (Proyecto JUSPER), la Academia de la Magistratura contrató los servicios de una consultoría con la finalidad de elaborar metodologías para mejorar la redacción de las resoluciones judiciales, y en menos tiempo del esperado y del que es usual para producir este tipo de textos, la Academia puso a disposición de los señores magistrados

---

[85]   http://www.gobernacion.gob.mx/work/models/SEGOB/Resource/148/1/images/Manual_lenguaje_ciudadano.pdf.

[86]   ARROYO, R., "El lenguaje de las leyes", *Revista Congresistas*, n° 318, 1 a 18 de septiembre, México D.F., 2017, p. 15.

[87]   https://reflexionesjuridicas.com/2017/01/18/video-sentencias-ciudadanas/ Consultado el 20 de febrero de 2018.

[88]   http://www.plainenglish.org.nz

[89]   http://www.lac.org.nz/assets/documents/LAC-Guidelines-2014.pdf.

del Poder Judicial "El Manual de Redacción de Resoluciones Judiciales", elaborado por el profesor Ricardo León Pastor.

En este texto el autor abordaba el tema de la redacción de resoluciones judiciales, a partir de un breve diagnóstico de los problemas que surgen en la argumentación y redacción judicial; además de ello, propone los criterios que considera esenciales para una buena redacción judicial como orden, claridad, coherencia, diagramación, fortaleza y suficiencia.

Posteriormente, el Consejo Nacional de la Magistratura emitió la Resolución N.º 120-2014-PCNM, de fecha 28 de mayo de 2014, que exige el uso del lenguaje claro y sencillo en las resoluciones como criterio para evaluar y ratificar a los magistrados.

Actualmente cuentan con un *Manual judicial de lenguaje claro y accesible a los ciudadanos*[90].

Reino Unido. En 1979, el Reino Unido inició una campaña de *Plain English* para combatir el "gobbledygook", argot burocrático percibido como confuso y tedioso. Como parte de esta campaña, se inició un concurso público para otorgar el premio Clarity a aquellas instituciones gubernamentales cuya comunicación escrita fuera eficaz en su comunicación con la ciudadanía.

A la vez, se estableció una política para reescribir formatos gubernamentales y, al observarse su éxito, el esfuerzo fue ampliado con cursos de formación dirigidos a abogados, surgiendo incluso consultoras dedicadas a ofrecer entrenamiento, escribir y editar documentos, tanto gubernamentales como del sector privado.

Uno de los proyectos más significativos dentro de la iniciativa de *Plain English* es volver a escribir la legislación de impuestos, continuándose hoy con otras leyes. Tal vez, la enseñanza más importante de esta experiencia sea que el proyecto reconoce que la claridad y legibilidad de los documentos depende no sólo de su texto sino también de la manera en que son presentados[91].

---

[90] https://www.pj.gob.pe/wps/wcm/connect/7b17ec0047a0dbf6ba8abfd87f5ca43e/MANUAL+JUDICIAL+DE+LENGUAJE+CLARO+Y+ACCESIBLE.pdf?MOD=AJPERES Consultado el 24 de septiembre de 2017.

[91] http://www.plainenglish.co.uk

En **Suecia**, tal vez, el gran referente y el país más veterano en buscar soluciones por un lenguaje claro, se han producido numerosas iniciativas siendo las primeras, en los años sesenta del siglo XX. En 1976, siguiendo a STRAND-VICK[92], la Secretaría General del Gobierno sueco creó el denominado equipo de revisión, compuesto por juristas y lingüistas. Desde ese momento, los proyectos de normas son revisados por este equipo que analiza su redacción. El objetivo era el más lógico, si la legislación se redactaba en un lenguaje más claro, el impacto sería directo en todo lo que derivara de ello, como resoluciones administrativas, y yo añado que, claramente, en las resoluciones judiciales también.

Tienen incluso un premio, el "Cristal de Lenguaje Claro" que se otorga cada año a quien haya destacado de manera especial por la utilización de un lenguaje claro (cita el autor un premio concedido a una sentencia del Tribunal de Segunda Instancia de Jovrärten för Västra Sverige, por ejemplo).

Además, a partir de un estudio elaborado por el gobierno sueco, han elaborado un "test de redacción clara" para los jueces (al que volveremos más adelante en la parte de revisión en la comunicación jurídica escrita).

Finalmente, en el ámbito europeo se han producido numerosas iniciativas. Progresivamente y cada día con más empeño, la **Unión Europea** ha sido consciente de la importancia de contar con un discurso claro para poder llegar a todos los ciudadanos de la unión. De ella han partido numerosas iniciativas; muchas, tantas que vamos a destacar políticas como la "Clear Writing Campaing" o como las que llevan el expresivo título de *Fight the fog* (combatir la niebla) y sus recomendaciones de claridad y transparencia, hasta la publicación de breves y acertados folletos con recomendaciones para lograr una redacción clara[93].

En la referida publicación denominada: "Cómo escribir con claridad" (de quince páginas, entre texto e ilustraciones), la Comisión Europea pone de manifiesto —casi diríamos que confiesa— dos problemas habituales con

---

[92]   STRANDVICK, I., "La modernización del Lenguaje Jurídico en Suecia: ¿enseñanzas aplicables a otras tradiciones?", Hacia la modernización del discurso jurídico, (Montolío Durán, E., Ed.), Publicacions i Edicions, Universitat de Barcelona, 2012, pp. 132 y ss.

[93]   https://publications.europa.eu/es/publication-detail/-/publication/c2dab20c-0414-408d-87b5-dd3c6e5dd9a5 Consultado el 31 de agosto de 2017.

los que se encuentra en su trabajo diario: el de "reciclar" un texto anterior sin adaptarlo de manera adecuada y el de recortar y pegar para componer un texto nuevo. Se trata de operaciones que cualquier profesional del derecho acostumbra a realizar y ante las que debe cuestionarse su oportunidad y conveniencia. En especial, esas acciones se ejecutan para acompañar la cita de jurisprudencia, incurriendo con harta frecuencia en incoherencias, repeticiones u omisiones que afectan negativamente a la lógica interna del documento y a la claridad del mensaje.

Como he manifestado previamente junto a Natividad Braceras[94], el 12 de mayo de 2016 se publicó en el Diario Oficial de la Unión Europea el Acuerdo interinstitucional entre el Parlamento Europeo, el Consejo de la Unión Europea y la Comisión Europea sobre la mejora de la legislación, en el que tales instituciones convienen en fomentar "la sencillez, la claridad y la coherencia en la redacción de la legislación de la Unión" y que la legislación de la Unión sea comprensible y clara para permitir que los ciudadanos, las administraciones públicas y las empresas comprendan fácilmente sus derechos y obligaciones.

Hasta aquí, tan solo una muestra de algunas destacadas iniciativas llevadas a cabo en el mundo que ponen en contexto un nuevo estilo de comunicación clara que ya lleva años en expansión.

2.3.3. Iniciativas en España

En muy numerosas ocasiones, diferentes personas e instituciones han venido abogando por la mejora de la comunicación del Derecho, con una expresión jurídica clara, para que los destinatarios reales de todas las decisiones en materia de Justicia puedan comprenderlas. Este requerimiento se reitera con frecuencia y, una vez más, se manifestó por la ciudadanía, en 2015, como lo recogió el barómetro externo del Consejo General de la Abogacía Española ese mismo año[95].

---

[94] Braceras Peña, N. y Carretero González, C., en "Por una justicia comprensible para el ciudadano", CONFILEGAL: https://confilegal.com/20161124-justicia-comprensible-ciudadano/ Consultado el 31 de agosto de 2017.

[95] http://www.abogacia.es/2015/11/25/los-ciudadanos-demandan-una-reforma-a-fondo-de-la-justicia-y-un-pacto-de-estado/ Consultado el 3 de febrero de 2016.

España. Aunque las iniciativas son variadas, según se observen las provenientes de las distintas comunidades autónomas o a nivel nacional y, tanto a nivel privado como público, destaco aquí algunas relevantes, sin perjuicio de la existencia de otras de distinta consideración.

En el año 1991, el Consejo de Ministros aprobó las *Directrices sobre la forma y estructura de los anteproyectos de ley* con la finalidad de elevar su calidad técnica en beneficio de la seguridad jurídica. Se derogaron en 2005 al publicarse las *Directrices de técnica normativa*[96]. Estas últimas tenían como objetivo conseguir un mayor acercamiento al principio constitucional de seguridad jurídica mediante la mejora de la calidad técnica y lingüística de todas las normas de origen gubernamental gracias a la homogeneización y normalización de los textos de las disposiciones. Es una herramienta que permite elaborar las disposiciones con una sistemática homogénea y ayuda a utilizar un lenguaje correcto de modo que puedan ser mejor comprendidas por los ciudadanos.

En 2001 surgió la génesis de la Carta de Derechos de los Ciudadanos ante la Justicia. Entre las prioridades del Pacto de Estado para la Reforma de la Justicia firmado el 28 de mayo de 2001 figuraba la elaboración de la citada Carta de Derechos. La Proposición no de Ley de esta Carta fue aprobada por el Pleno del Congreso de los Diputados, por unanimidad de todos los Grupos Parlamentarios, el día 16 de abril de 2002.

En la Carta se explica que el ciudadano tiene derecho a que en las vistas y comparecencias se utilice un lenguaje que, respetando las exigencias técnicas necesarias, resulte comprensible para los ciudadanos que no sean juristas y se hace garante de este derecho a los jueces y magistrados. Como objetivos, se insta a que las sentencias y otras resoluciones judiciales se redacten de forma que resulten comprensibles por sus destinatarios, empleando —sin perjuicio de su rigor técnico— una sintaxis y estructura sencillas.

Además, el ejercicio de estos derechos se debe facilitar en aquellos procedimientos en los que no sea obligatoria la intervención de abogado y procurador. Existen diversos formularios de Atención al Ciudadano para

---

[96]   https://www.boe.es/buscar/doc.php?id=BOE-A-2005-13020 Consultado el 7 de febrero de 2018.

que este pueda exponer su queja, sugerencia o simplemente una solicitud de información[97].

En 2005 se publicó el Plan de Transparencia Judicial; la resolución de 28 de octubre de 2005, de la Secretaría de Estado de Justicia, dispuso la publicación del Acuerdo del Consejo de Ministros de 21 de octubre de 2005, en que se aprobaba este Plan (BOE de 1 de noviembre de 2005). En él se argumenta que debe mejorar también el lenguaje jurídico utilizado por los distintos intervinientes en el proceso, cuya finalidad última es pacificar los conflictos entre las partes, siendo exigible para lograr dicho objetivo, que los justiciables comprendan de modo efectivo el devenir del proceso.

Se pretendía contribuir así al conocimiento transparente del funcionamiento de este servicio público, debiendo publicarse, con la misma finalidad, el lugar de situación de los puntos de información para los ciudadanos, desplegados por las Administraciones Públicas con competencias en materia de Justicia así como por los Colegios profesionales, ya que los ciudadanos en general y los usuarios en particular se quejan reiteradamente de una información deficiente antes y durante el proceso, y una de las críticas de estos se centra precisamente en que el lenguaje jurídico aparece como prácticamente ininteligible.

En el Acuerdo se expone inicialmente que, junto al objetivo de conseguir una Justicia transparente, se suma la necesidad de obtener una Justicia comprensible para los ciudadanos, relacionándose el catálogo de derechos relativos a los términos de las notificaciones, citaciones, emplazamientos y requerimientos, al lenguaje a utilizar en las vistas y comparecencias, a la sintaxis e inteligibilidad de las sentencias y demás resoluciones judiciales y a la disposición gratuita de los formularios necesarios para el ejercicio de los derechos ante los tribunales cuando no resulte necesaria la intervención de abogado y procurador.

El plan contiene una serie de principios que hacen referencia a varias cuestiones de importancia para tratar este lenguaje del Derecho. Se expresan igualmente algunas recomendaciones:

---

[97]   A estos formularios se puede acceder a través de la dirección de internet: www.poderjudicial.es. Dentro en: Juzgados y tribunales; atención al ciudadano; quejas y reclamaciones y dentro tenemos la posibilidad de acceder a la Información Básica para presentar una reclamación; un formulario de queja en papel (en diferentes lenguas); y la posibilidad de presentar una queja o reclamación on-line.

«Convendrá conciliar criterios tendentes a desechar fórmulas y expresiones ana-crónicas o vacías de contenido que no proporcionan ninguna información y, espe-cialmente, prestar atención a la comprensibilidad de las citaciones que las Oficinas judiciales dirijan a los ciudadanos, quienes en las últimas Encuestas a usuarios de la Administración de Justicia realizadas por el Consejo General del Poder Judicial to-davía manifiestan, en un porcentaje que sería deseable reducir que no han entendido el lenguaje jurídico que los tribunales han empleado, permaneciendo como usuarios con más problemas con este lenguaje los de clase baja o media-baja, los usuarios de juicios de faltas y juicios penales y, más en concreto, los denunciados, los acusados, los testigos y los testigos-víctimas, por este orden».

El Plan Estratégico para la Modernización de la Justicia 2009-2012 resultó clave. Aprobado por Acuerdo de Consejo de Ministros de 18 de septiembre de 2009, se prevé la constitución de una comisión para mejorar la calidad y la claridad del lenguaje empleado por los profesionales del Derecho[98].

En consecuencia, y a propuesta del Ministro de Justicia, el Consejo de Ministros, en su reunión del día 30 de diciembre de 2009, acordó la consti-tución de una Comisión Institucional, como grupo de trabajo. En cuanto a la composición, la Comisión se adscribió a la Secretaría de Estado de Justicia y estuvo presidida por su titular[99].

El objetivo fundamental de esta Comisión fue que se elaborara un infor-me con el fin de analizar la situación actual del lenguaje empleado por los profesionales del Derecho y que contuviera recomendaciones. Asimismo, la Comisión debía impulsar las acciones que considerara pertinentes para que el lenguaje jurídico fuera más comprensible para la ciudadanía.

Dicha Comisión, bajo la presidencia del Ministerio de Justicia y la Real Academia Española, trabajó durante un año en colaboración con nume-rosos profesionales, juristas y filólogos, a quienes encomendó diversos estudios de campo: 1) *Lenguaje de las normas*, dirigido por el catedráti-

---

[98]   Actuación 4.1.2.

[99]   La vicepresidencia de la Comisión correspondió al Director de la Real Academia Españo-la. La Comisión estuvo compuesta por los siguientes Vocales: Sra. doña Gabriela Bravo Sanestanislao; Sr. don Carlos Carnicer Díez; Sra. doña Gabriela Cañas Pita; Sr. don Alex Grijelmo García; Sr. don Jesús María García Calderón; Sra. doña Mercedes Bengoechea Bartolomé; Sra. doña María Peral Parrado; y Sr. don Salvador Gutiérrez Ordóñez. La Co-misión podía estar asistida por un Comité Técnico, con la coordinación del Director del Gabinete del Secretario de Estado de Justicia.

co, Salvador Gutiérrez Ordóñez (Universidad de León y RAE); 2) *Lenguaje escrito*, dirigido por la catedrática Estrella Montolío Durán, Universidad de Barcelona; 3) *Lenguaje oral*, dirigido por el catedrático Antonio Briz Gómez, Universidad de Valencia; 4) *Plantillas procesales*, dirigido por el catedrático Julio Borrego Nieto, de la Universidad de Salamanca; 5) *Lenguaje jurídico en los medios*, dirigido por la periodista María Peral Parrado y 6) *Políticas públicas comparadas*, que tuve la oportunidad de dirigir y en el que trabajé con el grupo de investigación Derecho y Lenguaje de la Universidad Pontificia Comillas, en Madrid.

Con estos estudios como base y con el trabajo realizado, la Comisión, tras mantener diversas reuniones, redactó en 2011 un Informe con recomendaciones para poner al día o actualizar el lenguaje jurídico[100].

Las recomendaciones van dirigidas —en general— a las instituciones y a los profesionales relacionados con la Justicia, además de a otros colectivos que directa o indirectamente tienen relación con la justicia, como los medios de comunicación. Entre las recomendaciones, se encuentran algunas específicas sobre la claridad, como principio inspirador de cualquier comunicación jurídica, y sobre la mejor forma de narrar o de expresarse oralmente, cuestiones estas sobre las que volveré más adelante.

Posteriormente, a finales de 2011, se firmó un convenio marco para poner en marcha la institución continuadora de este trabajo, la Comisión de claridad del lenguaje jurídico, con este sugerente e indicativo nombre. Esta Comisión es la encargada de adoptar nuevas medidas continuadoras de las políticas de claridad de este lenguaje del Derecho. Desde 2012 hasta la fecha, sus actividades han sido muy escasas y no se reúne de forma periódica.

Al haber investigado, como parte de un grupo de profesores compuesto por juristas y filólogos desde la Universidad Pontificia Comillas, pude constatar, de primera mano, las carencias del lenguaje jurídico en España y la necesidad urgente de acciones de mejora.

---

[100]   El informe se puede leer en esta dirección: http://lenguajeadministrativo.com/recomendaciones-de-la-comision/
Blog: Lenguaje administrativo, de Javier Badía: https://lenguajeadministrativo.com/author/javierbadia/

Nuestro trabajo como equipo consistió en realizar un Estudio de Políticas Públicas Comparadas en el que, en síntesis, se trataba de investigar cómo se afronta la cuestión de la comprensión del lenguaje del Derecho en diferentes países del mundo. Investigamos, a raíz del muestreo de los países propuestos por la Comisión y según sus instrucciones, diversos factores: si existían iniciativas públicas o privadas o ambas; qué medidas se habían desarrollado con éxito, cuáles se estaban proponiendo en esos momentos y cuál era el sentir ciudadano acerca de los resultados (si se disponía de dichos datos).

En España analizamos tanto las políticas estatales, y ciertas iniciativas privadas, como las de cada comunidad autónoma. Concluimos que, en términos generales, había escasez de políticas e iniciativas y que, a pesar de la diversidad de las llevadas a cabo en las comunidades autónomas, predominaba igualmente la falta de promoción de un lenguaje adaptado comprensible y adaptado a los tiempos.

El estudio de políticas en otros países, aparte de las políticas de la Unión Europea, se centró en los siguientes: de Europa Continental: Francia, Alemania, Italia, Bélgica, Portugal, Suecia, Holanda. De los países anglosajones: Gran Bretaña, Canadá, Australia, EEUU; y de los países latinoamericanos: Argentina, Chile, Brasil, y México.

En síntesis, detectamos que había dos cuestiones por solucionar: el lenguaje de las leyes y el lenguaje en los tribunales, y por este orden, ya que los tribunales deben aplicar las normas y, si estas ya son complejas, oscuras o confusas, parten de un material complicado. Solucionemos ambas cuestiones, comenzando por la primera, y los tribunales lo tendrán mucho más sencillo para mejorar y aclarar su, en muchas ocasiones, compleja expresión.

Acerca de esta necesidad de, entre otras cuestiones, claridad en las leyes, ya se han referido experimentados redactores de normas, tales como Fuentes Gómez[101], quien, con extraordinaria brillantez, ya había expuesto los principales problemas que genera la falta de calidad en la redacción legislativa y propuso soluciones que continúan sin adoptarse en nuestro país y que mejorarían sin duda alguna la redacción.

---

[101]   Fuentes Gómez, J.C., "Algunas consideraciones prácticas sobre la forma de legislar de nuestros días", *Legislar mejor 2009*, Ministerio de Justicia, 2009, pp. 113-133.

Nos recordaba este autor la existencia de las *Directrices sobre la forma y estructura de los anteproyectos de ley*, del año 1991, y, posteriormente las *Directrices de técnica normativa* de 2005, cuyo objetivo es contribuir a la seguridad jurídica mediante la mejora de la calidad técnica y lingüística de todas las normas de origen gubernamental. Destaca algunas reglas, muy valiosas, como las relativas a criterios de orden (por ejemplo, de lo general a lo particular, o de lo abstracto a lo concreto); redactar artículos con una longitud breve (que cada artículo recoja un precepto, mandato, instrucción o regla); y, por descontado, la utilización de un lenguaje claro y accesible, además de adecuar la redacción a las normas lingüísticas generales de la Real Academia Española.

Posteriormente comprobé, como representante de Clarity en España, que los avances de nuestro país continúan siendo muy lentos, cuando los hay. Existen diversos grupos de investigación que tratan, directa o indirectamente, estas cuestiones. Hay equipos de investigación como el *Grupo de investigación Val.Es.Co* (Valencia, Español Coloquial) surgido en el seno del Departamento de Filología Española de la Universidad de Valencia en 1990, cuyo principal objeto de estudio es el español coloquial[102], o el grupo *EDAP* (Estudios del Discurso Académico y Profesional) que aborda el análisis de los mecanismos lingüísticos y textuales característicos del discurso académico y profesional[103].

A nivel universitario, destaco dos proyectos, uno de innovación docente de la Facultad de Derecho de la Universidad Complutense de Madrid que comenzó en 2018, dirigido por la profesora Susana García León: "Estrategias para concienciar al estudiante de la necesidad de un lenguaje jurídico claro e inclusivo" y otro, de la Universidad de Castilla-La Mancha, dirigido por la profesora Esther Fernández Molina, denominado: "*Justicia penal para todos. Un estudio del funcionamiento y la accesibilidad de la justicia penal*" que incluye importantes estudios y análisis de lenguaje jurídico claro en el proyecto.

La Federación Española de Municipios y Provincias está promoviendo la formación y buenas prácticas en materia de lenguaje claro y accesibi-

---

[102]   http://www.valesco.es/?q=es consultado el 3 de abril de 2016.
[103]   http://www.ub.edu/edap/ Consultado el 6 de abril de 2017.

lidad en general. El Centro de Referencia Estatal de Autonomía Personal y Ayudas Técnicas, CEAPAT, coordina un grupo de trabajo denominado *Lectura Fácil para todos,* integrado por distintas organizaciones y profesionales cuyo objetivo es la difusión de la lectura fácil como medio para facilitar el acceso a la información, la cultura y la participación en la vida política y pública de los ciudadanos con dificultades de comprensión lectora.

Por ilustrar con un supuesto real de los que se producen en nuestro país que muestran los avances reales destacamos la concienciación por parte de algunos tribunales.

Con Natividad Braceras[104] he comentado el caso que fue noticia nacional al haberse dictado en Oviedo las primeras sentencias de Europa con el sistema de "lectura fácil". Estas sentencias se enmarcaron en el proyecto piloto de colaboración del Tribunal Superior de Justicia de Asturias con el colectivo Plena Inclusión[105] para expresar en lenguaje comprensible los escritos en casos de discapacidad intelectual. El proyecto comenzó con sentencias en dos casos de incapacitación. La sentencia pionera tenía cuatro epígrafes destacados: qué es este documento; situaciones en las que necesitarás apoyo; quiénes serán tus tutores; y qué debes hacer si no estás de acuerdo. El proceso de lectura fácil comenzó desde la redacción de la cédula de citación hasta la sentencia.

En palabras del magistrado García López[106], en el ámbito de los Juzgados de Familia de Oviedo, y desde diciembre de 2016, se llevó a cabo una iniciativa para poner a disposición de las personas respecto de las cuales se dicte una sentencia de modificación de la capacidad, además de la sentencia completa, una versión de la misma en formato adaptado de «lectura fácil» que permita al interesado poder comprender el sentido de lo resuelto en el juicio seguido.

---

[104]   Braceras Peña, N. y Carretero González, C., "La claridad y precisión de las resoluciones judiciales: de la tendencia a la exigencia", *Abogacía Española, Revista del Consejo General,* n°103, mayo 2017, pp. 44 a 47.

[105]   Según noticia de http://www.elcomercio.es/oviedo/201702/02/primeras-sentencias-europa-lectura-20170202000538-v.html Leída el 12 de febrero de 2017.

[106]   García López, J.c., "El método de lectura fácil de las sentencias para las personas vulnerables", *La Ley,* n° 9042, de 15 de septiembre de 2017, p. 5.

Una experiencia previa mejicana les llevó a tomar la iniciativa. Se trataba de la sentencia pronunciada el 16 de octubre de 2013 por la Corte Suprema de México en formato de lectura fácil. Dicha sentencia resolvía una interdicción (incapacitación), relata el magistrado, cuya revisión había instado D. R.A., un joven de veinticinco años diagnosticado de síndrome de Asperger.

Cuando el citado joven cumplió los dieciocho años de edad, sus padres promovieron un procedimiento de «interdicción» con relación a su hijo para poder protegerle mejor. Seguido ese proceso y declarada su interdicción, el Sr. Adair consideró posteriormente que no procedía dicha declaración judicial por la que se le impedía decidir su propio destino, decidir dónde vivir y con quién, casarse y, en fin, regir su persona y bienes. Para ello promovió un nuevo procedimiento en el que incluso cuestionaba la constitucionalidad de los preceptos del Código Civil en razón a los cuales se declaró su estado de «interdicción».

En la sentencia, la Corte Suprema de Justicia, aunque no declaró la inconstitucionalidad de los artículos del Código Civil en razón a los cuales se restringió la capacidad de obrar de Ricardo, sí entendió que procedía revisar dicha previa declaración judicial. Ello lo hizo dictando la sentencia que de ordinario debía recaer, esto es, en su estructura y formalidades legalmente establecidas, pero, junto a dicha sentencia, en realidad como un anexo de la misma, se redactó una versión en formato de lectura fácil que el magistrado en su artículo ha recogido y se reproduce a continuación:

"Corte Suprema de México: sentencia de 16 de octubre de 2013, *Caso Adair,*

- Al analizar tu caso la Corte decidió que tú, Ricardo Adair, tienes razón.

- En poco tiempo un juez te llamará para pedirte tu opinión sobre tu discapacidad.

- El juez platicará varias veces contigo sobre qué actividades te gusta hacer, qué es lo que no te gusta hacer, cuáles son tus pasatiempos y cosas así.

- Cuando platiques con el juez, te va a explicar por qué te llamó y hablará contigo de forma amigable.

- Si tú asilo quieres, un familiar tuyo o algún amigo, te puede acompañar cuando vayas con el juez.

- Además, el juez platicará de tu caso con tus papás, con médicos y con otras personas como maestros y abogados.

- Después de que el juez platique con todos ustedes, decidirá qué cosas puedes hacer solo y en qué cosas vas a necesitar que alguien te ayude.

- En todas las decisiones que se tomen sobre ti, tendrán que preguntarte qué es lo que opinas. Tú opinión será lo más importante cuando decidan cosas sobre ti mismo.

- El juez decidirá qué personas, como alguno de tus familiares, te ayudarán cuando vayas a tomar una decisión sobre ti mismo o tus pertenencias.

- Cuando tú consideres que algunas de las cosas que dijo el juez que tenías que hacer con ayuda, ahora las puedes hacer tú sólo, puedes ir con el juez y decírselo".

El lenguaje empleado en la lectura fácil posee una expresión adaptada a personas con algún tipo de discapacidad o dificultad lectora y es mucho más adecuada que la redacción habitual, ya de por sí compleja y difícil. Este sistema busca facilitar la accesibilidad cognitiva de la información escrita y emplea no solo textos o escritura, sino que también se vale de ilustraciones e imágenes. En síntesis, la lectura fácil requiere de un proceso laborioso de adaptación, validación, ilustración, edición y maquetación de los textos para garantizar que resulten accesibles al conjunto de la ciudadanía. En definitiva, los objetivos de claridad y transparencia de los escritos jurídicos se amplían.

Otros esfuerzos van referidos a cambiar la forma de redacción de todo tipo de documentos, comenzando incluso por la propia Constitución que ya cuenta con una versión en lectura fácil[107].

El propio *Libro de estilo de la Justicia*[108] supone un paso adelante igualmente porque ha sido la primera vez que la justicia española cuenta con un manual integral de este tipo que nació con la vocación de inspirar no solo a jueces y magistrados en su labor sino a todo el ámbito de la Justicia, o, como se indica en la presentación, para todo escrito relativo al Derecho. Se trata de un libro de estilo que, tras el convenio de 2014 suscrito entre el Consejo

---

[107]   http://www.plenainclusion.org/informate/publicaciones/la-constitucion-espanola-en-lectura-facil Consultado el 15 de noviembre de 2017.
[108]   *Libro de estilo de la Justicia*, cit. p. 12.

General del Poder Judicial y la Real Academia Española, fue dirigido, desde la Real Academia Española, por Muñoz Machado; la responsabilidad en la redacción es de Gutierrez Ordóñez, y el prólogo es del presidente del Consejo General del Poder Judicial en 2017, Lesmes Serrano.

El *Diccionario del español jurídico* (*DEJ*) tuvo su origen en la preocupación del Consejo General del Poder Judicial (CGPJ) por los problemas de claridad y seguridad del lenguaje jurídico. Se realizó gracias a un convenio entre el CGPJ y la RAE. Frente a los tradicionales diccionarios jurídicos, se dice que el *Diccionario del español jurídico* aporta la novedad de estar hecho con la misma metodología y criterios lexicográficos con que se hacen los diccionarios de la lengua[109].

Posteriormente, nació el *Diccionario panhispánico del español jurídico* (DPEJ), preparado por un equipo de más de cuatrocientos juristas y filólogos, de América y España, siguiendo el plan trazado por Muñoz Machado, quien se encargó de dirigir la obra. Hasta ese momento no había ningún diccionario con las pretensiones de abarcar el lenguaje jurídico de toda la comunidad hispanoamericana. Uno de los aspectos destacables del DPEJ es que se ha basado también en las políticas de fomento de la claridad del lenguaje jurídico que ha promovido la Cumbre Judicial Iberoamericana.

Es importante concluir, después de esta revisión por países, que el avance hacia el lenguaje claro es imparable, afortunadamente, y que todas y cada una de las iniciativas emprendidas nos pueden servir en España como fuente de inspiración para adoptar políticas públicas y privadas que faciliten la comunicación jurídica clara. Nos queda elegir cuáles de ellas, ya sea una red de lenguaje claro u otra fórmula, hay muchas, puedan resultar válidas en España para la mejora y la claridad del lenguaje del derecho.

2.3.4. *Decálogo de sugerencias para mejorar la claridad del lenguaje del Derecho en general*

En una ocasión realicé un decálogo con sugerencias para que los juristas podamos, en su caso, comunicar de un modo más claro, más comprensible[110].

---

[109]   http://dej.rae.es/#/entry-id/E152500 Consultado el 20 de febrero de 2018.
[110]   En: https://confilegal.com/20170401-decalogo-de-comunicacion-clara-para-el-dia-de-los-juristas/ Consultado el 1 de abril de 2017.

Ya había hecho alusión a esa necesaria claridad en alguna otra ocasión, concretamente en un escrito elaborado con la magistrada NATIVIDAD BRACERAS[111]. Por otra parte, la Comisión Europea editó en el año 2013 un sencillo manual: *Cómo escribir con claridad*[112], que proporciona consejos precisos al respecto[113].

Pues bien, con esos precedentes y referencias, redacté, unos consejos —en general— que pudieran servir como guía tanto para el lenguaje escrito como para el lenguaje oral:

1. **Piense antes de hablar o de escribir**. Tenga siempre presente:

    a) quién será el destinatario de sus palabras. Recuerde cambiar de registro para adecuar su mensaje a dicho destinatario (si es técnico en la materia o no);

    b) cuál es la **intención** que tiene su mensaje; y

    c) qué **temas** va a tratar.

Como sugirió la Comisión Europea, no olvide —en general— ofrecer una información completa de aquello que debe informar. Hay siete preguntas clave que pueden ayudar a no olvidar ciertas cuestiones al tratar un tema: qué, quién, cuándo, dónde, cómo, por qué y cuánto.

2. **Forma del documento o del discurso**. Una fórmula aplicable a numerosos discursos suele contener tres partes:

    1) introducción, exposición inicial o encabezamiento;

    2) cuerpo del mensaje y, finalmente,

    3) pie con mensaje, petición o decisión, final.

No minusvalore el apoyo de información útil como gráficos o imágenes cuando procedan. Son utilísimos.

3. **Orden en las frases**. No falla: sujeto, verbo y complemento (o predicado); por ese orden. Además, resulta primordial nombrar al sujeto de

---

[111] BRACERAS PEÑA, N. y CARRETERO GONZÁLEZ, C., "Una justicia moderna debe ser una justicia comprensible", en *Confilegal*, https://confilegal.com/20160905-una-justicia-moderna-una-justicia-comprensible/ Consultado el 1 de abril de 2017.

[112] En: http://bit.ly/2b4Fie6 Consultado el 1 de abril de 2017.

[113] También colaboramos varias personas en la iniciativa del Instituto Lectura Fácil, para redactar una breve Guía, muy básica, de lenguaje claro, accesibilidad y lectura fácil. En: http://bit.ly/2mSRrvg Consultado el 1 de abril de 2017.

cada acción y colocar las acciones en el orden en que se producen, sin esconder la información importante en mitad de la frase y reforzando el final de las frases.

4. **Concisión y sencillez.** Son aliados de la claridad.

Concisión, o *brevedad*. No siempre es posible, aunque sí, deseable. Consideramos ideal: alrededor de dos o tres líneas por frase como media y, como ideal, sería recomendable leer párrafos que no superaran las diez líneas, en general (seis o siete mejor que diez).

Sencillez: emplear expresiones directas y naturales, sin ambigüedades ni circunloquios; y, mejor, en formulación positiva que negativa.

5. **Resulte explicativo** en todo aquello que resulte complejo o con datos o cifras que no resulten bien conocidos.

6. **Sea concreto y no abstracto**. No divague y sea preciso.

7. **Utilice preferiblemente la voz activa frente a la pasiva.**

8. **Olvídese de las oraciones subordinadas de las subordinadas.** Solo producen cadenas de subordinación incomprensibles.

9. **Evite los términos arcaicos así como los latinismos y extranjerismos** en general. Si necesita introducirlos, hágalo con traducción.

10. **Revise y compruebe el contenido de su discurso escrito u oral y ensaye su "puesta en escena"**. Sea crítico con su intervención —ni muy severo ni muy condescendiente— y asegúrese, para finalizar, de que su mensaje está suficientemente claro.

3. LA COMUNICACIÓN JURÍDICA ESCRITA

Me refiero en este apartado tanto a aspectos generales como particulares de la redacción jurídica por escrito[114].

3.1. Aspectos generales y característicos de la comunicación jurídica escrita. La claridad en la redacción jurídica

3.1.1. Aspectos generales y característicos de la comunicación jurídica escrita

La comunicación jurídica escrita posee unos rasgos muy característicos. Es una comunicación, por lo general, técnica, formal, extensa y compleja.

Lo cierto es que no goza de buena fama para el conjunto de la ciudadanía porque sobre esas características pesan los matices negativos que pueden llegar a darse y, de hecho, se dan. Así, lo técnico se puede exponer como incomprensible; lo formal, como rígido, lo extenso como farragoso y lo complejo como enmarañado e ininteligible. Podemos comprender fácilmente que se haya impuesto esta impresión negativa en la población si reconocemos la reiterada y, en muchas ocasiones, innecesaria y oscura redacción.

Hay una serie de usos y características del lenguaje jurídico escrito que resultan muy reconocibles y el Libro de Estilo de la Justicia[115] (LEJ), las recoge así:

–   Términos arcaicos y formulismos. En la redacción escrita es muy común encontrar términos arcaicos y expresiones que no pertenecen al lenguaje común. Entre los términos recogidos con estas caracterís-

---

[114] Algunos de los aspectos tratados provienen de distintos apartados tratados en la parte "Redacción", del Memento Práctico, *Acceso a la abogacía,* 2016-2017, Francis Lefebvre, escritos junto a Duñaiturria Laguarda, A. y Ferrer Calvo, M., pp. 339-359.

[115] *Libro de estilo de la Justicia*, cit., pp. 4 a 11.

ticas contamos con algunos como: afecto (por vinculado o adscrito); susodicho (por dicho); librar (por ejemplo, un certificado); del tenor (literal), o vicio (por defecto). Lo preocupante del arcaísmo es que, según refleja el LEJ, este se muestra también en la estructura de los textos debido a que la organización de los escritos es reflejo de una redacción y un estilo alejados del uso moderno.

Entre los formulismos que "añejan" al lenguaje jurídico y lo apartan del lenguaje corriente, encontramos diversos tipos, tales como: el abajo firmante; por esta mi sentencia; del siguiente tenor o, tener por interpuesto.

– Impersonalidad. Esto es debido a que, en numerosas ocasiones, los textos legales y judiciales se dirigen a un destinatario que no suele estar determinado. Ello deriva en expresiones tales como: se resuelve, se da traslado, conviene, es de justicia, este tribunal o la tramitación del expediente.

– En aspectos morfológicos y sintácticos, aunque lo trataré más adelante, se adelanta algo de lo que resulta característico:

  • Con verbos: recurrir a tiempos arcaizantes como el futuro de subjuntivo o a construcciones absolutas de participio (como: dijere, o, conclusas las actuaciones, respectivamente).

  • Con nombres: es normal hallar nombres creados por derivación, como suplicación o desestimación.

  • Con adjetivos: igualmente es frecuente encontrar creaciones de adjetivos por derivación, como testifical o moratorio.

  • Con adverbios: otrosí, amén, empero.

  • Con preposiciones: *en el seno de* en lugar de *en*.

  • Con prefijos y elementos compositivos, como antijurídico o desamortización.

  • Con sufijos: como conflictividad o influenciar.

– En aspectos de estilo:

  • Estilo acumulativo: largos párrafos y oraciones, con perífrasis y circunloquios.

  • Estilo desordenado, confuso, monótono, farragoso y de difícil legibilidad.

- Proliferación de incisos alusivos a disposiciones legales.
- Abundancia de expresiones explicativas.
- Párrafos largos y complejos formados por marañas de oraciones coordinadas y subordinadas.
- Un estilo culto, con numerosos tecnicismos y latinismos, resulta distante.
- La prosa es conservadora y arcaizante.
- Hay recurrencia a giros retóricos y formularios de otros tiempos.
- Se acude a construcciones absolutas de participio.
- Abunda la alteración del orden lógico de las palabras (hipérbaton), normalmente forzada e innecesaria.
- Proliferación de adjetivos encadenados.
- Abundancia de construcciones reiterativas.
- Repeticiones sinonímicas.
- Expresiones redundantes.

La consecuencia de estas características es que el lenguaje jurídico se percibe como un lenguaje muy complejo, en ocasiones hermético, y alejado del ciudadano que no llega a comprenderlo.

Veamos un ejemplo[116], con un formulario, de redacción clásica y que a los juristas nos resulta tan familiar como complicada para el lego en derecho. Se trata de una diligencia de requerimiento, en el orden jurisdiccional civil, para la designación de bienes[117].

Dentro de los Actos del Servicio de Actos de comunicación y ejecución.

«Juzgado de: N°................ de ....
Procedimiento:................
Actor:................
Procurador:................
Demandado:................

---

[116]   En: CARRETERO GONZÁLEZ, C., "Características del lenguaje jurídico. El lenguaje procesal de ciertos actos de comunicación", *Revista de Derecho Procesal*, Madrid, 2006, pp. 209-211.

[117]   Formulario del libro de Virginia MEDINA GUTIÉRREZ, V., *Guía básica de los servicios comunes de actos de comunicación y ejecución*, Dykinson, Madrid, 2002, p. 165.

Diligencia de requerimiento para la designación de bienes:

"En la ciudad de.........., a ....,de.................de dos mil........
Siendo las........horas y en cumplimiento de lo ordenado el......, del Servicio identificado, me he personado en el domicilio del demandado, Don........., sito en la
calle.........de esta capital, con el fin de practicar la diligencia de requerimiento
que viene acordada por el Juzgado referido en los expresados, por resolución de
fecha........ .Y.........hallándole.......presente..., con entrega de la cédula de requerimiento acompañada, que hice a Don...................., del mismo, le requerí para
que, dentro del término de ....días, siguientes al de la fecha, manifieste relacio-
nadamente bienes y derechos suficientes, de su propiedad, para cubrir la suma total
de ......, a que asciende la ejecución despachada, en los términos prevenidos por el
art. 589 de la NLEC, haciéndole los apercibimientos que indica el citado artículo, que
se contienen en dicha cédula.
Queda........ requerido......, recibe .....la cédula y manifiesta: ....
En prueba de ello se extiende la presente que ......firma conmigo".

En este caso, podemos redactar más claramente varias cuestiones. Por
partes:

1ª) En primer lugar, parece más lógico que si la parte pasiva está recibiendo la denominación de "demandado", la parte activa aparezca como
demandante, en lugar de "actor", y ello a pesar de que tengan el mismo significado.

2ª) Se encuentra algún gerundio innecesario en los textos. El requerimiento ya comienza así: "siendo las ....horas". Además, en este caso
es superflua su utilización porque bastaría con expresar: "A las ......
horas...»".

3ª) Inmediatamente después, para indicar quién hace el requerimiento
se dice: "...el........del Servicio identificado, me he personado en...".
El sujeto de la acción aparece expresado en tercera y en primera persona en la misma línea, lo que origina confusión. Entendería más
clara esta redacción: "me he personado yo, ...del Servicio identificado...".

4ª) La palabra "sito", referente al domicilio del demandado en este caso,
no presenta en sí un problema, pero es otro de los ejemplos de utilización más o menos frecuente de terminología desusada. Sito proviene
del latino *situs*, participio pasado de *sinere*, que quiere decir: dejar, y
que utilizado en los escritos jurídicos adquiere el significado de "situa-

do". No encuentro ninguna buena razón para no emplear "situado" en lugar de "sito".

5ª) Se dice en este escrito: "… con el fin de practicar la diligencia de requerimiento que viene acordada por el Juzgado referido en los expresados, por resolución de fecha ". Aunque supongamos que al decir: "en los expresados", se hace referencia al encabezamiento en el que se menciona el Juzgado, no queda muy clara esta expresión utilizada por la omisión de información. Hubiera sido más breve y evidente decir: " acordada por el Juzgado antes mencionado ", o " acordada por el Juzgado arriba referido ".

6ª) Con relación a la utilización de distintos tiempos verbales, estos varían con un criterio poco homogéneo. Comienza por el gerundio "Siendo las horas ", y continúa con lo siguiente: un pretérito perfecto: "me he personado"; otro gerundio:" Y hallándole presente"; un indefinido: con "…que hice a…" y "…le requerí "; un imperativo, " para que manifieste "; un gerundio, " haciéndole los apercibimientos que indica el citado artículo "; un participio, " queda requerido "; para acabar con varios verbos en presente, " recibe la cédula y manifiesta " y " se extiende…".

Pienso que debería producirse una utilización más uniforme u homogénea; únicamente añado en este apartado que me parecería más acertado el uso mayoritario de un único tiempo, en presente o en pasado para el cuerpo de la diligencia.

7ª) Por último, y aunque de importancia menor, la siguiente expresión: "…se extiende la presente que…", frecuentemente utilizada en documentos jurídicos en general, podría ser sustituida por: "…se extiende este escrito…" o, por continuar con las mismas palabras de la redacción, "la presente diligencia", y mejor aún, "esta diligencia", con un resultado también más claro.

Propongo, en consecuencia, un tipo de redacción alternativa:

"Demandante
Procurador
Demandado
En …, a … de … de dos mil…

A las … horas, yo,… del Servicio …, me he personado en el domicilio del demandado arriba expresado, situado en la calle … de esta capital, con el fin de practicar el
requerimiento acordado por el juzgado… , por resolución de fecha …

Tras hallarle, le he entregado la cédula de requerimiento. Se le requiere para que
manifieste una relación de bienes y derechos de su propiedad en cantidad suficiente
como para cubrir la suma total de… a que asciende la ejecución despachada, según
los términos previstos en el art. 589 de la NLEC. Para manifestar tal relación dispone
de … días contados desde el siguiente al de recepción de esta cédula.

Se comunica a don… que, en caso de incumplimiento de lo ordenado en la cédula,
puede resultar sancionado en virtud del art…

Queda… requerido…, recibe…la cédula y manifiesta:…

En prueba de ello se extiende este escrito que don… firma conmigo".

Aunque no es aún una actitud mayoritaria, cada vez encontramos más casos, como el de la magistrada Natividad Braceras[118], que ha reivindicado en diversas ocasiones la necesidad de que los escritos y las resoluciones judiciales sean claras, o el magistrado Rafael Rosel[119], quien, desde mi punto de vista, redacta sus resoluciones con una claridad ejemplar. Escojo un párrafo de uno de los Fundamentos de Derecho de una de las sentencias de este magistrado, en este caso de materia civil, por reclamación de cantidad. El pensamiento del magistrado se plasma y comunica con unos razonamientos totalmente comprensibles. Veamos:

[…] Tras examinar los documentos, con sinceridad se reconoce que no se entiende ni
la demanda ni la reconvención. ¿Por qué pedir que se me paguen los gastos de montaje
del mueble, cuando he votado que no? ¿Y por qué pedir la devolución de unas rentas
que he aceptado abonar hasta que terminen las obras? Leyendo el tercero de los acuerdos, adoptado por unanimidad, de la junta de 19 de diciembre de 2011, poco más cabe
decir. Que sí, que es verdad que en un principio se dijo que se pagaría el montaje de los
muebles. En esto tiene razón Carmen. Pero convendrá conmigo que, en una segunda
reunión, quedó todo en el aire, a la espera de lo que dijera el constructor. Y, ya en la
tercera, el tema quedó claro: se paga el alquiler, pero no el montaje. ¿Tiene entonces
derecho a cobrar esos 800 euros? No. Es que incluso, como apunta la comunidad
—pero sin reclamar— habría que hablar seriamente de los 500 ya cobrados. Pero no
ahora, en congruencia a lo pedido y por más que se tenga una opinión al respecto. […].

---

[118]   Magistrada de la Sala Social del TSJ de Cataluña. Citada en diversas ocasiones en este libro con ocasión de diversas publicaciones realizadas en colaboración con ella.

[119]   Magistrado Rafael Rosel Marín. Juzgado nº 7 de Primera Instancia e Instrucción de Lega-nés y Decano de los Juzgados de la misma localidad en Madrid.

Puede que no se entienda lo que es la palabra reconvención, si se extrae la palabra del marco de su sentencia, de su contexto natural, como yo hago aquí, pero si se lee completa, queda claro a qué se refiere la palabra porque previamente se ha explicado.

El resto es perfectamente comprensible. Pero no solo es comprensible, es didáctico y empático. Cuando se lee este escrito, el lector se podrá situar "en la cabeza" del magistrado y llegar a sentir su propio parecer. ¿Hay algo mejor en comunicación?

Al final, como indica GONZÁLEZ ZURRO[120] escribir una sentencia en lenguaje opaco o en lenguaje claro es una elección. Como él mismo indica, se puede elegir entre continuar con la tradición o intentar modificar los criterios con el aporte de mayor claridad.

> "Lenguaje claro está lejos de una mera simplificación, que es distinto de escribir de una manera más simple. No debemos asimilar lenguaje claro a lenguaje fácil. Este último está dirigido a las personas con restricciones en su capacidad, donde sí hay simplificación. El primero mantiene toda la dificultad de los problemas propios del Derecho, no suprime ninguna información que sea esencial, es preciso. Pero todo ese contenido se intenta comunicar de una manera más comprensible, más legible, más clara".

Totalmente de acuerdo. Se trata de una elección, sin más.

3.1.2. La claridad en la redacción jurídica

La claridad debe ser la norma. Solo debe temerse lo contrario, la oscuridad.

En ocasiones parece buscarse la falta de claridad, tal vez por una tradición jurídica mal entendida. Pienso que lo que ocurre es que, con frecuencia, se adoptan vicios adquiridos por otros. La tradición debe procurar ofrecer un buen lenguaje jurídico, no un texto opaco e ininteligible. Piense que, en última instancia, la falta de claridad del lenguaje puede vulnerar el derecho a la tutela judicial efectiva del artículo 24 de la Constitución.

Escribimos con demasiadas fórmulas fijas que aconsejamos suprimir.

---

[120]   González Zurro, G.D., "Sentencias en lenguaje claro", *Revista Jurídica Argentina La Ley*, Buenos Aires, 26/12/2018, 1. On line: R/DOC/2608/2018, p.2.

- El primer enemigo de la falta de claridad y, por tanto, de la comprensión, es la longitud excesiva de los párrafos; se tratará este tema más adelante.
- El segundo es el desorden.
- Y el tercero, el lenguaje utilizado, excesivamente técnico o demasiado poco técnico, frecuentemente ampuloso e incluso ambiguo.

Citan Sanz y Martín[121] a una de las personas que más ha trabajado por la claridad del lenguaje en general, Alan Siegel, quien sostiene:

> "La complejidad es la vía de escape del cobarde. Pero la simplicidad no tiene nada de simple, y alcanzarla requiere seguir tres principios centrales: tener empatía (percibir las necesidades y expectativas de otros), destilar (reducir una oferta a su mínima expresión) y aclarar (hacer la oferta más fácil de comprender o usar)".

Si hacemos nuestras estas palabras, podríamos decir que redactar sencillamente un mensaje jurídico requeriría empatía, emplear solamente el contenido necesario para lograr el propósito que buscamos, sin emplear circunloquios ni grandes e innecesarios párrafos, y ofrecer un mensaje comprensible tras eliminar oscuridades.

Indican aquellos autores, sin referirse expresamente al tema jurídico, cómo resultar claros. Resumo sus atinados consejos:

- Palabras cortas. La razón es que estas palabras consiguen más claridad del texto, mientras que las palabras largas solo son más asequibles a menos cantidad de lectores. Las más largas tienden a acaparar —demasiado— la atención del lector y alargan —a veces innecesariamente— los textos.

  Lo que ocurre con el léxico jurídico es que precisamente hay numerosísimas palabras largas. Para ponerle remedio, si es posible porque resulta adecuado, busque sinónimos[122] con palabras más cortas.

---

[121]   Martín, A., y Sanz, V.J., *Dilo bien y dilo claro*, Larousse, Barcelona, 2017, pp. 136 y ss.
[122]   Páginas de sinónimos —y antónimos— hay suficientes en internet. Personalmente, utilizo distintas páginas aunque la más frecuente es: http://www.wordreference.com/sinonimos/ Consultado el 10 de septiembre de 2017.

Como ejemplo, desde el punto de vista semántico, dicen los autores, si decimos "uso", conseguimos el mismo resultado que la palabra "utilización" o si decimos "enorme", mejor que espectacular.

Pérez Colomé[123] aporta el factor de legibilidad para tratar esta cuestión. Indica que la legibilidad es el esfuerzo que cuesta leer un texto, y se refiere al método más utilizado para medirlo; el elaborado por Rudolf Flesch (la adaptación al español de la fórmula de Flesch, se denomina Flesch-Szigriszt[124]).

Índice de legibilidad = 206.835-62.3 S/P-P/F

Los valores son: sílabas totales (S), palabras (P) y frases (F).

Es decir:

1º) A 206.835 se le resta el resultado de multiplicar 62.3 por las sílabas totales (S) divididas por las palabras (P).

2º) Al resultado del punto anterior hay que restarle el número de palabras dividido por las frases totales.

Pues bien, cuanto más bajo sea el valor, más complicado de leer es el texto.

Además, como el mismo autor indica con una metáfora muy visual, una frase es como una pastilla. El paciente sólo puede tomar píldoras de un tamaño, una detrás de otra. Cuando la pastilla es demasiado grande, se atraganta. Si encima le hacemos tomar tres seguidas, se ahogará.

– Concisión. Para vencer, dicen, hay que dividir y para alcanzar la claridad en un texto hay que dividirlo en partes pequeñas

Debo decir que si en otros países —el número de ellos aumenta progresivamente— han logrado desde hace tiempo expresarse con bastante claridad y precisión, aquí podremos hacerlo; más tarde o más temprano, pero lo haremos.

Comenta Strandvick[125] que los juristas en Suecia han aprendido a expresar razonamientos jurídicos complejos de modo claro y que la tensión entre la pre-

[123]   Pérez Colomé, J., *Cómo escribir claro*, UOC, Barcelona, 2011, pp. 65 y 66.
[124]   La fórmula se completa con la fórmula de perspicuidad de Szigriszt-Pazos.
[125]   Strandvik, I., "La modernización…", cit. p. 145.

cisión jurídica y el lenguaje claro es mucho menor de lo que se acostumbra a creer: al intentar mejorar la claridad en la redacción, normalmente se consigue no solo la claridad de la redacción sino también la precisión jurídica.

3.2. Aspectos particulares y representativos de la comunicación jurídica escrita

Ya se ha indicado que, de forma general, en toda comunicación escrita hay que considerar varios elementos muy relevantes si se desea que el mensaje llegue y se capte sin excesivos problemas:

- Sujetos: el emisor que redacta y el receptor como destinatario de la redacción.
- Objeto: el contenido de lo que se comunica por escrito.
- Forma: el modo de comunicar.

Cuando se redacta con lenguaje jurídico, estos aspectos expuestos siguen siendo los mismos. La diferencia radica en que ahora tratamos un lenguaje especial, relativo al Derecho, con tecnicismos y expresiones que debemos utilizar ya sea de modo más técnico o más llano, según el contexto de la comunicación.

El lenguaje escrito, a diferencia del oral, puede ser, en general, más formal y más elaborado debido al tiempo de que se suele disponer para pensar, redactar, corregir y versionar.

Por el momento, dejemos apuntado que el apartado de los sujetos nos invita a pensar en emisores juristas, frecuentemente, dirigiéndose, por lo general, a destinatarios no juristas. El contenido es eminentemente jurídico y la forma debe resultar adecuada al contexto o situación en que nos podamos hallar; esto obliga a cambiar de tono y registro.

Consideremos nuestra circunstancia profesional y lo que pretendemos conseguir en cada caso al redactar. Por este motivo, conviene emplear expresiones diferentes para situaciones distintas; por ejemplo, si queremos negociar, utilicemos expresiones que denoten comprensión y deseo de pacto, tendiendo puentes; y si lo que pretendemos es realizar una advertencia, habrá que expresar claramente las razones con firmeza.

Es esencial tener en cuenta al receptor, y es un grave fallo comunicativo no tenerlo. Hay muchas personas que se comunican siempre de forma lineal, con una única forma de expresión, sin reparar en quién recibirá tal o cual escrito; ocurre algo similar en la comunicación oral, pero la posibilidad de reaccionar, si hay cierta sensibilidad, es más ágil en este caso al observar el rostro del interlocutor.

Por este motivo, un escrito dirigido por un letrado para otro debe ser formalmente distinto al redactado para un cliente. En este último, debería haber un mensaje muy claro, con un léxico sencillo —y cuando no sea posible, siempre explicado— para que no queden dudas. Igualmente, la sintaxis sencilla es ideal. Me resulta siempre curioso que clientes de abogados hayan recurrido a mí para consultarme qué podían querer decir sus abogados en algunos escritos y correos electrónicos. Esto no debería ocurrir en ningún caso. Por el contrario, si un letrado redacta un escrito para el órgano jurisdiccional o para un compañero letrado, parece lógico que el estilo sea técnico y preciso. Logrará brevedad y precisión.

En definitiva, podríamos referirnos a dos tipos de grandes destinatarios:

1) Profesionales del Derecho. Pueden ser jueces, fiscales, letrados y otros profesionales relacionados con la Justicia que pueden recibir o redactar distintos escritos como demandas, contestaciones, acumulaciones, conclusiones, etc. Resulta aconsejable emplear un estilo sencillo, técnico y exhaustivo que evite el lenguaje ampuloso y oscuro, pero que no olvide la precisión terminológica.

2) Resto de receptores no relacionados con el mundo de la Justicia. La idea es que se emplee un lenguaje menos técnico y, como decía, si no encuentra una palabra sinónima —en ciertas ocasiones no las encontrará si quiere buscar la precisión— entonces, sea más explicativo. Así, si tiene que explicar a un cliente que resulta adecuado en su caso plantear una reconvención, puede emplear perfectamente esa palabra si después le explica en qué consiste la misma. No olvide nunca que el léxico que usted domina y utiliza con tanta frecuencia no existe en la mente de su interlocutor, lego o desconocedor del Derecho.

3.2.1. Cuestiones gramaticales: morfología y sintaxis

En los epígrafes siguientes añado el significado de algunos conceptos que se utilizan en lingüística y de los que se trata cuando se analiza el lenguaje jurídico.

3.2.1.1. Conceptos

En primer lugar, la gramática es la parte de la lingüística que estudia los elementos de una lengua, así como la forma en que estos se organizan y se combinan[126].

La morfología es la parte de la gramática que estudia la estructura de las palabras y de sus elementos constitutivos[127]. La morfología nos sirve entre otras cosas para saber de la composición de las palabras, sus raíces (o lexemas), sufijos, prefijos, etc. Al saber cómo está formada una palabra, vamos conociendo, desde lo más pequeño a lo más grande, cómo se asocian los diferentes elementos de una palabra y cómo esas relaciones darán lugar a distintos usos y funciones. Por otra parte, al leer una palabra podemos observar cómo se relaciona con la anterior y con la posterior, cómo forman oraciones y aquí cobra sentido la sintaxis, como parte de la gramática que estudia el modo en que se combinan las palabras y los grupos que estas forman para expresar significados, así como las relaciones que se establecen entre todas esas unidades[128].

3.2.1.2 Palabras, frases, párrafos y aspectos relacionados[129]

3.2.1.2.1. Palabras: el léxico jurídico

En cuanto a las palabras, encontramos gran variedad: sustantivos, artículos, adjetivos, pronombres, verbos, adverbios, preposiciones, conjunciones e interjecciones.

---

[126]   http://dle.rae.es/?id=H0r0IKM Consultado el 21 de febrero de 2017.

[127]   http://dle.rae.es/?id=Pp2aAEL Consultado el 18 de julio de 2017.

[128]   http://dle.rae.es/?id=XzfiT9q Consultado el 23 de febrero de 2017.

[129]   En estos apartados hemos tenido en cuenta varios estudios de campo presentados por especialistas a la Comisión para la Modernización del Lenguaje Jurídico. En especial el titulado *Lenguaje escrito*, dirigido por E. Montolío Durán, de la Universidad de Barcelona, el referido al *Lenguaje de las normas*, dirigido por S. Gutiérrez Ordóñez y el de *Plantillas procesales*, dirigido por J. Borrego Nieto). Pueden encontrarse en la web de Javier Badía: http://lenguajeadministrativo.com/sobre-la-modernizacion-del-lenguaje-juridico/ Consultado el 19 de julio de 2017.
Los ejemplos que aportamos (breves para lograr una mayor claridad en la exposición de las ideas) inspirados o extraídos de ellos, a través de internet.

El léxico, el vocabulario jurídico, al tener una terminología característica, cuenta con tecnicismos propios de cada una de las áreas del derecho con las que se trabaja.

La buena comunicación pasará, como es lógico, por la necesidad de resultar más o menos explicativos en función de quién sea el receptor del mensaje que transmitamos.

Un jurista especializado en derecho concursal estará bien familiarizado con términos relativos a los créditos con privilegio especial o a la composición de la masa pasiva, pero para el resto de juristas será complicado comprender bien a menos que se explique cada caso; por ello, un cliente concursado necesitará recibir explicaciones claras, comprensibles, acerca de su situación y la de los bienes inmersos en el concurso.

Como se ha indicado, ahora y en otras ocasiones[130], el lenguaje del Derecho, *como ciencia* que es, utiliza un lenguaje propio, especializado y técnico. La precisión es una de las claves del lenguaje jurídico y de la que puede depender no solo una correcta expresión de cuestiones relativas a la libertad de una persona o a su patrimonio, sino la correcta formulación de una pretensión y su concesión o denegación coherente con esa pretensión. La adecuada conjugación entre el empleo del tecnicismo apropiado y la explicación llana y necesaria constituye uno de los grandes retos de la comunicación jurídica.

A. Con relación a los **tecnicismos**, Borrego Nieto[131] diferencia tres tipos de tecnicismos, en función de la facilidad de su sustitución sin menoscabo de su significado:

   – Aquellos que se pueden denominar: «no fácilmente sustituibles» y «oscuros para personas cultas», como allanarse, desistir; enervar, dación en cuenta, pendencia, reconvención.

---

[130] Citado en el Memento Práctico, "Redacción", *Acceso a la abogacía,* 2016-2017, Francis Lefebvre, pp. 339-359.

[131] Véase esta dirección en la que se trata ampliamente el uso de tecnicismos por el equipo del catedrático Borrego Nieto: http://lenguajeadministrativo.com/wp-content/uploads/2015/10/CMLJ-Documentos-para-el-informe.pdf pp. 18 y ss.

- Aquellos «no fácilmente sustituibles pero inteligibles para personas cultas», como: acto, atestado, cédula, despacho, incoar, requerir, transigir. Y,
- Aquellos «tecnicismos y marcas de registro sustituibles»: acción ejercitada, antecedentes fácticos, dimanante, estar a lo previsto, evacuar un traslado, foliado, obrante.

También se recogen una serie de expresiones y propone otras más inteligibles. Por ejemplo:

- *Ha tenido entrada*: ha entrado/se ha recibido.
- *A tenor de*: de acuerdo con.
- *Conexo*: conectado.
- *Particulares*: detalles.
- *Apercibimiento*: advertencia.
- *Librar*: enviar.
- *Reclamar de*: preguntar a.
- *Interesar de*: solicitar a.
- *Oficiar a*: enviar oficio a.
- *Circunstancias exteriores*: aspecto exterior.
- *Opera como*: se considera.
- *Apercibir*: advertir.
- *Consignar*: ingresar.
- *Consignación*: ingreso.
- *Con las prevenciones legales*: de acuerdo con lo previsto por la ley
- *Por tercero*: por parte de una tercera persona.
- *Cumplimentar*: llevar a cabo.
- *Proposición*: propuesta.
- *Alcanzar avenencia*: llegar a un acuerdo.
- *Actuado*: hecho, realizado.
- *Avenencia*: acuerdo alcanzado.
- *Requerir*: pedir.
- *Inadmitir*: no admitir.

– *Participarlo*: comunicarlo.

Teniendo en cuenta este análisis y estas propuestas, la recomendación irá encaminada según el tipo de receptor. Si fuera destinado al órgano judicial o, en general, a un jurista, es recomendable la utilización de los primeros términos, *los subrayados*, de la lista anterior. Por el contrario, si ha de llegar a un cliente, o bien se explica el significado del tecnicismo, o bien se sustituye por un sinónimo adecuado, como los mostrados en esta lista: mejor decir "comunicarlo" que "participarlo", o, por ejemplo, en lugar de utilizar el polisémico «evacuado un traslado», diga simplemente: trasladado, o si lo prefiere: «cumplido el traslado».

B. Por otra parte, contamos con otros términos característicos del lenguaje jurídico: **aforismos, formas arcaicas y latinismos.**

Un **aforismo**, según el diccionario de la lengua española, es una máxima o sentencia que se propone como pauta en alguna ciencia o arte[132]. En el lenguaje del Derecho se encuentran con bastante frecuencia. Un importante número de aforismos, al escribirse en latín dentro del discurso, en ocasiones generan falta de comprensión; si escribimos: *iura novit curia*, en lugar de explicar que el tribunal conoce las leyes, o si utilizamos: *ab intestato* en lugar de: «sin testamento», dificultamos la comprensión. Pensemos incluso que la palabra abintestato está en el diccionario de la lengua española[133], pero no resulta una expresión conocida o familiar para la mayoría de las personas. Por descontado, si nos hallamos entre juristas, utilizar la palabra abintestato es lo más preciso, práctico y conciso.

Igualmente, expresiones como *actor sequitur forum rei* u otros más prescindibles por la falta de justificación del latinismo (como ocurre, por ejemplo, con *in limine litis*) pueden aparecer directamente traducidas sin necesidad del latín.

Existen otras expresiones más reconocibles, fundamentalmente porque aparecen en los medios de comunicación, como: *habeas corpus* o *in dubio pro reo*, que se podrían mantener, aunque, a mi juicio, tradu-

---

132   http://dle.rae.es/?id=0zuoO3z Consultado el 3 de abril de 2017.
133   http://dle.rae.es/?id=05cPT2y. Consultado el 3 de abril de 2017.

ciendo a continuación su significado cuando el escrito vaya destinado a una persona que no sea jurista.

Es frecuente que los juristas caigamos en el error de pensar que algo que es muy conocido por nosotros es igualmente conocido por quien no es jurista, pero, convendrá que, por ejemplo, resulta mucho más comprensible si dice: «lo que no está en el acta, no está en el mundo», frente a la dificultad de un: *quod non est in actis, non est in mundo.*

Por supuesto, tampoco debemos esperar que un magistrado decida y comunique, en latín únicamente, que: *non plus in accessione potest ese, quam in principali obligationi,* en lugar de decirnos que: en una obligación accesoria no puede contenerse más que en la obligación principal.

Por otra parte, son relativamente frecuentes ciertas **formas** verbales **arcaicas**: por ejemplo, las del futuro de subjuntivo terminadas en -ere: hubiere esperado; estimare o expresiones verbales como: «tener por interpuesto (un recurso)». Debemos evitarlas por resultar muy desfasadas, innecesarias y alejadas del lenguaje claro.

De hecho, la conocida fórmula al finalizar una demanda: «Suplico al Juzgado» es arcaica. Tanto así que, cuando se facilitan modelos normalizados en ciertos procedimientos, por ejemplo, los que tiene en su página web el Consejo General del Poder Judicial[134], para una demanda de juicio verbal o la de un monitorio, lo que encontrará será un educado y sencillo: "Pido al Juzgado"; también puede poner un "Solicito al Juzgado", que resulta igualmente respetuoso y más acorde con los tiempos. Es decir, esto es lo que promueven los propios jueces y creo que insistir en suplicar, no tiene hoy día ningún sentido lógico.

El latinismo, también según el DLE, es el giro o modo de hablar de la lengua latina, así como el empleo de tales giros o construcciones en otro idioma. Los latinismos, términos y expresiones en latín, han sido tradicionalmente muy comunes.

Como he sugerido anteriormente, si desea usar términos latinos, deberían aparecer seguidos de su traducción *(actio*: acción). Debería,

---

[134] http://www.poderjudicial.es/cgpj/es/Servicios/Atencion-Ciudadana/Modelos-normalizados/El-juicio-verbal- Consultado el 20 de julio de 2017.

igualmente, evitar algunos términos que resultan además arcaicos (*causidicus*: abogado).

C. Los verbos[135]

1. Tiempos verbales

Un error que se repite de modo indeseablemente reiterado es la mezcla de tiempos verbales, en especial en narraciones en las que se observan constantes saltos de pasado a presente. Leer narraciones así supone un problema para lograr una comprensión sencilla porque necesitaremos relecturas para que nuestro cerebro pueda situar las acciones cronológica y ordenadamente. Exponer la cadena de acontecimientos o las razones que se enumeran de forma coherente, con tiempos verbales adecuados, resulta fundamental para la correcta comprensión.

En ocasiones he discutido sobre el uso, no aconsejable ya en mi opinión, del futuro de subjuntivo porque lo considero arcaizante. Recomiendo, en su lugar, utilizar otros tiempos como el presente o el pretérito imperfecto, ambos de subjuntivo. Así, resulta preferible utilizar 'distribuya' o 'hubiera distribuido' en vez de 'distribuyere'. O, en lugar de decir: "… *a los efectos que resultaren pertinentes*…", sería preferible decir: "…*a los efectos que resulten pertinentes*…".

2. Formas verbales

Me refiero aquí a las formas verbales que con mayor frecuencia reciben críticas (con razón) cuando escribimos los juristas. Aquí, las protagonistas son las denominadas formas no personales del verbo y las expongo por orden de "popularidad" por la cantidad de críticas recibidas.

2.1. Gerundio

Es innegable que los gerundios se utilizan con extraordinaria frecuencia en el lenguaje del Derecho. El problema fundamental del gerundio es que no ofrece especial información

---

[135] Algunos de los aspectos, teoría y ejemplos tratados aquí provienen de distintos apartados de la parte "Redacción", del Memento Práctico, *Acceso a la abogacía*, 2016-2017, Francis Lefebvre, escritos junto a DUÑAITURRIA LAGUARDA, A. y FERRER CALVO, M., pp. 339-359.

de cuestiones relevantes en lingüística tales como la persona, el número, el tiempo, y su significado estará en función de la relación que se pueda establecer con la oración principal.

Con el fin de aclarar los mensajes en los que utilicemos gerundios, será efectivo que recordemos que en una frase con gerundio: el sujeto debería ser coincidente con el de la oración principal; la acción que se exprese, debería resultar o bien simultánea o bien anterior a la del verbo principal y que esa misma acción del gerundio tiene que indicar alguna circunstancia (modo, tiempo…) del verbo principal.

Entre los usos que se consideran incorrectos se pueden citar los siguientes:

2.1.1. Gerundio de posterioridad: se produce cuando la acción del gerundio no es anterior o simultánea a la del verbo principal.

Por ejemplo, sería correcto exponer: *La esposa afirmaba escuchando* (mientras escuchaba) *la reproducción del audio.*

Y sería incorrecta esta redacción: la *Ley 177/2002 creó la categoría jurídica de… dándole validez para todos los residentes en…;* en este supuesto, lo correcto es sustituir el gerundio por una acción coordinada copulativa *(creó la categoría jurídica y le dio validez)* o por un punto *(creó la categoría jurídica. Asimismo, le dio validez).* En cada caso será necesaria la expresión que refleje la relación semántica oportuna: causa, modo, consecuencia (por lo que), o que sirvan para añadir información (así como, también, asimismo), o complementos preposicionales (es más correcto utilizar 'con la advertencia' que 'advirtiendo').

2.1.2. Gerundio especificativo (curiosamente denominado como gerundio del BOE). Se utiliza como si se tratara de un adjetivo para indicar una característica de un nombre. Lo que habría que hacer es sustituirlo por una oración de relativo:

Por ello es incorrecto decir: *Los estafadores sustituyeron un documento modificando el presentado...*

Correcto sería: Los estafadores sustituyeron un documento que modificaba el presentado...

2.1.3. Gerundio de conclusión: el utilizado para referirse a la consecuencia de la acción principal. Aquí es posible redactar una nueva frase con un verbo conjugado y un introductor del tipo: con ello, por tanto, como consecuencia...

Ejemplo: (incorrecto): El testigo resumió perfectamente los hechos, no siendo necesario aportar nuevas testificales. Correcto: El testigo resumió perfectamente los hechos, por lo que no fue necesario aportar nuevas testificales.

2.1.4. Gerundio encadenado: como su expresivo nombre indica, se producen en aquellos casos en los que se redactan unos gerundios detrás de otros para exponer series de acciones que deberían expresarse con verbos en forma personal.

Incorrecto: Entró al banco sosteniendo un arma, saltando por encima del mostrador, amenazando a la cajera, abriendo la caja con una maza.

Correcto: Entró en el banco sosteniendo un arma, saltó por encima del mostrador, amenazó a la cajera y abrió la caja con una maza.

2.2. Participio

El participio es otra forma no personal del verbo y se encuentra muy frecuentemente en los escritos jurídicos.

Me refiero, de modo especial, a dos usos:

2.2.1. Participio de presente: hoy día su uso resulta arcaico (palabra como firmante, recurrente, resultante, son muy frecuentes en el ámbito jurídico en general, pero muy alejadas del lenguaje actual). Se suele utilizar como si fuera una oración de relativo («firmante» en lugar de «el que firma»), uso que debería evitarse.

2.2.2. Participio absoluto: opera como complemento circunstancial de tiempo. Aunque un uso reiterado conlleva la disminución de conectores en el enunciado, si se utiliza con prudencia, puede resultar práctico dado que ofrece gran cantidad de información en pocas frases.

Ejemplo: *Leída y publicada la anterior resolución…;* es mejor decir: *Después de leer y publicar la anterior resolución…*

2.3. Infinitivo

El problema del infinitivo es que necesita depender de un verbo que esté conjugado Hay dos usos que se hacen del infinito de forma incorrecta con más frecuencia que otros:

– El uso de "a + infinitivo" con matiz de obligación o mandato. Por ejemplo: a completar por el requirente… Es más correcto indicar: el requirente debe completar, o utilizar un imperativo: complete…

– El uso del infinitivo incoativo. Se produce cuando se utiliza un infinitivo seguido de una oración sin un verbo conjugado. Incorrecto: *Concluir diciendo que…; Subrayar la mención al testigo….* Correcto: *Para concluir debemos decir; Subrayaremos la mención al testigo…*

3. Voces

En cuestión de voces de los verbos (activa y pasiva), es, con frecuencia, la voz pasiva la que causa mayores problemas en el lenguaje jurídico, por lo que me dedico a ella en exclusiva en este punto.

3.1. Pasiva

En los escritos jurídicos hallamos, con bastante frecuencia, construcciones formadas por el verbo ser más un participio más un por: ser + participio + por.

A este respecto, conviene recordar que lo que resulta más natural en nuestra lengua es la voz activa y que el uso de la pasiva aleja al lector porque genera cierta distancia. No obstante, si lo que pretendemos es conseguir que nuestro lector fije su atención en una cuestión determinada, puede resultar muy apropiada la voz pasiva.

Por ejemplo: sería perfectamente correcto decir: *El niño fue abandonado por su padre en medio de la multitud* (aquí destacamos al niño y su abandono). Si lo que deseamos en este caso es destacar, por el contrario, la actitud del padre, usaríamos una activa, por ejemplo, y situaríamos al padre en primer lugar, así: *El padre abandonó al niño en medio de la multitud*. Ya es cuestión de poner el "acento" donde se pretenda.

3.2. Pasiva refleja

Normalmente la voz pasiva refleja se construye con la forma "*se*" y un verbo en voz activa junto al que aparece un nombre que funciona como sujeto.

Por ejemplo: *Se requiere procurador en este proceso.*

En el lenguaje del derecho resulta muy habitual hallar pasivas reflejas. Debo insistir en que se genera distancia con respecto al lenguaje coloquial y no hay, por lo general, un fundamento sólido para mantener esa distancia.

3.3. Pasiva nominal

En el estudio de campo dirigido por GUTIÉRREZ ORDÓÑEZ[136] se explica el uso más adecuado de la llamada pasiva nominal, construcción en la que se acude a los nombres de acción (del tipo deposición, destitución, sustitución, demolición…).

Así, resulta oportuno utilizar, por ejemplo, la expresión: 'por parte de', para lograr una mayor claridad en el enunciado. Es correcto y claro utilizar frases como: "*La exposición pública de las obras por parte de los propietarios…*; aunque es incluso más claro utilizar esta: "*Los propietarios expusieron las obras públicamente*".

---

[136] GUTIÉRREZ ORDÓÑEZ, S., (Dir.), *Estudio de campo: Lenguaje De Las Normas. Comisión para la Modernización del Lenguaje Jurídico*. 2011 [en línea] http://lenguajeadministrativo.com/wp-content/uploads/2015/10/CMLJ-Lenguaje-de-las-normas.pdf pp. 35 y ss.

D. Cuestión de género

En materia de género, normalmente tratado con la disyuntiva del femenino o masculino (poco se habla del neutro), que ha dado lugar a tantas dudas y a tantas extrañas formas de abordar la cuestión, me quedo, sencillamente, con una recomendación y con una explicación.

La recomendación pertenece a la *Guía de comunicación no sexista*[137] que, entre otras muchas cuestiones, insiste optar por la naturalidad de este modo:

"Ser natural es, por ejemplo, no rechazar el uso del masculino genérico por sistema (ni emplearlo por la fuerza); es moderar las formas concordadas y los desdoblamientos ([o,a] desdoblar, por ejemplo, en la primera referencia o apelación personal y no en todo momento) o alterar el orden de las palabras en estos desdoblamientos (hombres, mujeres; mujeres y hombres)…; es decir, todo lo que suponga hacer más visible a la mujer o a ambos sexos, todo lo que evite la discriminación es algo natural y aceptable, sin que por ello haya que formar la gramática o el lenguaje; lo artificial y artificioso es absolutamente rechazable…".

Y apoyo esta lógica explicación del *Libro de estilo de la lengua española*[138] cuando declara que, en español, el género masculino, por ser el no marcado, puede abarcar el femenino en varios contextos. Por eso el masculino puede emplearse, técnicamente, para referirse a personas del sexo masculino y del femenino y, como indica, desde la perspectiva lingüística "no hay razón para pensar que este género gramático exluye a las mujeres en tales situaciones".

Puede que uno de los problemas, cuando se trata el tema, sea la mezcla de significados relativos a las palabras sexo y género. Según el propio glosario[139] del citado libro de estilo al tratar ambos términos, sexo es "la condición orgánica de un ser vivo por la cual es masculino o femenino", y advierte: "no confundir con género: propiedad de los sustantivos y de algunos pronombres por la cual se clasifican en masculinos, femeninos o neutros". Y se añade: "[…] En el ámbito sociológico, se utiliza esta voz (se refiere al género) para referirse a una categoría sociocultural que im-

[137] *Guía de comunicación no sexista*, Instituto Cervantes y Aguilar, Madrid, 2011, p. 23.
[138] *Libro de estilo de la lengua española*, Real Academia Española, Espasa, Barcelona, 2018, p. 21.
[139] *Libro de estilo de la lengua española*, cit. pp. 397 y 455.

plica diferencias o desigualdades de índole social, económica, política, laboral, etc., por lo que son válidas expresiones como discriminación de género… o violencia de género…"; no obstante, para estas últimas, aconseja utilizar otras expresiones más apropiadas como discriminación por razón de sexo o violencia contra las mujeres.

Me quedo y sugiero estas recomendaciones y explicaciones que optan por la naturalidad, sin forzar, con una tendencia a poder variar el discurso en el sentido de que, por poner un ejemplo ilustrativo, si hay que hablar de los ciudadanos y las ciudadanas, se utilicemos, en unas ocasiones, la palabra ciudadanos, y en otras, la palabra ciudadanía, que es lo mismo, económico en la expresión y no produce rechazo, malestar o inquietud porque incluye a todas las personas independientemente de su condición de mujeres u hombres.

E. Otras consideraciones

Conviene, en cualquier caso, al redactar:

1) No repetir palabras: Le interrogó inquisitivamente formulando preguntas inquisitivas.

2) Evitar el uso de palabras que resulten muy polisémicas (cosa, hacer, tener…) y buscar otras más precisas, con mayor significado: *utensilio, formular preguntas, desempeñar un papel, incurrir en un error, redactar un escrito, interponer una demanda, detectar indicios, concurrir circunstancias, esgrimir argumentos, conducir a una solución/conclusión.* Buscar sinónimos o términos más precisos resulta muy útil la consulta de diccionarios de antónimos y sinónimos como herramienta, y podemos encontrar algunos estupendos[140].

3) Utilizar preposiciones o conjunciones en construcciones de este tipo: *Declararon ante el juez, no contando con el abogado* (sin contar con el abogado); *Venían hasta nosotros, cayéndose por el camino* (pero se cayeron).

---

[140]   Por ejemplo: http://www.wordreference.com/sinonimos/

3.2.1.2.2. Frases, párrafos y aspectos relacionados

– Frases y párrafos

En cuanto a las frases u oraciones, en la comunicación jurídica, tanto la escrita como la oral, pero fundamentalmente por escrito, se observan distintas cuestiones.

Ya se comentó anteriormente con Bayo[141] que tenemos un estilo heredado de antiguas formas de escritura con ausencia de puntos y aparte, para evitar la intercalación de palabras, y el extinguido sistema de arancel de los antiguos escribanos o secretarios, que reproducían textos dentro de otros textos para aumentar su longitud y así, sus derechos arancelarios. Incluso, la concepción de la sentencia como una oración única con *fallo* como verbo principal también ayudó a modelar nuestro peculiar estilo.

Como bien indicaba Mellinkoff[142] hace años, la oración larga no es precisa. La solución la ofrece a través de dos sencillos y eficaces consejos: corte y puntúe.

Deseo traer a colación de nuevo a Lavilla Cerdán[143] porque él se ha referido a un dato importante en este contexto al explicar que la memoria a corto plazo retiene información durante aproximadamente entre quince y treinta segundos. Sostiene el autor, para ilustrar esta propiedad, que la mayoría de las personas podríamos repetir un número de unas seis o siete cifras inmediatamente después de haberlo escuchado por primera vez. Probablemente, pasado un minuto lo olvidaríamos. Y lo mismo puede decirse en el caso de las palabras; podemos repetir inmediatamente una lista de seis o siete palabras o letras, o la última frase que acaba de pronunciar nuestro interlocutor. Sin embargo, pasados unos segundos, la información parecerá haberse "borrado" por completo. Esta explicación me resulta especialmente interesante para que tengamos en cuenta qué cantidad de información podría retener aquella persona con la que nos comunicamos. Si no, podemos ofrecer demasiada información en determinados momentos que puede no resultar comprendida o retenida.

---

[141] Bayo Delgado, J. «El lenguaje forense: estructura y estilo», cit., p. 38.
[142] Mellinkoff, David, *The Language of the Law*, Little, Brown and Company, Boston, 1963, ISBN: 1-59244-690-6, p. 366.
[143] Lavilla Cerdán, L. "La memoria en el proceso de enseñanza/aprendizaje", *Pedagogía Magna*, 11, 2011, p. 316.

Con relación a los párrafos, aconsejan S\ANZ y M\ARTÍN[144], en una apuesta por la claridad y la coherencia, que vigilemos siempre:

1. Que nuestro texto sea coherente en cada párrafo.
2. Que lo expuesto en cada párrafo sea coherente con lo dicho en otros párrafos.
3. Que todos los párrafos formen un conjunto coherente.
4. Que lo dicho en cualquier parte del escrito sea coherente con otros escritos a los que se hace referencia en el propio texto.

Un texto se puede dividir en unidades básicas: párrafos y estos en frases u oraciones. Para lograr un mejor entendimiento de los textos, es muy importante distribuir la información en esas unidades.

En cuanto a la extensión, recomiendo que **una oración o frase no supere las tres líneas**, en términos generales, y en cuanto a los **párrafos, que no excedan de diez líneas como referencia** (como ya indiqué anteriormente, preferiría poder leer una mayoría de párrafos de seis o siete líneas como máximo). Soy consciente de la complejidad que requieren muchos escritos, pero escribo sobre lo que considero ideal para no perder el hilo comunicativo.

En cuanto al contenido, un párrafo ha de guardar coherencia con el resto del discurso, es decir, que haya un orden en la explicación desde el inicio hasta el final. En este sentido, si expresamos una idea por párrafo contribuiremos a mejorar la comprensión de los escritos y aportaremos más claridad.

Con estas premisas, tenemos que intentar evitar una serie de errores que son bastante comunes en la redacción jurídica y a los que me refiero a continuación.

- *El párrafo interminable*. Se forma por la necesidad de decir, de decir mucho y de decirlo todo de una vez, y se escribe con longitudes ilógicas. Esto debemos evitarlo siempre. Se puede decir, se debe decir todo, pero la mente tiene necesidad de procesar, de comprender, y la mejor manera de hacerlo es separando contenidos, haciendo frases con sentido e introduciéndolas en párrafos con una longitud razo-

---

[144] M\ARTÍN, A., y S\ANZ, V.J., *Dilo bien y dilo claro*, Larousse, Barcelona, 2017, p. 139.

nable y asimilable. Ya hemos mencionado una extensión máxima de unas diez líneas.

Si redactamos con oraciones complejas, con subordinadas y con numerosos incisos, será probable que necesitemos varias relecturas para comprender en lugar de hacerlo en la primera lectura.

Veamos un ejemplo de un párrafo único de una sentencia[145].

"Un elemento subjetivo consistente en el carácter eminentemente defraudatorio de las modalidades típicas. Engaña quien infringe el deber de verdad reconocido y sancionado por el ordenamiento jurídico y falta a la verdad no sólo el que desfigura, tergiversa o manipula los elementos que conforman las bases impositivas para pagar insuficientemente, sino, también quien, sabedor de la obligación de declarar impuesto por el art. 31 C.E., 19 y 36 L.G.T., y de la Ley Reguladora del Impuesto de que se trate, realiza una declaración que no se corresponde con la realidad, enseñando la doctrina consolidada del Tribunal Supremo, que el ánimo defraudatorio es factible por la simple omisión o falta a la verdad del sujeto tributario, desfigurando o manipulando las bases tributarias para pagar menos de lo debido u obtener devoluciones indebidas. Las Sentencias del Tribunal Supremo de 20 de noviembre de 1992 y de 25 de febrero de 1998 negaron que el delito fiscal requiriese de algún artificio o mecanismo engañoso, considerando típica la mera omisión, sin necesidad de tergiversación o manipulación de los datos que configuran las correspondientes bases impositivas. Ello tendrá también consecuencias para el dolo, no siendo necesario un especial elemento subjetivo del injusto, el ánimo de defraudar que tradicionalmente exigía la jurisprudencia, sino que bastará para el dolo, las exigencias generales del deber de tributar, de la capacidad de acción y de la falta de pago de lo debido".

Como ya se ha apuntado, la solución a los párrafos largos es muy sencilla. Puntúe y corte.

Por ejemplo, se puede sugerir aquí, y sin entrar en cambios de posibles palabras que resultan complejas de entender, hacer algo como lo que sigue en cuanto a puntuación y cortes en el párrafo:

---

[145]   Sentencia nº 50/2017, de 15 de febrero, del Juzgado de lo Penal número 3 de Córdoba. No obstante, quiero indicar que, si bien elijo este párrafo de esta sentencia como ejemplo, se trata de una sentencia en que el juzgador ha realizado un especial esfuerzo para hacer que la misma resulte clara y comprensible, como se manifiesta y como se hace notar en otro lugar de este libro.

"Un elemento subjetivo consistente en el carácter eminentemente defraudatorio de las modalidades típicas.

Engaña quien infringe el deber de verdad reconocido y sancionado por el ordenamiento jurídico, y falta a la verdad no sólo el que desfigura, tergiversa o manipula los elementos que conforman las bases impositivas para pagar insuficientemente, sino, también quien, sabedor de la obligación de declarar impuesto por el art. 31 C.E., 19 y 36 L.G.T., y de la Ley Reguladora del Impuesto de que se trate, realiza una declaración que no se corresponde con la realidad.

Según la doctrina consolidada del Tribunal Supremo, el ánimo defraudatorio es factible por la simple omisión o falta a la verdad del sujeto tributario, desfigurando o manipulando las bases tributarias para pagar menos de lo debido u obtener devoluciones indebidas.

Las sentencias del Tribunal Supremo de 20 de noviembre de 1992 y de 25 de febrero de 1998 negaron que el delito fiscal requiriese de algún artificio o mecanismo engañoso, considerando típica la mera omisión, sin necesidad de tergiversación o manipulación de los datos que configuran las correspondientes bases impositivas.

Ello tendrá también consecuencias para el dolo, no siendo necesario un especial elemento subjetivo del injusto, el ánimo de defraudar que tradicionalmente exigía la jurisprudencia, sino que bastará para el dolo, las exigencias generales del deber de tributar, de la capacidad de acción y de la falta de pago de lo debido".

Veamos ahora un ejemplo literal (salvo nombres y fechas que están cambiados) con una ordenanza municipal.

"… En cumplimiento de estos preceptos por la Junta de Gobierno Local de esta Corporación se adoptó el Acuerdo 6/18 en sesión de fecha 6 de febrero de 2013, por el que se aprobaba a los efectos del artículo 84 Bis de la Ley 7/85, de 2 de abril, reguladora de las Bases de Régimen Local, la relación de actividades que en el término municipal de X habrían de quedar sujetas a licencia o autorización previa por afectar a la protección del medio ambiente o del patrimonio histórico-artístico, la seguridad o la salud públicas, o que impliquen el uso privativo y ocupación de los bienes de dominio público, a la vez que se encomendaba al Servicio de Urbanismo que iniciase el procedimiento de revisión y modificación de la vigente Ordenanza Especial de Licencias y Control Urbanístico del Ayuntamiento de X, para su adaptación a las prescripciones de los artículos 84 Bis y Ter de la Ley 7/85, de 2 de abril, reguladora de las Bases de Régimen Local, estableciendo procedimientos de comunicación y verificación posterior del cumplimiento, por parte de los interesados, de los requisitos precisos para el ejercicio de actividades previstos en la legislación sectorial (declaraciones responsables y comunicaciones previas) para aquellas actividades no sujetas a licencia o autorización previa y las que si lo deban estar conforme a la relación aprobada, si bien se establecía que durante el proceso de redacción de la modificación de la Ordenanza se introducirán las modificaciones en este listado conforme a los procedimientos de comunicación previa que se fueran definiendo".

La transformamos ahora, modificando el párrafo, para lograr una mejor comprensión:

"La Junta de Gobierno Local de esta Corporación adoptó, en cumplimiento de los citados preceptos, el Acuerdo 6/18 —en sesión de fecha 6 de febrero de 2013— por el que se aprobaba (a efectos del artículo 84 Bis de la Ley 7/85, de 2 de abril, reguladora de las Bases de Régimen Local) la relación de actividades que, en el término municipal de X, necesitarían obtener licencia o autorización previa.

Esta necesidad se justifica debido a que estas actividades afectan a alguna de las siguientes cuestiones: la protección del medio ambiente; el patrimonio histórico-artístico; la seguridad; la salud pública; o, que impliquen el uso privativo y ocupación de los bienes de dominio público.

Por otra parte, se encomendó al Servicio de Urbanismo que iniciase el procedimiento de revisión y modificación de la vigente Ordenanza Especial de Licencias y control urbanístico del Ayuntamiento de X, para su adaptación a las prescripciones de la normativa (artículos 84 Bis y Ter de la Ley 7/85, de 2 de abril, reguladora de las Bases de Régimen Local). Se dispuso, para ello, el establecimiento de los procedimientos de comunicación y verificación posterior, por parte de los interesados, del cumplimiento de los requisitos precisos para el ejercicio de actividades previstas en la legislación sectorial (declaraciones responsables y comunicaciones previas) en el supuesto de actividades no sujetas a licencia o autorización previa y las que sí lo deban estar conforme a la relación aprobada.

En todo caso, se establecía que, durante el proceso de redacción de la modificación de la Ordenanza, se introducirán las modificaciones de este listado, según los procedimientos de comunicación previa que se fueran definiendo".

¿Qué se ha hecho en este caso? Lo primero, con relación al comienzo:

De: "... En cumplimiento de estos preceptos por la Junta de Gobierno Local de esta Corporación se adoptó el Acuerdo 6/18 en sesión de fecha 6 de febrero de 2013, por el que se aprobaba a los efectos del artículo 84 Bis de la Ley 7/85, de 2 de abril, reguladora de las Bases de Régimen Local, la relación de actividades que en el término municipal de X habrían de quedar sujetas a licencia o autorización previa por afectar a la protección del medio ambiente o del patrimonio histórico-artístico, la seguridad o la salud públicas, o que impliquen el uso privativo y ocupación de los bienes de dominio público, a la vez que...".

Observamos que se trata de un párrafo muy extenso y esto entraña ya dificultad y vamos a escribir con un registro más sencillo sin perder contenido ni precisión. El propio registro con el que escribimos hay que modificarlo sin perder precisión. Por otra parte, indicamos la norma, pero de un modo que solo constituya información añadida al mensaje principal; por eso la ponemos entre paréntesis, y después, añadimos un punto y aparte a la primera ocasión lógica que encontramos.

La transformación queda así, en consecuencia:

> "La Junta de Gobierno Local de esta Corporación adoptó, en cumplimiento de los citados preceptos, el Acuerdo 6/18 —en sesión de fecha 6 de febrero de 2013— por el que se aprobaba (a efectos del artículo 84 Bis de la Ley 7/85, de 2 de abril, reguladora de las Bases de Régimen Local) la relación de actividades que, en el término municipal de X, necesitarían obtener licencia o autorización previa".

Otro ejemplo, también referido al ámbito local[146]:

> "Lo que le notifico para su conocimiento y efectos consiguientes advirtiéndole que contra la presente resolución podrá interponer recurso de reposición en el plazo de un mes a contar del día siguiente al del recibo de la presente notificación, o bien, directamente recurso contencioso-administrativo en el plazo de dos meses ante el Tribunal Superior de Justicia de Castilla La Mancha, Sección de lo Contencioso-Administrativo; pudiendo no obstante interponer cualesquiera otro recurso que estime procedente".

Y transformado quedaría así:

Le notifico esta resolución y sus consecuencias para que las conozca.

Contra esta resolución, si usted así lo decide, podrá elegir una de las siguientes opciones:

- O bien, interponer un recurso de reposición* en el plazo de un mes que se iniciará desde el día siguiente al del recibo de esta notificación;

- O bien, directamente un recurso contencioso-administrativo* en el plazo de dos meses, ante el Tribunal Superior de Justicia de Castilla La Mancha, Sección de lo Contencioso-Administrativo;

- O, finalmente, interponer cualquier otro recurso que estime procedente".

---

[146] Este ejemplo y el anterior, los elaboré y utilicé en una ponencia ofrecidas en la sede madrileña de la FEMP el 6 de febrero de 2017 en el marco de una jornada.

Lo que busco es que el primer párrafo indique claramente qué le notifican y qué posibles recursos tengo contra dicha notificación. Visualmente, la nueva estructuración facilita la comprensión del contenido si lo comparamos con lo expresado antes en un párrafo único. He escrito varios asteriscos porque considero importante que, en la página en la que figuran las opciones, haya también, y a pie de página, como una posibilidad, una explicación de palabras que se suelen desconocer por la ciudadanía lega en derecho y que, para aclarar, deberían explicarse, como por ejemplo qué es, ante quién se presenta y quién resuelve esos recursos de reposición y contencioso-administrativo.

- *El párrafo demasiado corto.* Los párrafos demasiado cortos tienen otro problema; se comprenden más fácilmente, pero es más complicado seguir un hilo en el discurso.

Si en un texto aparecen demasiados párrafos breves, se dificulta la coherencia y poder seguir un hilo argumental. Evitarlo es sencillo, basta con no sobrepasar cierta longitud, las diez líneas a las que ya me he referido, y utilizar correctamente enlaces o conectores para unir unos párrafos con otros y lograr esa coherencia. Por ejemplo, utilicemos, como recurso, conectores temporales como: *antes, después, por último;* conectores de oposición, como: *sin embargo, por otra parte;* conectores aditivos, como, además, incluso; o conectores organizativos, como: *ante todo* o *para resumir.*

- *Cambios de párrafo de forma injustificada.* Esta es otra modalidad de error que se encuentra con alguna frecuencia. En teoría, un cambio de párrafo debe implicar una nueva idea, ya que, si no, no tendría justificación salvo que se tratara de acortar una idea larga. En este caso convendría utilizar conectores para hilar las ideas.

Veamos, en primer lugar, un ejemplo práctico de una separación incorrecta en primer lugar:

- PRIMERO. Se presentó demanda reclamando la cantidad de 3675 euros.
- SEGUNDO. Además, se solicitaron intereses. En ambos casos, la cantidad de dinero y los intereses han sido solicitados como consecuencia del impago del montaje de un mueble. La comunidad de propietarios reconviene pidiendo sumas de alquileres que satisfizo indebidamente a la demandante.

Aquí observo dos ideas, pero no las separaría como aquí se reflejan. La primera idea es la reclamación de una cantidad más los intereses. El motivo es que se deben ambos, según la parte demandante, como consecuencia del impago del montaje de un mueble.

La segunda idea es que la comunidad de propietarios demandada ha presentado una reconvención solicitando sumas de alquileres que pagó indebidamente a la demandante.

En consecuencia, los párrafos podrían quedar así.

– PRIMERO. Se presentó demanda reclamando la cantidad de 3675 euros más los intereses debido al impago del montaje de un mueble.

– SEGUNDO. La comunidad de propietarios reconvino pidiendo sumas de alquileres que satisfizo indebidamente a la demandante.

He modificado también el verbo del segundo párrafo porque es un error habitual combinar el pasado con el presente histórico: en el primer párrafo se decía se presentó la demanda y en el segundo se decía reconviene. Lo más coherente es situar los verbos en el tiempo pasado: se presentó la demanda (por una parte) y reconvino (por otra).

– **Aspectos relacionados**:

• **Las oraciones de relativo**

En los textos jurídicos son muy frecuentes las oraciones de relativo.

Recordemos que las oraciones de relativo se dividen en dos tipos:

1) Explicativas, en las que se aportan datos y explicaciones que pueden ser prescindibles. Se sitúan entre comas.

Por ejemplo: María, que estaba desde el principio, vino acompañada por tres niños.

2) Especificativas, en las que se aportan datos o información que resulta imprescindible. No se sitúan entre comas.

Por ejemplo: Los niños que vinieron con María eran sus hijos.

• **La utilización de pronombres y antecedentes**

No es infrecuente hallar errores en el empleo correcto de algunos pronombres y antecedentes, como con: que, cual, el cual, cuyo…, y no es de extrañar, porque la verdad es que su empleo entraña complejidad. Un caso se produce con el uso de: 'el cual', que resulta obligado en complementos partitivos (por ejemplo:

La víctima tenía cinco hijos, tres de los cuales pertenecían al pri-mer matrimonio), en cláusulas absolutas (ejemplo: *Sentado lo cual…*), o como término de locuciones preposicionales (ejem-plo: *El hijo mayor sufrió maltrato continuado, a consecuencia del cual desarrolló diversas fobias…)*. En el supuesto de que se dude de su forma de uso, resulta más adecuado y práctico finalizar la frase con un punto y después añadir la información que se precise con el empleo de un demostrativo. *El hijo mayor sufrió maltrato continuado. A causa de ese maltrato, desarrolló diversas fobias.*

Otra palabra de uso complejo es "cuyo", un relativo con valor pose-sivo y útil que se suele encontrar sustituido por el 'quesuismo' (que su), que denota falta de soltura en la redacción. Incorrecto: *Esta es la madre que se habla de su traumatismo*. Correcto: *Esta es la madre de cuyo traumatismo se habla.*

Por otra parte, y para huir de la reiteración de oraciones de relati-vo, es necesario evitar que estos relativos sean idénticos, buscan-do formas adecuadas (*quien, cuanto, donde, cuando…*).

3.2.2. *Otras cuestiones: semántica, ortografía y ortotipografía*

3.2.2.1. Semántica

Es la disciplina que estudia el significado de las unidades lingüísticas y de sus combinaciones[147].

El Libro de Estilo de la Justicia, en el apartado de Semántica y Pragmática, se refiere a una serie de cuestiones de importancia que se deben recordar en toda comunicación jurídica y que resumo aquí.

–   La correcta utilización de palabras homónimas y sinónimas. En estos casos, un mismo significante (la palabra en sí misma, para entender-nos) posee distintas acepciones próximas (polisemia o palabras poli-sémicas) o contenidos que provienen de voces distintas (homonimia o palabras homónimas).

---

[147]   http://dle.rae.es/?id=XVRDns5 Consultado el 18 de julio de 2017.

Es relativamente frecuente encontrar términos, como: "declaración", "recurso" o "antecedente" que pueden generar problemas de interpretación porque, según el contexto, tendrán un significado u otro.

- Indeterminación. Un enunciado es indeterminado cuando ofrece al lector menos datos de los que necesitaría conocer; y la determinación es capital en el discurso jurídico.
- La vaguedad. Se produce cuando no hay precisión; este es un requisito valiosísimo en derecho.
- La ambigüedad. Se produce cuando ante una misma expresión podemos pensar en varios posibles significados.
- Verborrea. Es, según este Libro de estilo, uno de los defectos que se atribuye con frecuencia al lenguaje jurídico, y suele consistir en una serie de palabras, fórmulas estereotipadas, términos biensonantes y abstractos, metáforas populares, etc.
- Contradicciones. Se produce cuando una frase niega lo que se afirma en la otra.
- Eufemismos. Son expresiones que se utilizan para sustituir a otras que están relacionadas con tabúes o que están contagiadas por connotaciones negativas.
- Circunloquios. Son construcciones que se forman con un verbo de apoyo (echar, hacer, poner, tomar) y un complemento (hacer una llamada; echar el cierre…).
- Redundancias. Son combinaciones de dos o más palabras en las que el significado de una de ellas está incluido en el de la otra o las otras (bajar abajo).
- Referencias a lo anterior. Dado que los párrafos suelen ser largos, el jurista suele aludir a una persona, o un hecho o a una situación que han sido nombrados previamente con distintas expresiones, como: aquel, antedicho, referido, indicado.

Diría, además, que hay que poner especial cuidado con las expresiones "el mismo" o "la misma" ya que puede no resultar sencillo cuál es el antecedente de el mismo o de la misma.

3.2.2.2. La ortografía. En especial, la puntuación[148]

La ortografía es el conjunto de normas que regulan la escritura de una lengua y la forma correcta de escribir respetando esas normas[149]. Con estas normas sabemos cuándo una palabra está escrita correctamente, ya sea porque utilizamos una palabra con b o con v o porque utilizamos correctamente los signos auxiliares de la lengua, como una diéresis (lingüística) o un guión (-).

Lo más práctico y recomendable es acudir a los diccionarios que se ofrecen en línea, de sencilla consulta en internet. Por todos, recomiendo los de la Real Academia Española, en cuya página hay un espacio exclusivo para la ortografía: http://www.rae.es/recursos/ortografia[150].

Con relación a la puntuación, la utilización apropiada de los signos resulta fundamental para poder comprender e interpretar correctamente el documento jurídico de que se trate en cada momento.

Me detengo brevemente para tratar la utilización de la coma y del punto y coma y después cito otros relevantes.

- *La coma.* La coma tiene diferentes funciones. De entre las más habituales hallamos estas: separar elementos en las enumeraciones; indicar omisiones de algún verbo; señalar alteraciones en el orden normal de los elementos; marcar incisos, es decir, las explicaciones o aclaraciones que realizamos en medio de una frase.

  Entre los usos erróneos más frecuentes que podemos hallar encontramos estos:

  • Escribir una coma entre el sujeto y el predicado (o entre el verbo y los principales complementos verbales, ya sean objetos directos, indirectos, complementos de régimen preposicional, etc…). Ejemplo incorrecto porque sobra la coma: *El magistrado ponente del tribunal en ese juicio, anunció a los demandantes que…*

---

[148] Algunos de los aspectos tratados provienen de distintos apartados de la parte "Redacción", del Memento Práctico, *Acceso a la abogacía*, 2016-2017, Francis Lefebvre, escritos junto a Duñaiturria Laguarda, A. y Ferrer Calvo, M., pp. 339-359.
[149] http://dle.rae.es/?id=RG9EvWw. Consultado el 17 de julio de 2017.
[150] Consultado el 8 de julio de 2018.

- Prescindir de la coma para indicar que se ha suprimido un verbo. Ejemplo incorrecto porque falta la coma: *En el supuesto de que hubiera tres acusadores, a los particulares les corresponde un tipo de acción y a los populares otra.* La coma tendría que colocarse tras el vocablo «populares».

- No utilizar la coma al delimitar los incisos, ya que deben ir entre comas al explicar, complementar y aludir a autores, obras o apartados del mismo texto. Ejemplo correcto: *El representante del Ministerio Fiscal (sujeto), tras interrogar al autor de los hechos, (inciso explicativo) expuso sus conclusiones.*

- No colocar una coma en los marcadores del tipo: en primer lugar, por otra parte, no obstante…, cuando aparecen al principio de la oración. Ejemplo correcto: *Resulta imprescindible, no obstante, avanzar en esa línea.*

- Ausencia de coma para aludir a los cambios que hay en el orden lógico de una oración. Si el orden esperable, es: sujeto + verbo + complementos/oración subordinada adverbial, cuando se altera, es necesario indicar el cambio con una coma. Ejemplo correcto: *Sobre el maltrato referido, diremos…*

- Cuando se utiliza una coma para separar oraciones entre sí (en vez del punto). Dado que la función primordial de la coma es delimitar unidades más pequeñas de la oración, cuando hay enumeraciones complejas —bloques— lo mejor es utilizar punto y coma para separar dichos bloques o enumeraciones.

- Aunque tiene una importancia menor, se ha observado que, en ocasiones, se escribe una coma en citas textuales reproducidas después de un verbo de dicción. Lo correcto es no utilizar la coma. Así, en vez de *El magistrado dijo, "que no lo aplicaría"* (incorrecto), digamos *El magistrado dijo que no lo aplicaría* (correcto).

- **El punto y coma.** El punto y coma tiene varias funciones. Entre las más destacables, por una parte, sirve para delimitar unidades sintácticas independientes, yuxtapuestas, de una importante relación entre ellas, y, de manera especial, cuando las unidades son complejas (hay comas en su interior o hay puntuación interna) y, por otra, sirve para separar oraciones subordinadas adverbiales (por ejemplo, adversativas, causales o finales) de su oración principal.

El problema del uso del punto y coma suele residir en que, o bien se abusa de su uso demasiado para dar mayor información que se puede ofrecer de otro modo (por ejemplo, realizando enumeraciones de los elementos o unidades sintácticas de forma vertical), o bien se emplea el punto y coma para introducir una enumeración en vez de utilizar los dos puntos.

– **Dos puntos.** Se utilizan ante enumeraciones de elementos citados antes genéricamente. Estos fueron los tres pagos realizados ese día: *primer pago…, segundo…*

– **Punto y seguido.** Sirve, fundamentalmente para separar contenidos o elementos sintácticos que componen un párrafo.

– **Punto y aparte.** Lo lógico es utilizarlo cuando vayan a separarse párrafos que poseen un contenido diferente.

Por otra parte, recordemos que, por mucha afición que tengamos los juristas a esta cuestión, al final de los títulos no se pone un punto.

Con relación a otras cuestiones ortográficas, me refiero ahora a ciertos aspectos relativos a las mayúsculas (a las que los juristas tenemos una afición inigualable), y a otros que se citan a continuación.

– **Mayúsculas.** Reconozcámoslo, más que afición es casi obsesión. Somos solo culpables en parte porque, desde el inicio de nuestros estudios leemos textos jurídicos en los que la proliferación de mayúsculas es elevadísima. Este uso se conoce como «de cortesía» o «reverencial», que no solo no es necesario, sino que, por el contrario, es prescindible. Hay que recordar, que, en general, en español solo se escriben con mayúscula los nombres propios. Es en la delimitación de los nombres propios donde se reflejan las diferencias debido a que el uso ha extendido muchas mayúsculas injustificadas. En la edición de la *Ortografía* de la Real Academia de 2010 se dedica por primera vez un estudio pormenorizado del uso de las mayúsculas. En la versión en línea del *Diccionario panhispánico de dudas* puede consultarse un resumen de los usos[151]. Sugiero, ante la duda, escribir con minúscula (señora ministra, señor juez, representante del ministerio fiscal, el real decreto, la ley…).

Recordemos que se escriben con minúscula, entre otros:

1) Los días de la semana, los meses y las estaciones del año. Está muy extendido el uso de la mayúscula en estas palabras, pero es por influencia del uso en países anglosajones.

2) Los tratamientos, los títulos honorarios o de dignidad, los cargos y empleos: *doña Rosa Marín; el rey Felipe VI; el director general, el alcalde, etc.* Las abreviaturas correspondientes sí se escriben con mayúscula (y con punto "abreviativo"): *Sr., Sra., Ilmo. Sr. D., S.M. S.S., SS. MM., Dr., Dr.ª, Dñ.ª*

3) Otros: los sustantivos genéricos de calles, avenidas, barrios, glorietas, plazas o los gentilicios: *toledanos, estadounidenses, africanos…*

- **Otros elementos ortográficos a tener en cuenta.** Estas líneas que siguen están dedicadas a errores detectados frecuentemente y que tienen soluciones sencillas.

   • Prever (otra favorita de los juristas y, en demasiadas ocasiones, mal escrita, mal conjugada) se conjuga igual que el verbo 'ver'. Por eso se dice: previsto, preveré, previó, etc. Si existen dudas sobre esta u otras conjugaciones, es recomendable consultarlas pinchando en el infinitivo de cualquier verbo que se consulte en la página de internet del Diccionario de la Lengua Española[152] en el botón "conjugar".

   • O (conjunción disyuntiva) no lleva tilde nunca. Seremos nueve o diez. Seremos 9 o 10.

   • *Este, ese aquel, estas, esas, aquellas*: no se acentúan. *Esto, eso, aquello*, por otra parte, nunca se han acentuado. Cuando haya posibles ambigüedades, se pueden salvar gracias a una redacción alternativa o gracias a los signos de puntuación. *Este es el documento que solicitaron: aquel ya lo tenían.*

   • Ti es un pronombre personal que se escribe sin tilde. *Salieron a por ti*

---

[151]   http://lema.rae.es/dpd/?key=mayúsculas Consultado el 14 de agosto de 2018.
[152]   http://dle.rae.es/?id=U9agqZR Consultado el 14 de agosto de 2018.

- Incluido, excluido, concluido…, carecen de tilde porque la agrupación de vocales —ui— se escribe sin tilde en las palabras llanas.
- "Sobre todo", se escribe separado (porque la palabra "sobretodo" es una prenda de vestir). *Vinieron por grupos mayoritariamente, sobre todo los jóvenes.*
- Exhaustivo o exhorto, llevan h intercalada (desahucio también), pero exorbitante o desorbitado, no.
- Solo (adverbio y adjetivo). La ortografía académica de 2010 solo admite esta palabra sin tilde. Para los casos en que pueda haber ambigüedad, sugiere el uso de *solamente* o *únicamente*.

3.2.2.3. Ortotipografía

La ortotipografía es el conjunto de usos y convenciones particulares por las que se rige en cada lengua la escritura mediante signos tipográficos[153].

La tipografía es el modo o estilo en que está impreso un texto[154].

Recursos tipográficos son, por ejemplo, los tipos de letra, si es redonda (la ordinaria) o si es negrita, o versalita (ESTO ESTÁ ESCRITO EN VERSALITAS), y también se refiere a cuestiones como la corrección escrita de citas textuales, citas a pie de página, o cómo han de ser los títulos, subtítulos, etc.

Veamos, con un ejemplo anterior, cómo podría utilizarse si en este extracto de sentencia, añadimos unas negritas (ya hemos fragmentado el párrafo original que era único y lo hemos dividido en cuatro) y ayudamos a centrar nuestra atención en palabras clave del contenido.

> "Un elemento subjetivo consistente en el carácter eminentemente defraudatorio de las modalidades típicas.
> **Engaña** quien infringe el deber de verdad reconocido y sancionado por el ordenamiento jurídico y falta a la verdad: no sólo el que desfigura, tergiversa o manipula los elementos que conforman las bases impositivas para pagar insuficientemente, sino, también quien, sabedor de la obligación de declarar impuesto por el art. 31 C.E., 19 y 36 L.G.T., y de la Ley Reguladora del Impuesto de que se trate, realiza una declaración que no se corresponde con la realidad.

---

[153]   http://dle.rae.es/?id=RGV6M9t. Consultado el 17 de julio de 2017.
[154]   http://dle.rae.es/?id=ZpSQUo2. Consultado el 17 de julio de 2017.

Según la doctrina consolidada del Tribunal Supremo, **el ánimo defraudatorio** es factible por la simple omisión o falta a la verdad del sujeto tributario, desfigurando o manipulando las bases tributarias para pagar menos de lo debido u obtener devoluciones indebidas.

Las Sentencias del Tribunal Supremo de 20 de noviembre de 1992 y de 25 de febrero de 1998 negaron que el delito fiscal requiriese de algún artificio o mecanismo engañoso, considerando típica la mera omisión, sin necesidad de tergiversación o manipulación de los datos que configuran las correspondientes bases impositivas.

Ello tendrá también **consecuencias para el dolo**, no siendo necesario un especial elemento subjetivo del injusto, el ánimo de defraudar que tradicionalmente exigía la jurisprudencia, sino que bastará para el dolo, las exigencias generales del deber de tributar, de la capacidad de acción y de la falta de pago de lo debido"

Recordemos:

– Las citas textuales deben marcarse bien con «comillas», bien con *cursiva* o reduciendo el tamaño de la letra (si son citas largas). No usemos las comillas y cursiva a la vez porque se trataría de una redundancia tipográfica.

– Para resaltar los títulos, contamos con recursos como la **negrita**, como los que hemos visto en el ejemplo anterior, el cambio de cuerpo de la letra, *la cursiva* o ***la negrita y la cursiva*** a la vez.

– Nos insisten los lingüistas y lo traigo de nuevo: los títulos no terminan con un punto al final. Los puntos separan oraciones dentro de un párrafo y no se emplean para cerrar un título. Es un error que los juristas reiteramos con bastante frecuencia.

– No abusemos del subrayado. Es básicamente un recuerdo de los tiempos de la máquina de escribir: cada vez se usa menos en todo tipo de escritos. Es preferible utilizar la *cursiva* o la **negrita** para resaltar un término.

– Uso de siglas. Las siglas y las abreviaturas son muy frecuentes en los textos jurídicos. Pues bien, para evitar interpretaciones erróneas, recordemos ofrecer las palabras completas, la primera vez que aparezcan, en el caso de referencias a textos que aparecerán, de nuevo, citados posteriormente. Si la obra es muy extensa y se repiten con frecuencia, una tabla de equivalencias al principio resultará muy útil. Ejemplo: *Según la jurisprudencia del Tribunal Supremo (TS), La ley orgánica del Habeas Corpus (LOHC) considera que...*

– Con un ordenador, tenemos muy fácil la numeración de las páginas o la creación de índices. Cualquier documento debería ir paginado. Incluso, cuando hay cierta extensión o complejidad se recomienda insertar un índice al principio que permitirá la fácil localización de los contenidos.

3.2.3. Errores comunes y soluciones prácticas

Hay ciertos vicios de estilo que son perfectamente corregibles[155]:

En general, conviene que pongamos especial cuidado en:

1) Las frases en las que terminamos creando rimas internas de la prosa. Se producen cuando se suman términos con los mismos sonidos: afección, situación, preocupación…

2) Los términos conocidos como comodines, vacíos de contenido. Busquemos en su lugar la precisión terminológica. Ocurre con palabras como *cosa, realizar, etc.*

3) El uso de latinismos cuando tienen ya traducción exacta en español. Si desean utilizarse, primero comprobemos que están escritos correctamente. Por ejemplo, digamos: en términos generales *(grosso modo)*, en sentido amplio *(lato sensu)*, por propia iniciativa *(motu proprio)*…

4) El uso de expresiones como *el mismo, la misma* y sus plurales como anafóricos[156], pues en realidad se trata de comparativos de igualdad. Correcto: *Se justifica por las mismas razones.* Incorrecto: *Se informará de la técnica del proceso y se cumplimentarán los documentos del mismo (Se informará de la técnica del proceso y se cumplimentarán sus documentos).*

5) Aunque comienza a popularizarse, es incorrecto olvidar el signo de apertura o añadir un punto después del de cierre. En español, los signos de exclamación e interrogación son dobles siempre: hay uno de apertura y otro de cierre. Los de apertura llevan el punto arriba (¡, ¿), y los de cierre lo llevan abajo (!, ?), porque ese punto sirve para marcar el final de la frase.

---

[155] Algunos de los aspectos tratados provienen de distintos apartados de la parte "Redacción", del Memento Práctico, *Acceso a la abogacía,* 2016-2017, Francis Lefebvre, escritos junto a Duñaiturria Laguarda, A. y Ferrer Calvo, M., pp. 339-359.

[156] Anáfora: Relación de identidad que se establece entre un elemento gramatical y una palabra o grupo de palabras nombrados antes en el discurso; p. ej., la que se establece entre *lo y que había estado allí* en *Dijo que había estado allí, pero no me lo creí. Fuente: DLE. http://dle.rae.es/?id=2UrsVn1 Consultado el 14 de agosto de 2018.*

Además, siempre se escriben pegados a las palabras: el de apertura se encuentra junto a la palabra inicial y el de cierre, junto a la última palabra. *¿Recuerdas?: ¡no se deja un espacio entre los signos y las palabras!* En consecuencia, detrás de los signos de interrogación y exclamación:

- debemos empezar con mayúscula: *¿Sabes? ¿Sí? Ya lo imaginaba.*
- no se añade otro punto detrás. Es incorrecto escribir **¿Vienes?.*
- pueden ir seguidos de coma, punto y coma, dos puntos y puntos suspensivos. En esos casos, se escribirá con minúscula la siguiente palabra. *Llamaron a declarar al padre, a la madre, ¡al director!..., a todos los que estuvieron presentes.*

- ***Otras recomendaciones.*** Si se desea profundizar en estudios y consejos sobre lenguaje jurídico, se pueden consultar las recomendaciones de la Comisión de Modernización del lenguaje jurídico y sus estudios[157].

También, y aparte del mencionado *Libro de estilo de la Justicia*, existen algunos manuales de estilo confeccionados por ciertos bufetes e instituciones y cursos de redacción jurídica. Utilizar los diccionarios para resolver dudas, con la facilidad de hacerlo en línea, resulta muy valioso. Algunas de las páginas imprescindibles son: www.rae.es, de la Real Academia y www.fundeu.es, de la Fundación del Español Urgente. Hay otros recursos prácticos como, por ejemplo, el buscador de Goodrae[158] debido a que ofrece una manera diferente de acceder al corpus de palabras del diccionario académico, con un buscador similar al de Google: ¿cuántas palabras empiezan por ex*?, ¿cuántas terminan por *ción…?

3.3. La elaboración de textos jurídicos

3.3.1. La idea

Como ya ocurre con la redacción, la primera cuestión en la que se ha de invertir tiempo y dedicación es en pensar bien qué se pretende decir. Parece una obviedad, pero ¿quién no ha leído escritos, del tipo que sea, en los que

---

[157] Se pueden consultar en: http://lenguajeadministrativo.com/sobre-la-moderniza-cion-del-lenguaje-juridico/ Del citado blog del autor, Javier Badía. Consultado el 14 de agosto de 2018.

[158] http://recursosdidacticos.es/goodrae/index.php Consultado el 14 de agosto de 2018.

surge la pregunta de qué se quiere decir? Mejor dedicarle tiempo y tener claro el contenido y el enfoque que se quiere dar, en especial si son varios autores de un único escrito, para que refleje el parecer conjunto, si fuera el caso.

3.3.2. La preparación

Preparar, tras idear qué decir, supone diseñar la forma de decirlo, cómo decirlo y cómo lo vamos a estructurar. Dependerá mucho de cuál es el texto. Aunque a simple vista, no tenga mucho que ver la estructura de un correo electrónico con la de una demanda, en realidad hay ciertos aspectos que podríamos denominar comunes denominadores, como expreso a lo largo de este texto. Es decir, por lo general, habrá algo similar a encabezamientos, planteamientos, decisiones o peticiones (o requerimientos, formulación de preguntas, etc.), y cierre del escrito con expresión clara y breve de lo expresado o solicitado y despedida.

Pues bien, para completar cada una de dichas partes necesitaremos recabar los documentos y datos de que dispongamos para que, cuando llegue el momento de redactar, podamos tener "a mano" todo lo necesario para que cada apartado esté suficientemente documentado y explicado.

3.3.3. La redacción

Como punto de partida, y para comenzar con lo eludible, traigo los atinados consejos de González Salgado[159] con relación a los cuatro tipos de redacciones frecuentes que deben ser evitadas en el lenguaje jurídico:

a) La redacción descuidada. La que no atiende, lo hace escasamente, a las normas ortográficas y gramaticales.

b) La redacción complicada. Que abusa de subordinadas con redacciones enmarañadas.

c) La redacción confusa. Que contiene demasiada terminología especializada y no está destinada a un lector especialista.

---

[159] González Salgado, J.A., «El lenguaje jurídico del siglo XXI», *Diario La Ley*, nº 7209 (2009). [en línea] Disponible en: http://www.uria.com/docs/069salgado.pdf y en http://www.diariolaley.es [Consulta 10/01/2015], p. 5.

d) La redacción pretenciosa. Que ofrece más información que la que demanda el lector para entender correctamente el contenido.

Intentar evitar este tipo de redacciones es importante y los consejos ofrecidos, a mi juicio, muy valiosos.

3.3.3.1. La estructura y la redacción en general

La primera acepción de la palabra estructura según el DLE es[160]: la disposición o modo de estar relacionadas las distintas partes de un conjunto.

Cuando hayamos pensado en el texto a escribir, habremos reflexionando sobre qué decir, cómo decirlo, y a quién va dirigido. En función del tipo de mensaje y del receptor, optaremos por la estructura que resulte más apropiada para que el mensaje sea eficaz y persuasivo.

Sobre los tipos de estructura, en ocasiones requerirá una forma muy sencilla, como al redactar un correo electrónico para un cliente, u otros judiciales, como una providencia, sin olvidar nunca y, en este particular caso, resultar explicativos.

En otros casos, como el de una demanda, la estructura viene fijada por la ley, y en lo no dispuesto por ella, apelamos a las ya expresadas recomendaciones generales acerca de las separaciones de párrafos y de oraciones con los tecnicismos lógicos dado que se dirige a un juez, pero sin olvidar la deseable claridad del conjunto del texto.

En cuanto a cuestiones de redacción general, no olvidemos:

- Construir frases con sujeto, verbo y complemento o predicado (parece muy básico, pero con frecuencia lo olvidamos; no "dé nada por supuesto", exprésalo con claridad) y evite las subordinaciones de las subordinaciones. En los textos jurídicos suelen apreciarse con frecuencia problemas relativos a la disposición de los elementos normales de la oración, es decir, a dichos sujeto, verbo y complemento. La alteración innecesaria de este orden suele conllevar la incomprensión de lo escrito.

---

[160]   http://dle.rae.es/?id=H0r0IKM. Consultado el 21 de febrero de 2017.

- Las oraciones que forman un párrafo deben guardar relación entre sí y mantener la coherencia con el resto del escrito.

- Redactar párrafos cuidando la extensión y con puntuación suficiente para evitar la incomprensión del texto (y la pérdida del hilo conductor).

- Si introduce documentos o anexos, numérelos siempre y asegúrese de que quedan reflejados en su escrito de ese modo.

- En especial, ordene. Piense lo que quiere expresar en un orden determinado, que puede ser el cronológico con un determinado sentido (de pasado a presente, o al contrario). Después redacte en ese orden.

Como manifestaba con atino DUARTE MONTSERRAT[161] acerca del rol del orden del contenido:

> "Un exponente fundamental de la funcionalidad de los textos jurídicos y administrativos es la ordenación rigurosa de su contenido. Dicha ordenación, que supone una jerarquización de la información, debe ir de lo que es general a lo que es particular, de lo que es abstracto a lo que es concreto, de lo que es más importante a lo que lo es menos, de lo que es anterior a lo que es posterior, de lo que es normal a lo que es excepcional, de lo que es sustantivo a lo que es procesal. Este aspecto resulta tan esencial en la redacción de textos jurídicos y administrativos que cualquier fragmento que forme parte de ellos debe quedar debidamente situado dentro de su estructura".

En esta línea, aconseja muy bien PÉREZ COLOMÉ[162], cuando se refiere, de modo general, al orden de las palabras en cada texto, al afirmar que resulta tan básico como el orden de las ideas en el texto. Por eso, si hay que escribir unos cuantos párrafos es útil preparar un esquema breve. Cierto; ese esquema podrá ser después modificado las veces que resulte preciso, pero inicialmente hay que partir de un esquema, aunque sea mental.

Para facilitar la plasmación de las ideas, es bueno que, a la hora de redactar, tenga a mano dos «hojas en blanco» (en un dispositivo o en papel, como prefiera), una con el fin de redactar un esquema ordenado del contenido ideado y poder así visualizarlo en una sola página, y otra para anotar ideas

---

[161] DUARTE MONTSERRAT, C., «Lenguaje administrativo y lenguaje jurídico», en *Lenguaje judicial*, Escuela Judicial, Consejo General del Poder Judicial, Madrid 1997, p. 55.

[162] PÉREZ COLOMÉ, J., *Cómo escribir claro,* cit. p. 24.

que van surgiendo y que querrá incorporar en algún momento al escrito (la memoria es frágil y las ideas que vayan surgiendo pueden ser muy buenas).

Cuando redacte, en la mayoría de los escritos necesitará hacer enumeraciones. Estas deben quedar claras, con números, letras o con el uso de marcadores: en primer lugar, en segundo lugar, etc. Si necesita hacer varias enumeraciones, escoja un sistema y hágalo suyo, se acostumbrará y en poco tiempo lo hará mecánicamente (números romanos, arábigos, letras mayúsculas o minúsculas...). Por ejemplo:

(A modo de una primera categoría) I. II...

(Segunda categoría), dentro de los anteriores: 1. 2...

(Tercera categoría), dentro de los anteriores: 1.1...2.2...

(Cuarta categoría), dentro de los anteriores: A, B...

(Quinta categoría), dentro de los anteriores: a, b...

En consecuencia, según este ejemplo, la enumeración podría ir quedando así:

I.

   1.

      1.1.

         A.

         a.

         b.

         B.

      1.2.

   2.

      2.1

   3.

II.

III.

IV.

Ese posible orden variará según su preferencia o costumbre. Lo que tiene más importancia es que escoja un sistema y sea el mismo en todo el escrito para ayudar al lector y a la comprensión.

3.3.3.2. La redacción según el género más común

3.3.3.2.1. Descripción

Según el Informe de la Comisión de Modernización del lenguaje jurídico, una descripción relata cómo es algo, ya sea en su aspecto externo y material, ya sea en su dimensión interna o anímica.

En el discurso jurídico, las descripciones tienen gran importancia, motivo por el cual su redacción debe cuidarse y meditarse. Para conseguirlo, dicho informe aconseja tener en cuenta aspectos como los que siguen. Las descripciones han de ser:

- Ordenadas, precisas, exactas y claras.

- Deben seguir un orden, ya sea espacial (de arriba hacia abajo, de fuera hacia adentro), de importancia (de lo principal a lo accesorio), de tamaño (de lo mayor a lo menor).

- Han de utilizar el léxico apropiado. Los sustantivos adecuados fijarán bien el objeto o el concepto. Los adjetivos matizarán las cualidades y las propiedades.

- Deben ser concisas, lo que permite captar con mayor claridad los aspectos importantes y distintivos del objeto descrito.

3.3.3.2.2. Narración

La función principal de la narración jurídica consiste en relatar hechos con trascendencia en este ámbito. Estos hechos, que fuera del ámbito jurídico pueden no poseer una relevancia aparente, cuando pasan a constituir, por ejemplo, parte un contrato o de un proceso, cobran una especial trascendencia[163].

La narración puede encontrarse desde un primer momento previo al procesal hasta el final del mismo proceso. En la fase previa al proceso, por ejemplo, cuando redactamos una denuncia o la relatamos ante la policía que la transcribe, narramos.

---

[163]   Así, lo he sostenido en: CARRETERO GONZÁLEZ, C., «La claridad y el orden en la narración del discurso jurídico», *Revista de Llengua i Dret, Journal of Language and Law*, núm. 64, 2015, p. 67. https://dx.doi.org/10.2436/20.8030.02.116.

Es frecuente que, en ocasiones, se mezclen otros géneros, como sucede con cierta frecuencia con la descripción, pero, fundamentalmente, se van a relacionar hechos ocurridos y que han producido o pueden producir conflictos.

Más adelante, en un momento procesal posterior, en su caso, tendremos que narrar los hechos en diversos escritos dirigidos a otras autoridades, fiscalía, jueces y magistrados, y deberemos emplear la narración más adecuada y con el orden debido.

Pues bien, dependiendo del modo de relatar esos hechos, con mayor o menor claridad, orden y precisión, la reconstrucción en la mente del interlocutor, será más o menos parecida a lo ocurrido y expresado en su escrito. Tengamos en cuenta que, de dicha reconstrucción, derivará, en cierto modo, el tratamiento, jurídico que, junto con el resto de pruebas, se otorgue por el juez o magistrado en la resolución que ponga fin al conflicto.

A modo de premisa, debemos plantearnos sobre qué y, muy especialmente, para quién narramos. Tengamos siempre presente, antes de iniciar una narración, a quién va dirigido el relato de los hechos o circunstancias para que podamos modular el registro empleado y que resulte eficaz nuestra comunicación. Cuando la narración se dirige a un jurista, y esta es una idea latente en cualquier tipo de comunicación, el registro empleado deberá ser más técnico, y cuando no se trate de un jurista, debe ser menos técnico y más explicativo y sencillo.

Por añadidura, si se redacta para un jurista que pueda no estar familiarizado con determinados términos o expresiones muy técnicas —tecnicismos— de una determinada materia, habrá que ser más explicativo de lo habitual entre juristas también, porque la comprensión de la terminología es clave en la fluidez comunicativa. A cualquier jurista nos puede ocurrir esto con términos muy técnicos de otras disciplinas jurídicas cuando hace tiempo que no se manejan; tendremos que recurrir a la búsqueda de su significado si no se nos explican.

De hecho, compruebo, reiteradamente, las dificultades del propio lenguaje jurídico entre juristas, al plantear diversos ejercicios en los que propongo realizar redacciones alternativas y comprensibles a partir de textos originales, a diferentes tipos de alumnos, ya sea en fase educativa de grado o de postgrado. En ocasiones, como cuando trabajamos con un texto muy especializado, por ejemplo demandas sobre productos financieros (como *swaps*), en el marco de un proceso judicial, los alumnos comentan que el grado de dificultad es importante, a veces enorme, porque no pueden comprender bien los textos originales (demandas o contestaciones reales) y, sin las explicaciones que yo pueda aportar o sin búsquedas de explicaciones por su parte, no pueden realizar una versión inteligible y adecuada.

Recomiendo, para el caso de que el destinatario no sea un jurista y no exista un sinónimo del tecnicismo, explicar brevemente su significado, aunque ello signifique ampliar un párrafo (si hay posibilidad de hacerlo a pie de página, mejor, porque aligeraremos el texto). Si existen sinónimos, se aconseja su empleo.

Como indica Traversi[164], la adaptación al auditorio es fundamental porque "según los modernos tratadistas, quien quiera convencer a los demás de una idea suya antes que nada tiene que intentar intuir cuáles son las opiniones de las personas a las que se vaya a dirigir, ya que para desarrollar una argumentación eficaz es indispensable partir siempre de premisas que ya disfruten de una adhesión suficiente". En consecuencia, resulta un presupuesto fundamental del razonamiento argumentativo la adaptación al auditorio, es decir, la necesidad de adaptar el razonamiento, el discurso oral o escrito, a las opiniones, conocidas o sencillamente presumidas, de sus destinatarios.

Otro problema que afecta a la claridad terminológica, además de los tecnicismos, son los latinismos. Se ha sugerido un uso moderado de los mismos y que resulten explicados cuando el destinatario sea un lego en Derecho.

He indicado que una de las dificultades es la terminología, pero hay muchas más. Cuando la propia narración está plagada de párrafos largos, con oraciones igualmente extensas y expresión de ideas de forma salteada y reiterada (en muchas ocasiones incluso sin un orden lógico) y, por tanto, elaborada con una sintaxis innecesariamente compleja, tenemos otro problema de comprensión.

Cazorla Prieto[165] invita, partiendo del mantenimiento de la propia entidad del lenguaje jurídico, a utilizar un lenguaje más sencillo y llano; más conciso (tanto sustantiva como formalmente); más preciso y matizado (sin muletillas,

---

[164]   Traversi, A., *La Defensa Penal, Técnicas argumentativas y oratorias,* Thomson Reuters, Aranzadi, Cizur Menor, Navarra, 2013, pp. 38-39.

[165]   Cazorla Prieto, L.M., *El Lenguaje jurídico actual*, Thomson Reuters Aranzadi, Cizur Menor, 2007, pp. 73 y ss.

tics personales o exageraciones); carente de extranjerismos; menos «ofici-
nesco» (alargando las frases innecesariamente y prescindiendo de la concisión); más respetuoso con las reglas del hablar y escribir correctamente (que
encuentre el orden sintáctico que evite: los gerundios y los infinitivos cuando no resulten necesarios; los estiramientos expresivos a fuerza del exceso
en la adjetivación y las construcciones pasivas; la incorrecta puntuación; las
siglas y los acrónimos; los modismos y las modas). En la misma línea, recomienda MARTÍN DEL BURGO[166] que el lenguaje del derecho con buen estilo sea
natural, propio, claro, conciso y preciso.

Y claridad y sencillez van de la mano, de forma natural, de la evolución
del lenguaje que afecta igualmente a los lenguajes especializados. En una
ocasión, GUASP[167] contestaba a ciertas críticas sobre lo que hoy llamaríamos
modernización del lenguaje, afirmando que "a una ciencia y a una técnica
en movimiento corresponde una terminología en movimiento también"; y
añadía: "la necesaria evolución del lenguaje en la ciencia del derecho procesal civil está sujeta a restricciones y límites que no cabe tolerablemente sobrepasar…Los límites esenciales a que toda innovación terminológica debe
sujetarse estrictamente en el ámbito de nuestra disciplina son dos: uno de
fondo y otro de forma o expresión. En cuanto al fondo, debe exigirse que la
palabra nueva responda a una idea nueva también, de tal modo que no se
trate de una variación caprichosa de antiguas denominaciones, sino de una
auténtica necesidad impuesta por la existencia de conceptos no definidos
aún y que sin el término innovado habrían de designarse mediante el in-
cómodo rodeo de una perífrasis. En cuanto a la forma, debe exigirse que el
neologismo obedezca, respecto a su formación, a la estructura general del
idioma, de tal modo que no se vulneren con el nuevo término las líneas esenciales de aquél…".

Estoy totalmente de acuerdo con todas las apreciaciones de los autores
citados.

Recordemos siempre la importancia de escoger un orden, que pude ser:
por relevancia o temporal. Personalmente, en términos generales, prefiero

---

[166] MARTÍN DEL BURGO Y MARCHÁN, Á., *El lenguaje del Derecho*, Bosch. Barcelona. 2000, pp. 198-209.
[167] GUASP, J., *Estudios jurídicos* (Edición al cuidado de Pedro Aragoneses), Civitas, Madrid, 1996, pp. 464-465.

el temporal. Debemos recordar que, en numerosas ocasiones, estamos relatando hechos reales que deben conformar una historia comprensible y verosímil; sobre esos hechos se elaborará la argumentación y sobre ella, las conclusiones.

El uso de los tiempos verbales adecuados es indispensable para que el lector tenga una secuencia cronológica coherente. Aunque se lee con frecuencia, no es aconsejable utilizar el «presente histórico» para contar hechos ya ocurridos; como se indicó, el problema es que su uso impide distinguir las acciones pasadas de las actuales.

Si leemos:

> *El pasado 15 de septiembre salgo de mi casa, voy al supermercado y allí veo todo lo que pasa. Bajé la escalera y vi al atracador...* (presente: salgo, voy, veo, pasa; y pasado: bajé, vi).

Probablemente no reparemos en que lingüísticamente los tiempos pasados y presentes se mezclan en la misma narración, pero siempre será más coherente y sencillo leer todo en el relato con el mismo tiempo verbal, que, como es pasado, será pasado. Así:

> *El pasado 15 de septiembre salí de mi casa, fui al supermercado y allí vi todo lo que pasó. Bajé la escalera y vi al atracador...*

Uno de los problemas que se han detectado[168] en la escritura jurídica es la mezcla indiscriminada de narraciones y descripciones; el problema es que la comprensión se puede ver afectada y producirse confusiones innecesarias que se suplen tan solo con no mezclar los dos géneros.

Veamos un ejemplo procedente de los Hechos Probados de una sentencia, concretamente de un Hecho:

> "[...] Víctor, mayor de edad, mantenía una relación sentimental en España con Silvia, relación sentimental que les llevó a hacer vida marital en el domicilio familiar sito en la AVENIDA000 núm. 00 de Zaragoza, viviendo con la pareja una hija menor de edad procedente de dicha relación Fátima y un hi-

---

[168]   Montolío Durán, E., (Dir.), Estudio de campo: Informe sobre lenguaje escrito. Comisión para la Modernización del Lenguaje Jurídico. 2011 [en línea] http://lenguajeadministrativo.com/wp-content/uploads/2015/10/CMLJ-Lenguaje-escrito.pdf , p. 38. Consultado el 31 de enero de 2018.

jo menor, procedente de una relación anterior de Silvia, Rafael, de 11 años. Víctor carece de antecedentes penales.

Silvia, con anterioridad, no precisada exactamente, pero que se puede cifrar en, al menos, una semana anterior al 3 de julio de 2011, simultaneaba dicha relación con otra que mantenía con Victoriano, primo de Víctor.

Víctor en unión de otros compatriotas, familiares y amigos, celebraba una fiesta de cumpleaños en las proximidades del Pabellón Príncipe Felipe, donde tras estar varias horas se trasladó, conduciendo el vehículo del que era usuario, a la calle General Sueiro, a buscar a Silvia a su lugar de trabajo.

Víctor el día 2 de julio de 2011, al llegar a la calle General Sueiro, observó en el interior de un vehículo parado en la entrada de un aparcamiento, a su compañera Silvia y a su primo Victoriano el que, al ver igualmente a Víctor, se fue del lugar, dejando a Silvia en un lugar próximo a dos manzanas. Víctor tras recibir una llamada de teléfono de Silvia fue con el vehículo a donde ella se encontraba, y una vez llegó, se introdujo ésta en el mismo, yendo ambos al domicilio conyugal.

Una vez en el domicilio en un tiempo que se puede cifrar entre las 0.00 horas y las 2.00 horas del día 3 de julio de 2011, continuó la discusión entre ambos, introduciéndose en el dormitorio donde siguieron discutiendo, y, sin solución de continuidad, Víctor, la agarró por el cuello estrangulándola, lo que le produjo una asfixia mecánica que determinó la muerte.

Silvia resultó con una contusión con hematoma intenso en región fronto-temporal izquierda, dos equimosis paralelas en región glútea de 28,7 y 27 mm. de longitud y 11 mm. de anchura, equimosis y hematomas tanto en extremidades superiores como inferiores, lesiones causadas todas ellas por la acción del acusado mientras la estrangulaba.

Silvia aparte de los dos hijos referidos, tenía padres y cuatro hermanas. Víctor no ingirió cerveza".

Para comenzar, llama la atención que tantas cuestiones, tan variadas aparezcan en un único Hecho, tan largo por otra parte. Después, destaca esa mezcla entre la descripción y la narración, y dentro de esta última, la que se refiere a distintas cuestiones sin un orden lógico: se pasa de narrar las relaciones sentimentales, a la carencia de antecedentes penales, para pasar a los hechos del 3 de julio para, después, pasar a un día antes, al 2 de julio. Continúa el Hecho con la descripción de las contusiones para finalizar con el número de familiares de la fallecida y de la no ingesta de cerveza por el homicida.

Lo cierto es que, a pesar de que se comprende todo, el caos de datos ofrecidos es importante y se puede necesitar al menos una relectura para entender bien la sucesión de hechos, qué personas han intervenido, cuándo, dónde, cómo y por qué ocurre.

Una solución para mejorar la comprensión, de entre las posibles, puede ser esta para este caso: primero se describen las personas que intervienen en los hechos, y después se narran los hechos por orden cronológico para finalizar con la consecuencia y la descripción de las lesiones que han causado la muerte[169].

Con relación a los verbos, es aconsejable evitar el uso del gerundio, tanto en las descripciones como en las narraciones porque no sirve para situar la acción ni ofrece información temporal.

Es importante situar la acción utilizando expresiones temporales. Además, resulta recomendable describir los objetos y los sujetos relevantes sin mezclarlos. Hay que identificar bien a las distintas personas que van apareciendo en el relato para que queden bien delimitadas y no generar confusión acerca de quién puede ser el autor de cada acción; para ello hay que indicar claramente quién es el sujeto al que corresponde cada una de las acciones.

Recordemos la utilidad de los conectores al describir y narrar, porque sitúan la acción en el tiempo y en el espacio y ofrecen detalles.

Por ejemplo, para situar la acción en el tiempo, podemos utilizar palabras como: entonces, luego, cuando, a continuación, en aquel momento, pronto, inmediatamente, después de, una vez que, tan pronto como, mientras, desde…, entre los días 2 y 17 de octubre del pasado año; o de marzo a julio, o después de haber entrado en el supermercado…

Para poder situar la acción en el espacio tenemos que ofrecer datos de esta categoría. Por ejemplo: cerca de la estación, fuera del supermercado, en el número 23 de la calle de Alberto Aguilera, en Madrid, en el domicilio de la víctima, acusado, en las inmediaciones de…

Recordemos que para añadir información contamos con numerosos recursos; por ejemplo: así como, además, también, y…

Cuando haya que presentar *enumeraciones*, hay ciertas claves en las que podemos reparar:

---

[169] Algunos de los aspectos tratados provienen de distintos apartados de la parte "Redacción", del Memento Práctico, *Acceso a la abogacía,* 2016-2017, Francis Lefebvre, escritos junto a Duñaiturria Laguarda, A. y Ferrer Calvo, M., pp. 339-359.

- Si hay que presentar de manera ordenada gran cantidad de información heterogénea, lo primero que hay que decidir es qué criterio o criterios vamos a emplear para manejarla. Puede ser diverso, pero si se hace por categorías resultará más claro: personas implicadas, objetos hallados, fechas de actuación, etc.
- Separar los elementos diferentes en diversas enumeraciones.
- Son muy útiles las expresiones predictivas que indiquen qué se va a enumerar y, si puede señalarse incluso cuántos elementos hay en total, mejor aún. Es decir, resulta más claro leer: «se expresaron las siguientes cuatro razones: en primer lugar..., en segundo lugar..., en tercer lugar, y... finalmente», que leer: «hay diferentes razones».
- Decidir qué marcas de numeración vamos a utilizar y hacerlo del mismo modo (I, II, III..., o A), B), C)...
- Indicar la jerarquía que puede darse entre los elementos enumerados.
- No mezclar elementos que pertenezcan a diferentes familias de elementos, como personas, objetos, razones...
- Tener en cuenta los enlaces enumerativos, por su aporte de claridad. Las ya citadas expresiones predictivas son siempre recomendables, como: *los cuatro detenidos siguientes, los seis paquetes que a continuación se describen...*

Antes de continuar con más claves, veamos un ejemplo con dos versiones, una de redacción clásica y otra (del mismo texto) que puede resultar distinta de la tradicional (el ejemplo es una solicitud en una demanda), pero más clara.

Versión clásica:

Al JUZGADO SOLICITA: tenga por presentado este escrito con los documentos que se acompañan y en su virtud acuerde tener por interpuesta en nombre de don Luis Alonso, demanda de modificación de medidas, que ha de entenderse con doña María Jesús, de tal forma que, con recibimiento del juicio a prueba, se dicte sentencia que venga a estimar íntegramente las pretensiones en ella contenidas y por tanto se proceda a acordar la extinción de la obligación de abono por mi mandante de la pensión alimenticia de los hijos mayores de edad e independientes, con efectos desde la interposición de la presente demanda y con expresa condena en costas a la contraparte si se opusiere a tan legítimas pretensiones y viera desestimadas sus alegaciones.

Y ahora una versión modificada teniendo en cuenta lo que llevamos dicho en cuanto a numeración y separación (sin entrar en otros aspectos que también pueden modificarse). Aquí el juzgador observará y entenderá rápidamente qué se solicita y podrá ir contestando con menor probabilidad de olvidar algún aspecto.

SOLICITA AL JUZGADO que considere presentado este escrito con los documentos que lo acompañan y admita esta demanda de modificación de medidas interpuesta por don Luis Alonso contra doña María Jesús. Asimismo, se solicitan estas tres medidas:

1) que, tras el recibimiento del juicio a prueba, se dicte sentencia favorable a las pretensiones contenidas en dicha demanda, con efectos desde su interposición;

2) que quede extinguida la obligación que tiene don Luis Alonso de abonar la pensión alimenticia de sus hijos mayores de edad e independientes;

3) que se condene de forma expresa a la contraparte si se opusiera a estas pretensiones legítimas y viera desestimadas sus alegaciones.

– Tengamos en cuenta también los referentes (anafóricos)

Por último, los referentes son las palabras, las expresiones, que utilizamos para referirnos a diversas cuestiones de la realidad. Puede hacerse referencia directa a esa realidad (el cuadro robado; Rosa, la hija mayor) o bien puede hacerse referencia a un elemento del texto que se ha mencionado antes que se denomina antecedente (dicho cuadro; la citada hija). Estas últimas son expresiones anafóricas.

Para evitar confusiones o ambigüedades conviene tener presentes estos dos aspectos:

1. Hay que mantener la concordancia: el género y el número del antecedente y de la expresión anafórica deben coincidir.

2. El antecedente es previo y se tiene que haber especificado antes de la expresión anafórica y no debe situarse alejado de la expresión anafórica (es el primero posible a su izquierda).

3.3.3.2.3. Argumentación

Como bien apunta Jiménez Yáñez[170] conviene distinguir la argumentación jurídica de la argumentación retórica y de la argumentación dialéctica. Sobre la argumentación retórica explica que, el discurso argumentativo —que supondría dar argumentos, según su cita de Weston— implicaría "ofrecer un conjunto de razones o de pruebas para apoyar una tesis".

La argumentación jurídica, para el mismo autor, con cita esta vez de Puy Muñoz, sería un discurso por el que el "un jurista que ve claramente la verdad de la tesis "esto pertenece a este", explica, aclara o ilumina tal proposición de una forma clara y precisa, hasta que las persuade de que tal derecho existe y de que deben proceder respetándolo". Es decir, se separa de la argumentación retórica, entre otras cuestiones, en que, al defender una tesis con argumentos jurídicos, se han de limitar a argumentos fáctico-probatorios y normativos.

Atienza[171], el gran maestro de la argumentación jurídica, explica que en la argumentación se distinguen siempre estas tres entidades: premisas, conclusión e inferencia (la relación que se da entre las premisas y la conclusión) y expone las clases de argumentos jurídicos.

No obstante, no trataré las características de estas tipologías porque excede del propósito de este libro debido a que deseo centrarme en la claridad y comprensión de la redacción más que en el modo de generar argumentos o el análisis de su validez.

Recurro de nuevo al Informe de la Comisión de Modernización del lenguaje jurídico[172], por sus concretos y atinados consejos con relación a la argumentación. Según este parecer, la argumentación es el tipo de discurso más característico de los profesionales del derecho porque aporta razones que explican un comportamiento o un supuesto. Al emplear este discurso, el profesional del derecho expone por qué se consideran aplicables determinadas normas o actos a unos hechos y sostiene una interpretación con objeto de generar una consecuencia jurídica. El objeto esen-

---

[170] Jiménez Yáñez, R.m., *Escribir bien es de justicia*, Thomson Reuters Aranzadi, 2ª ed, Cizur Menor (Navarra), 2016, pp. 111 y ss.

[171] Atienza Rodríguez, M., *Curso de argumentación jurídica*, Trotta, 3ª reimp., 2015, pp. 109 y 110 y 179 y ss.

[172] Disponible en: http://bit.ly/2dGuaGK p. 7. Consultado el 8 de octubre de 2017.

cial de cualquier argumentación es, por tanto, convencer. Por ello, toda argumentación, ya sea verbal o escrita, debe tomar en consideración que su destinatario no es solo el profesional del derecho, sino el propio ciudadano en el que, en último término, recaerán los efectos jurídicos de la decisión final adoptada.

Para mejorar la claridad y comprensión de la argumentación jurídica se recomienda:

- El argumento debe ser explícito, claro y ha de utilizar un lenguaje inteligible.

- La correcta comprensión de la argumentación escrita y oral requiere diferenciar los argumentos de las conclusiones de forma expresa.

Para Gómez Lanz[173], las razones que el intérprete ha de aducir para justificar su propuesta de interpretación del enunciado o término de uso controvertido han de tener por horizonte el contexto y la situación en los que estos se presentan.

Reflejaré ahora un ejemplo de argumentación que reúne, a mi juicio, varios componentes que la convierten en ejemplar por su perfecto conocimiento de la causa, su precisión y la adecuación en el tema y claridad.

Se trata de un Fundamento Jurídico de un auto judicial[174]:

"SEGUNDO. El siguiente paso, interpretar lo que allí pasó, porque los dueños del 22 piden que la comunidad repare y esta entiende que, habiendo ya consignado, ha cumplido. Y la pregunta que surge es la siguiente:
¿renunció el dueño del 22 a la reparación? La respuesta, siguiendo el acta, es negativa. Primero, porque se abstiene. Es decir, que no da ni su voto a favor ni su voto en contra a la consignación como modo de cumplimiento. No se puede decir, entonces, que vaya contra sus propios actos, como entiende la comunidad. El dueño del 22 nunca aceptó que recibiendo el dinero terminara todo. No. Se abstuvo. Y es más, es que lo que aparenta es haber querido facilitar las cosas ofreciendo a la comunidad contactar con una empresa conocida y entenderse con ella, pero diciendo claramente que si aquello no sale bien seguiría adelante con la ejecución. El acta expone que

---

[173] Gómez Lanz, F.J., "Lenguaje legal y actividad judicial: la reducción teleológica de tipos penales", en *Jueces y ciudadanos:elementos del discurso judicial*, Carretero González, C.; Garrido Nombela, R.; Gómez Lanz, J., Grande Yáñez, M., Dykinson, Madrid, 2009, p. 131.
[174] Magistrado Rafael Rosel Marín. Juzgado nº 7 de Primera Instancia e Instrucción de Leganés y Decano de los Juzgados de la misma localidad en Madrid.

el dueño del 22 no tiene inconveniente en que se le haga el ingreso y encargarse de contratar con la empresa, pero también que, si no se soluciona el problema, él seguirá reclamando a la comunidad hasta que se lleven a efecto las reparaciones definitivas. Cristalino.

Así es, bien claro. Se ofrece a ayudar en la ejecución y no renuncia a ella. No va contra sus propios actos. Sigue las directrices avanzadas. Por lo que sea, se desconoce, no ha llegado a un acuerdo con la empresa. La obra no está hecha. La comunidad tiene el dinero. El ejecutante no está obligado a reparar nada. Intentó facilitar la tarea de la ejecutada. No lo logró. Y pide que la comunidad cumpla. Pues sea. No hay otra. La sentencia nos obliga a todos. No se ha cumplido ni se ha pactado nada que excluya la reparación por la ejecutada.

En conclusión, la ejecutada debe cumplir lo que se le exige por la ejecutante y, por ello, debe declararse que procede la ejecución, conforme al art. 561 LEC".

Estos argumentos cumplen perfectamente con las dos recomendaciones de la Comisión de modernización del lenguaje jurídico. Por una parte, los argumentos son explícitos y la redacción es perfectamente inteligible y clara. Por otra parte, se diferencian perfectamente los argumentos de la conclusión.

Además, resulta eficaz contar con los conectores causales porque sirven para ordenar y ofrecer congruencia a los argumentos. Algunos son: puesto que, visto que, debido a, a tenor de, etc.

En las relaciones de causa o consecuencia también se usan: porque, pues, ya que, como quiera que, puesto que, por tanto, por consiguiente…

Cuando queremos resultar explicativos, podemos usar distintas expresiones igualmente: es decir, esto es, o sea, por ejemplo, de hecho, en otras palabras, etc.

Para poder contrastar expresiones o términos, podemos utilizar: no obstante, por el contrario, mas, sino (que), sin embargo, en cambio, por otra parte, a pesar de, en cambio, etc.

Para centrarnos en las conclusiones, sirven algunas de estas expresiones: por tanto, por consiguiente, en conclusión, en consecuencia, por lo que, de ahí que, por consiguiente, por este motivo (o estos motivos), por lo que se ha expuesto, según lo expuesto, etc.

Para finalizar, podemos utilizar alguna de estas expresiones: para terminar, en fin, finalmente, para finalizar, en resumen, en síntesis, etc.

Por último, recomiendo la lectura del apartado de argumentación lingüística del *Manual de estilo para abogados* de Briz[175].

3.3.4. La revisión

Al redactar cualquier escrito, aunque intentemos hacerlo con el mayor cuidado, es frecuente que, tras hacer una relectura, observemos que hemos cometido distintos errores, unos pueden ser de comprensión —los más graves— y otros de distinta naturaleza, como sintácticos u ortográficos. Las relecturas tienen distintas finalidades que resumo en dos: añadir lo que falta y eliminar lo que sobra.

Afirma, con razón, Pérez Colomé[176] que la simplicidad y la claridad llegan sobre todo al reescribir porque se ve entonces todo lo que está de más. Y añade, a la pregunta: ¿Cuántas veces hay que releer un texto? Responde que depende de la importancia y de la longitud. Es decir, si es algo privado, con una puede ser suficiente, pero los textos más complejos requieren algo más de elaboración. En cada nuevo repaso se encuentran detalles que es mejor cambiar. Aconseja el autor, muy atinadamente, repasar tres veces:

> "La primera es la más importante: se ve si la pieza funciona.
> La segunda se centra en la expresión.
> En la tercera se pule lo que se ha añadido en los retoques anteriores y se da por bueno.
> Es normal a veces que se añadan errores en algunas de las relecturas".

Cuidado con esto último.

Traigo aquí la información acerca de un test de autoevaluación de resoluciones que tienen los jueces suecos, como explica Strandvick[177], porque me parece una forma de comprobación y mejora exportable a numerosos escritos jurídicos para evaluar la legibilidad, la claridad expositiva. Las once categorías de preguntas (y respuestas) de este test, según el autor, son las siguientes:

– Adaptación a los destinatarios.

---

[175]   Briz, A., (Coord.), *Manual de estilo para abogados*, Tirant lo Blanch, Valencia, 2018, en sus pp.111 a 133.
[176]   Pérez Colomé, J., *Cómo escribir claro*, UOC, Barcelona, 2011, pp. 79 a 81.
[177]   Strandvick, I., "La modernización…", cit., p. 141.

- Registro y tono (coloquial o formal).
- Claridad argumentativa del fallo y de los razonamientos del tribunal.
- Disposición temática y no cronológica: lo más importante, primero.
- Ayuda al lector (índices, resúmenes, explicaciones de términos especializados, "metatexto", etc.).
- Encabezamientos y su correspondencia con el contenido.
- Cohesión (utilización de conectores, referencias y subdivisión en párrafos).
- Extensión de las frases y complejidad sintáctica.
- Léxico y expresiones (lenguaje corriente o jerga jurídica, preposiciones cortas o largas).
- Ortografía y corrección lingüística
- Paginación y diseño gráfico.

Lo cierto es que, si intentáremos, aunque fuera a nivel individual, atender a la comprobación de cómo hemos redactado nuestros escritos siguiendo todas o la mayoría de las categorías expresadas, no me cabe duda de que, con esa reflexión, lograríamos unos escritos considerablemente más claros.

3.3.5. *Las partes de los escritos en general*

Me gusta analizar el común denominador que suelen tener la mayoría de los escritos jurídicos que tienen cierta complejidad —muchos de ellos son los que transitan por el mundo de los tribunales— , común denominador que va desde el encabezamiento hasta el final del escrito, y que supone, la presentación de las partes, el cuerpo, que se compone de lo que ocurre y sus razones jurídicas, para terminar, pidiendo unos escritos o decidiendo otros (según de quien provenga el escrito) lo que convenga o resulte ajustado al caso.

En general, si se trata de lenguaje judicial, estoy de acuerdo con las recomendaciones de PRIETO DE PEDRO[178] cuando aconseja evitar algunos desaciertos de los escritos judiciales, como son: "el excesivo prurito de razonabilidad

---

[178] PRIETO DE PEDRO, J., *Lenguas, lenguaje y derecho*, UNED y Cuadernos Civitas, Madrid, 1991, pp. 127 y ss.

que lleva al Tribunal Constitucional a extenderse en frecuentes *obiter dicta* que distraen innecesariamente la atención del lector"; el talante magistral y acadecimista que impregna las sentencias; falta de concisión y claridad en las sentencias; y "ciertos tipos de «sentencias interpretativas» como aquellas en las que el fallo interpretativo reenvía al lector a los fundamentos de derecho, resultando oscuras desde el punto de vista estrictamente lingüístico".

De hecho, resultar explicativos y ayudar a que nos comprendan bien, siempre son aciertos. Tenemos que tener en cuenta, como explican perfectamente De Vega y Palma[179]:

> "Cuando comprendemos el lenguaje tiene lugar una serie de procesos cognitivos casi simultáneos: percibimos y reconocemos los fonemas, segmentamos las palabras en sílabas y en morfemas, activamos representaciones léxicas en la "memoria semántica" y las relaciones asociativas entre ellas, o procesamos la organización sintáctica de las oraciones. Todos estos procesos, relacionados con el *código* lingüístico, se conocen cada vez mejor gracias a disciplinas como la psicolingüística, la neuropsicología y la neurociencia del lenguaje. Pero comprender el lenguaje va más allá del procesamiento del código lingüístico. Supone además, que el oyente o lector sea capaz de representarse el significado o referente del mensaje lingüístico".

Ilustran estos autores su explicación sobre las dificultades de comprensión con un experimento, el de Bransford y Johnson, en 1972, quienes presentaron a los participantes el texto que sigue sobre descripción de un procedimiento y lo que supone, para la efectividad de su comprensión, el hecho de ofrecer elementos explicativos de modo tan sencillo como que vaya precedido de un título comprensible y escueto (el extracto se entenderá con la explicación posterior):

> "En realidad el procedimiento es bastante simple. Primero, dispones los elementos en diferentes grupos. Por supuesto un único montón puede ser suficiente dependiendo de lo que se vaya a hacer. Si tienes que ir a algún otro sitio por no disponer de recursos este es el siguiente paso; en caso contrario, todo estará bien dispuesto. Es importante no precipitarse en el empeño. Es decir, es mejor hacer pocas cosas que demasiadas al mismo tiempo. Esto podría no parecer importante pero las complicaciones de hacer demasiadas cosas surgen con facilidad. Además, un error puede resultar caro. Al principio el procedimiento completo parecerá complicado.

---

[179]   De Vega y Palma, en Bajo Molina y otros (Coords.), "El lenguaje: la representación del significado en el cerebro", *Mente y cerebro*, Alianza Editorial, Madrid, 2016, pp. 323 y 324.

Sin embargo, pronto se convertirá en otro aspecto de la vida. Es difícil anticipar que la necesidad de esta tarea pueda finalizar en el futuro inmediato, pero luego, quién sabe. Cuando se ha completado el procedimiento uno dispone los materiales en diferentes grupos de nuevo. Luego se pueden colocar en sus lugares apropiados. Eventualmente podrán usarse de nuevo y todo el ciclo volverá a repetirse. Pero esto es parte de la vida".

Pues bien, como indican los citados De Vega y Palma, si bien el texto era gramaticalmente correcto y compuesto por palabras comunes, los lectores tenían dificultades para comprenderlo y recordarlo. Sin embargo, cuando ese mismo texto iba precedido del título: "lavado de ropa", se comprendió sin problemas y, además, su recuerdo mejoró de manera importante. Esto supone que cuando un lector recibe pistas suficientes para elaborar un modelo mental de la situación descrita por el texto, tiene lugar una comprensión real; al contrario de lo que ocurre en ausencia de un título.

Mi recomendación, en este caso, trasladada a nuestros escritos más habituales del campo del derecho es ofrecer esas "pistas" que ponen el acento en la esencia del mensaje, redactar ese titular que, al modo del de: "lavado de ropa", pueda, por ejemplo, anunciar la "duración del contrato". Creo, en definitiva, que encabezar párrafos con un título sencillo resulta un acierto.

3.3.5.1. Encabezamientos

Un buen resumen sería el del artículo 399 de la LEC cuando indica que al inicio de la demanda se consignan: datos y circunstancias de identificación del actor y del demandado y el domicilio o residencia […].

Tiene todo el sentido dicho contenido porque se debe presentar a los intervinientes principales, como ocurre también en el encabezamiento de un correo electrónico, y se puede redactar de un modo muy claro porque sencillamente se trata de expresar quienes son las partes y especificar un modo de localización. Si se interviene con representación y defensa, procurador y abogado, se menciona en esta parte; en definitiva: quién pide frente a quién y quien actúa, todo con los datos necesarios en cada escrito.

3.3.5.2. Hechos

Continuando con la LEC, "[…] Los hechos se narrarán de forma ordenada y clara con objeto de facilitar su admisión o negación por el demandado al contestar. Con igual orden y claridad se expresarán los documentos, medios e instrumentos que se aporten en relación con los hechos que fundamenten las pretensiones y, finalmente, se formularán, valoraciones o razonamientos sobre éstos, si parecen convenientes para el derecho del litigante".

Hay que evitar a toda costa la sensación que se tiene muchas veces de no llegar a "ver" lo que se relata porque más que la imagen de un puzzle se ven solo sus piezas descolocadas.

Si se tratar de redactar una demanda, antes de ello habrá conversado con su cliente o clientes, habrá llegado a diferentes conclusiones, a medida que su información haya ido creciendo en complejidad, y habrá llegado a diferentes conclusiones que debe plasmar. Tome notas acerca de la versión o versiones que tenga de quien le hable o escriba y de los documentos que tiene que ir aportando al relato en su caso. Piense en el orden en el que desea exponerlo. Un modo efectivo, ya se ha dicho, es hacerlo cronológicamente.

Se aconseja una idea por cada párrafo, y que estos y las oraciones que los componen no resulten largos.

Por ejemplo:

Primero: Mi representada es la aseguradora del vehículo Fiat Punto con número de matrícula 0000ST en virtud de la Póliza 0,000,000, que se acompaña como Documento número 2.

Segundo: El vehículo Citroën C5 con número de matrícula 1111CT es propiedad de Doña Lidia Sánchez López, según se acredita.

Tercero: El pasado día 23 de junio de 2013 a las 19,15 horas, el vehículo Fiat Punto citado, que era conducido por D. Luciano Martínez…, fue colisionado por el vehículo Citroën C5 también citado…

Si se trata de una resolución, una sentencia, por ejemplo, es esperable que el juez, al redactarla, realice algo similar con relación a los hechos ocurridos y los que, si se trata de una sentencia, considera probados.

Además, si nos referimos a una primera instancia, tendrá que exponer cuestiones como las relatadas por las partes, testigos, peritos, documentos, vídeos, etc. Si se trata de otra instancia, tendrá que relatar el devenir, el curso procesal del caso y cómo se llega a la segunda instancia o a un recurso extraordinario. Resultará de gran ayuda para quien lea, hacerlo en párrafos separados, numerados, de una extensión lógica para no necesitar releer de forma constante, y por orden cronológico.

3.3.5.3. Fundamentos jurídicos

Según requerimientos legales —volviendo a la LEC citada para las demandas— en ellos, además de la normativa que se refiera al asunto de fondo, se expondrán las alegaciones que procedan sobre la capacidad de las partes, representación, jurisdicción, competencia y clase de juicio por el que se deba sustanciar la demanda; es decir, que se deben expresar los asuntos de fondo o de derecho material y los procesales.

Aquí, se tratará de subsumir —incluir— hechos en una o más normas que se va a proponer según nuestro parecer.

Si somos partes, para convencer a un juez del derecho que nos asiste en un caso determinado, no lo comunique de modo impenetrable, ya sea por oscuro o por pesado (con ese pertinaz empeño de introducir montañas de jurisprudencia que —en su mayoría— aportan bien poco). Ordene las alegaciones de Derecho y, de nuevo, evite las largas parrafadas. En cuanto al léxico, si se trata de un escrito dirigido al órgano judicial, el tecnicismo es apropiado y supone precisión y economía procesal.

Si se trata de un escrito cuyo destinatario es un ciudadano, entonces el redactor debe —no digo debería, sino debe— hacerse entender de manera no técnica. Si los términos a utilizar son muy técnicos y su sustitución no es sencilla o genera imprecisión o falta de seguridad jurídica, deben ser explicados. Y esto es aplicable al escrito entero. Por la misma razón, evite los latinismos (o explíquelos o "tradúzcalos"), aforismo y arcaísmos que compliquen la inteligibilidad (*causidicus* es una curiosa palabra, con tradición en el pasado, sin duda, pero prefiero la de "abogado").

3.3.5.4. Petición, fallo o decisión

Pedir no implica suplicar. La fórmula al finalizar una demanda: «Suplico al Juzgado» es arcaica. Piense que el derecho a la tutela judicial del artículo 24 de la Constitución ampara su «solicitud», sin que deba «suplicar» por una solución judicial al conflicto. Un educado: «Solicito al Juzgado», resulta igual o más efectiva y ni la LEC lo pide ni, como se ha comentado, formularios normalizados proporcionados tanto por el Ministerio de Justicia ni el Consejo General del Poder Judicial lo imponen, ya que en su lugar se menciona la palabra citada: solicito.

El "Fallo" o la decisión que parte de un órgano judicial ha de ser muy clara, muy explicativa y muy sencilla. Al fin y al cabo, ya ha podido argumentar y expresar todas las razones que desee. Ahora toca concretar, para que quien deba cumplir la resolución lo pueda hacer sin que tenga dudas sobre el contenido. De nuevo, se recuerda evitar el párrafo largo y las oraciones también largas.

Expongo un Fallo claro que me resulta ejemplar por su claridad:[180]

> "Que estimando en parte la demanda formulada en los autos civiles de JUICIO DE DIVORCIO número 00/2015, seguidos ante este Juzgado a instancia de Dª. X —cuya representación es ostentada por la Procuradora Dª. S y su asistencia jurídica es dirigida por el Letrado D. M— contra D. Y —cuya representación es ostentada por el Procurador D. V y su asistencia jurídica es dirigida por la Letrada Dª. O—, *DECLARO DISUELTO POR DIVORCIO VINCULAR EL MATRIMONIO FORMADO POR Dª. X y D. X,* CON TODOS LOS EFECTOS LEGALES INHERENTES A DICHO PRONUNCIAMIENTO, RIGIENDO LAS SIGUIENTES MEDIDAS:
>
> 1) Los cónyuges podrán vivir separados, cesando la presunción de convivencia. Además, quedan revocados todos los poderes que cualquiera de los cónyuges hubiera otorgado al otro. Por otro lado, y salvo pacto, cesa la posibilidad de vincular los bienes privativos del otro cónyuge en el ejercicio de la potestad doméstica.
>
> 2) Que, hasta la venta del domicilio familiar, siga en su uso y disfrute D. Y, debiendo salir de aquel, inmediatamente, Dª. X —si no lo hubiera hecho ya— pudiendo retirar sus objetos y enseres personales y de exclusiva pertenencia, previo inventario tanto de lo extraído como de lo que después permanezca si surgiese alguna disconformidad de pareceres.

---

[180] Del magistrado Rafael Rosel Marín. Juzgado nº 7 de Primera Instancia e Instrucción de Leganés y Decano de los Juzgados de la misma localidad en Madrid.

Y que cada uno abone las *costas* causadas a su instancia y las comunes por mitad.

Los cónyuges deben tener presente que el *incumplimiento de estas medidas puede suponer infracción criminal* y ser juzgados y sancionados por ello […].

El esfuerzo que ha realizado el magistrado ha consistido en utilizar un lenguaje comprensible, en subrayar lo más relevante —hay divorcio— y en utilizar el lenguaje de modo visual, es decir, hay cinco párrafos (separo los tres primeros) y voy a resumir sus ideas porque así se ha facilitado para los receptores de la pretensión:

- Párrafo 1: queda disuelto el matrimonio. Hay divorcio.
- Párrafo 2 (apartado 1): regulación de convivencia, poderes y bienes.
- Párrafo 3 (apartado 2): uso y disfrute de la vivienda e inventario de enseres.
- Párrafo 4: costas.
- Párrafo 5: consecuencias del incumplimiento de las medidas.

De este modo, entre la forma de redactar los párrafos, su lógica longitud y el empleo de expresiones sencillas, sin perjuicio de rigor técnico, es como verdaderamente se hace, a mi juicio una sentencia que cumpla con lo esperable, una tutela judicial EFECTIVA.

3.4. Claves de la comunicación jurídica escrita

- Piense en lo que va a transmitir y para quién y prepare aquellos materiales que vaya a necesitar para redactar.
- Decida la estructura del escrito en función del contexto adecuado. Es útil contar con un esquema físico, o al menos, mental.
- Comience a redactar. Probablemente después tendrá que añadir, modificar, eliminar y revisar al final.

En la redacción:

- Sea claro, como premisa, además de conciso y preciso, en sus expresiones y explicaciones.

- Elija el tipo de género de escritura según deba narrar, describir o argumentar y utilice los elementos adecuados para cada uno de ellos.

- Las palabras y expresiones: serán adecuadas, en su léxico y sintaxis, al receptor o receptores del escrito, es decir, en un registro medido y lógico. No olvide resultar explicativo o emplear el sinónimo apropiado cuando sea posible si el receptor del escrito no es un jurista o un especialista en una materia específica.

  Evite, por tanto, términos muy alejados de los coloquiales o que sean complejos, siempre que pueda emplear otros más claros, comprensibles y también precisos. Así, utilice, preferiblemente, la voz activa frente a la pasiva y evite arcaísmos lingüísticos y latinismos (cuando se dirija a la ciudadanía en general; entre juristas también, salvo aquellos que resulten muy conocidos).

- Las frases: con el orden lógico de sujeto, verbo y predicado o complementos, y que, idealmente, no superen, por lo general, las tres líneas.

- Los párrafos: intente que no sean excesivamente cortos e inconexos ni que sean muy largos, mejor si no rebasan las diez líneas, como ideal. No utilice subordinaciones de subordinaciones.

- Ordene las ideas y recuerde el común denominador de la estructura de los escritos jurídicos: introducción o encabezamiento, cuerpo del mensaje (con hechos y derecho) y petición o resolución final.

- Utilice todo tipo de recursos que sirvan para disponer la escritura y aportar claridad y comprensión, ya sean conectores, numeraciones, etc.

- En general, evite la verborrea, los circunloquios, las redundancias y todo lo que recargue sus mensajes.

• Cuide en especial la ortografía y utilice los recursos ortotipográficos que sean útiles.

• Finalmente: revise (con comprobación de todos los aspectos posibles, desde la comprensión hasta la ortografía).

4. LA COMUNICACIÓN JURÍDICA NO ESCRITA: ORAL O VERBAL Y NO VERBAL

En este apartado trato tanto aspectos generales como particulares de la comunicación jurídica no escrita, ya sea la denominada oral o verbal como la denominada no verbal[181]. Me abstraigo de otro tipo de denominaciones que son menos frecuentes o conocidas mayoritariamente para centrarme en estas que pueden resultar más familiares para el lector.

4.1. Premisas relevantes: educación y breves cuestiones protocolarias

Quiero dejar constancia, aunque a modo de apunte, de cuestiones que reflejo en este apartado de comunicación jurídica no escrita, pero que tienen siempre su traslación a cualquier tipo de comunicación, ya sea por escrito o por otro medio. Por una parte, aunque son breves notas, son relevantes; por otra, no hay ánimo de exhaustividad, sino decisión de centrarme en estas que siguen.

Podría llamar la atención el hecho de que desde estas líneas se apele a la educación. Lo cierto es que, en la práctica habitual, las normas de cortesía y la educación en general, han pasado en unas décadas, de la excesiva formalidad a cierta relajación en las formas, cuando no a una expresa falta de carencia en ciertos momentos. En el comportamiento en general: con los clientes, los compañeros, los funcionarios, los jueces, magistrados y otros colaboradores de la Administración de Justicia, la regla de oro es la educación, siempre.

---

[181] Algunos extractos reflejados en esta parte provienen del capítulo de "Oratoria" que realizamos VALIENTE MARTÍNEZ, F., y CARRETERO GONZÁLEZ, C., en *Memento Práctico, Acceso a la abogacía*, 2017-2018, Francis Lefebvre, pp. 338-349.

En mis constantes visitas a tribunales, he podido observar todo tipo de comportamientos provenientes de diversas personas que trabajan en el mundo del derecho. Así, he presenciado algunos comportamientos ejemplares y otros no tanto, ya provengan de abogados, jueces, fiscales, funcionarios, partes, testigos, etc.

El hecho de que, en una sala de vistas de un juzgado, un letrado se dirija a otro para decirle (liberalmente; lo he presenciado): "más le valdría al letrado de la contraparte estudiarse bien la Ley de Enjuiciamiento Civil", habla por sí mismo y califica a quien así descalifica, además de ejemplificar muy bien lo que nunca habría que escuchar.

Respeto igualitario. En general, sea respetuoso con todo el mundo y trate con idéntico respeto a cualquier miembro, funcionario o no, del órgano jurisdiccional y a cualquiera de los intervinientes en el acto.

La presentación. Si estamos en el ámbito de una sala de justicia, en primer lugar, al entrar, si aún no debe subir al estrado, espere en silencio y sin conversar por el móvil; déjelo sin sonido y no lo utilice. Cuando llegue su turno de intervención, salude brevemente y actúe con el respeto debido al tribunal y a los compañeros e intervinientes.

Por comenzar por el principio: llamar de tú o de usted. En general, y lo aplico al ámbito jurídico, la forma más correcta de dirigirse a otra persona es tratarla de usted. En el caso de que esa persona le indique que le tutee, entonces, sí, tutearemos. No obstante, será infrecuente que en el ámbito de tribunales le soliciten el tuteo. Algo distinto se produce en una reunión entre clientes o colegas de profesión, pero regiría la misma norma. Por eso, si no se tiene costumbre, en especial las generaciones más jóvenes, mejor trate de usted tanto por escrito como oralmente. Incluso, aunque conozca mucho a la otra persona, o ser familiar o amigo, en estos ámbitos, no se debería tutear para evitar un desequilibrio en las formulaciones, es decir, llamar a unos de tú y a otros de usted.

No es necesario dirigirse a un magistrado como Ilustrísimo Sr. D..."; bastaría con un "señoría". Está en un lugar específico y en él hay que conocer las tradiciones, como ocurre con determinadas fórmulas (en este caso, y por otra parte, este trato específico se encuentra recogido en la normativa). Comenzar ante el tribunal con un: "con la venia", es una tradición y una señal de respeto y reconocimiento a la autoridad judicial.

¿Debe ser esto siempre así? Pues, como todo, habrá excepciones, lógicas. Pensemos en el caso de tener que preguntar a un niño o un joven. Se entenderá perfectamente que se tutee y resultará más adecuado, a mi juicio, que tratarle de usted. Considere, en definitiva, siempre la utilización de un trato respetuoso y no fallará.

Por otra parte, no resulta disculpable el insulto directo y la ironía. El insulto es una ofensa que no tiene fácil disculpa por parte del profesional. Por otra parte, tengamos cuidado con la ironía; escuchar expresiones, en determinados momentos y situaciones, como: "sin comentarios", "¿nooo?", "¿en serio?", cuando son irónicos, y, aún peor, con sarcasmo, deberían evitarse (el sarcasmo siempre). Solo sirven para generar incomodidad y que, personalmente, creo que no resultan adecuadas ni en un tribunal, ni en ciertos momentos como puede ocurrir durante una negociación de la que se espere un resultado amistoso.

En más de una ocasión, las acciones o palabras que comente alguna persona que intervenga en un acto en el que participe usted, puede producirle una sonrisa (o directamente risa) por malentendidos, por errores, o por numerosas razones. En estos supuestos, y si es que procede, una sonrisa se puede entender, pero nunca una carcajada que podría resultar ofensiva (siempre dependiendo del contexto). En definitiva, hay que evitar dobles lecturas de intenciones que puedan causar malentendidos y ambiente tenso.

La puntualidad es un aspecto que no debe descuidarse jamás. En el caso de que usted no haya acudido con puntualidad a su cita, discúlpese. La impuntualidad, salvo que provenga de causas ajenas, denota falta de control del tiempo, desorganización y desconsideración, e influye directamente en la imagen de la persona impuntual y en el ánimo de quien le vaya a tratar. Su tiempo es tan importante como el de los demás, no lo olvidemos, por eso, resulta aconsejable llegar con tiempo a las citas, y más en el ámbito de los tribunales. En segundo lugar, si usted prevé algún motivo lógico de retraso, adviértalo a quien le espere; por ejemplo, si ha de acudir a un tribunal, informe, en cuanto le sea posible, de que puede demorarse su entrada porque pueda encontrarse previamente en otro tribunal, etc.

Turnos de intervención. Espere su turno para hablar cuando los haya y no interrumpa; constituiría una importante falta de respeto, con la posibilidad de ser amonestados en el ámbito judicial, por ejemplo. Si no se trata de turnos para hablar, entonces, pida la palabra y no interrumpa a quien esté hablando en ese momento, salvo que deba realizar una objeción, cuestión que se debe enfocar con decisión, firmeza, pero con educación, siempre.

Su mirada. Mire a los interlocutores en cada momento, al compañero de profesión, al juez, de ser el caso, al testigo, etc. No hacerlo supone ignorarles, pero tampoco vaya al extremo contrario en el sentido de que tampoco debe "clavar" la mirada, ni lo haga por tiempo prolongado. Resultaría invasivo, molesto y maleducado. Lo importante es que no olvide dirigir la mirada hacia su interlocutor en cada caso; por educación, consideración y respeto.

Su postura. En la mayoría de las ocasiones, los juristas tendremos que permanecer sentados mientras hablamos en público, ya sea ante un juez, en una reunión con abogados, con clientes, etc. Por una parte, esta posición le permite sentirse cómodo y descansado; por otra parte, si el tiempo en el que debe permanecer sentado se prolonga, le ocurrirá, como a la mayoría nos ocurre, que la posición inicial, más derecho y con gracia, va perdiendo forma y se relaja, a veces demasiado observándose algunas posturas poco elegantes y otras que denotan desidia, cansancio (o sencillamente mala educación). La posición idónea es aquélla en la que la espalda está erguida y alineada, apoyada en el respaldo de la silla, las rodillas en ángulo recto y los pies apoyados en el suelo.

Sus manos. Pueden interactuar mientras usted habla, pero con medida (si las mueve mucho, quien le escuche puede que se sienta distraído por ellas). Si los nervios le dominan, no se aferre con fuerza a algo como tampoco deje las manos al aire. Mientras habla, si necesita coger algún objeto, hágalo con suavidad, pero tenga en cuenta que su interlocutor tenderá a mirar ese objeto. Sugiero mantener los brazos extendidos enmarcando, por la derecha y por la izquierda, los autos o expediente (o folios o similares) que tenga que leer; si observa a los periodistas que presentan las noticias, mantienen un estilo muy recomendable y útil para observar y adaptar desde el ámbito jurídico, no tapan con sus manos los documentos que tienen que poder ver y los rodean para poderlos leer y utilizarlos con facilidad.

Paciencia. En especial con su cliente (también con otros compañeros, y profesionales). En el caso de tribunales y clientes, recuerde que los estrados imponen, y que, para muchos de sus clientes, hablar allí, y en particular la primera vez, es un momento de bastante tensión e inquietud. Se impone la comprensión pues.

El magistrado José Ramón Chaves ofrece buenos consejos en un artículo en el que expresa, tras años de observación, algunas cuestiones mejorables por parte de los letrados[182]. En síntesis y con relación al comportamiento, destaco las siguientes:

- Llegar tarde y no disculparse;
- Presentarse con toga pero de forma desaliñada;
- Alegatos orales excesivamente largos;
- Que haga señales a los clientes o a los testigos o peritos;
- Que no tenga orden en sus documentos y se vea obligado a hacer pausas para ordenarlos;
- Que se dirija al juez con la palabra "señor" en lugar de hacerlo con la palabra "señoría" (según el autor, "señor" encierra un mandato y "señoría" un ruego. Personalmente, aquí discrepo del autor y creo que es la actitud respetuosa la que hace del empleo de "señor" o "señoría" palabras sinónimas en su uso, (sin que encierren mandato o ruego);
- Aproximarse en exceso al juez (a una distancia que se puede considerar de esfera íntima) o sentarse en la mesa del juez;
- La falta de respeto con el otro letrado (que utilice expresiones duras o con sarcasmo, incluso intentando intercambiar miradas de complicidad con el juez);
- Interrumpir;
- La exposición oral desordenada y sin "refrescar" la cuestión que se debate el día del juicio;
- La excesiva velocidad (aconseja exponer los razonamientos a una velocidad inversa a la complejidad de lo expuesto); y,
- Que el abogado intente demostrar al juez que sabe más que él.

Me parece que estos consejos del magistrado pueden tomarse en consideración por la mayoría de los juristas dado que, si se leen con detenimiento, cuestiones como exponer de forma desordenada o a gran velocidad, o la falta de puntualidad deben ser evitables en cualquier exposición.

---

[182] Chaves, J.R., "Cosas que me irritan de los abogados, como juez", https://confilegal.com/20170810-cosas-juez-irritan-abogado-26062015-1855/ Confilegal, 10 de agosto de 2017.

4.2. Aspectos generales y característicos de la comunicación jurídica oral o verbal

Como han explicado Carreiras y otros[183], la mayoría de las personas creen ingenuamente que comprender lo que nos dicen es un proceso tan simple que, prácticamente, en el momento en el que las palabras salen de la boca de nuestro interlocutor ya sabemos qué quiere decir. Pero no lo es por distintas razones. Pensemos, por ejemplo, que, al contrario de lo que ocurre cuando leemos, al hablar no se delimitan con claridad las palabras por las pausas y nuestro cerebro tiene que realizar complejos cálculos para determinar los límites.

Ahora tratamos las peculiaridades que se presentan cuando el lenguaje que empleamos es el del derecho.

Gustav Radbruch[184] se refirió a dos cuestiones que suelen debatirse al tratar el discurso en el ámbito jurídico: sus características y sus reservas. Sostenía, por una parte, que los grandes discursos forenses presentan "los rasgos esenciales de la lucha por el Derecho. Son una mezcla peculiar de calor y frialdad, una frialdad que piensa en conceptos generales y un calor que infunde a esos conceptos una pasión de que, generalmente, sólo se siente animada la individualidad palpitante y viva".

Por otra parte, al tratar la elocuencia desde el punto de vista del ciudadano alemán (este autor era alemán) y que bien podríamos extrapolarlo a ciudadanos de muchas otras latitudes, expresaba:

> "...El arte de la elocuencia no disfruta de la estimación que realmente merece...;
> ...El alemán se inclina más bien a sospechar moralmente de la elocuencia, por razón de su falta de autenticidad...; ...La falta de autenticidad reside en el hecho de que en el arte de la elocuencia el orador se ofrece a sí mismo, pero no tal y como es en la vida diaria, es decir, no de un modo auténtico, si es que tomamos lo cotidiano como la medida de la autenticidad. A nosotros nos parece, sin embargo, que es precisamente en los momentos extraordinarios de la vida, en los que trascienden de lo cotidiano, cuando el hombre se acerca más a su verdadero ser, mucho más que cuando marcha por los caminos trillados de la vida de todos los días."

---

[183] Carreiras, Costa, Cuetos, Perea y Sebastián, en Bajo Molina y otros (Coords.), "Procesamiento del lenguaje", *Mente y cerebro*, Alianza Editorial, Madrid, 2016, p. 302.

[184] Radbruch, Gustav, *Introducción a la Filosofía del Derecho*, Breviarios, Fondo de Cultura Económica, México, 8ª reimpres. 2002, pp. 136 y 137.

Estoy de acuerdo con el autor en sus apreciaciones, que expresa con inteligencia y belleza. La elocuencia no ha gozado de elogio y más bien ha levantado recelos y críticas que, básicamente, han resultado fundamentadas de manera vaga y más bien superficial. Yo sí voto por la elocuencia, por la preparación y por el ánimo de convencer con dedicación; y en el campo del Derecho, en especial, por un auténtico y completo derecho de defensa.

Tengo claro que uno de los objetivos principales de un jurista, ya sea abogado o fiscal, es convencer. Unas veces será a los clientes otras a los jueces o a los miembros de un jurado, otras a los miembros de una junta de accionistas o a una o varias personas en una mediación, por ejemplo. En general, habrá que convencer de que los hechos que se tratan han ocurrido de tal o cual manera, y convencerles también de que, por lo tanto, la interpretación del Derecho debe ser la que se está exponiendo.

Para ello, ¿qué misión tiene aquí la oratoria? En primer lugar, la oratoria es la capacidad de hablar con elocuencia, es decir, de expresarse de tal manera que se conmueva, se deleite o se persuada a un auditorio.

Este efecto persuasivo puede convertirse en un recurso tremendamente útil para un jurista y, *a contrario sensu*, quienes no sean capaces de dominar unas herramientas de oratoria básicas encontrarán que los receptores de la comunicación, clientes, jueces, jurados, etc., tienen dificultades para seguir sus razonamientos o aceptar la línea argumental planteada. Por descontado, la oratoria no es todo. Cuando no hay razones, no las hay, pero si hay razones y, además, buena preparación de la oratoria necesaria para exponerlas, el resultado será mucho más favorable, sin duda, que sin dicha preparación. Si un comunicador muestra seguridad en sí mismo, claridad en la exposición, control de los nervios o un correcto uso de la voz, su mensaje llegará mejor donde lo pretenda.

Para facilitar la consecución de nuestros objetivos, por tanto, resulta muy positivo, casi imprescindible, que los juristas aprendan y se ejerciten en el desempeño de algunas herramientas proporcionadas por la oratoria. Por ejemplo, valorar qué tipo de discurso resulta más apropiado en cada momento y ante distintos auditorios. Desde luego, saber expresarse en la sala de un tribunal o hacerlo ante un grupo de personas que van a acordar una contratación de productos o servicios no debe realizarse del mismo modo.

Indica LÓPEZ NAVIA[185]que la oratoria jurídica ha ido perfeccionándose al compás de las necesidades persuasivas inherentes a la presencia de los jurados, que ha condicionado que las partes intervinientes desplieguen recursos retóricos elaborados y no pocas veces efectistas, distorsionados con alguna frecuencia por la visión idealizada del cine. Dice el autor que la retórica, cuya superioridad reivindica Gorgias[186] por encima de todas las artes, no es concebida como un don natural, sino como una habilidad a perfeccionar por medio de la técnica y el esfuerzo.

Particularmente, siempre he creído que existen, las he conocido, personas que tienen mayor predisposición que otras a realizar un buen discurso; bien por ellas. Pero esto no es lo más frecuente sino una oratoria que irá de regular (o mala) a digna o excelente, en función del trabajo que a ello le dedique. Lo que nunca he presenciado es un buen discurso que no haya estado bien preparado (o, al menos, lo haya parecido). De hecho, los mejores discursos que visto han sido aquéllos que parecían fluir con mayor naturalidad y en los que se adivinaba, subyacente, una gran elaboración. La naturalidad se adquiere con preparación, ensayo, repetición y esfuerzo, al estilo de lo que se mencionaba en la reivindicación de Gorgias.

En el mismo sentido, afirma FERNÁNDEZ LEÓN[187] que todos conocemos a personas muy elocuentes, con gran facilidad de palabra y con una expresión casi perfecta, pero esa elocuencia sería el resultado de la influencia sobre esa habilidad innata de varios factores como el contexto familiar, la formación, la educación o el ambiente que van conformando su oratoria. No obstante, esa persona no se puede considerar como un prototipo a juicio del autor porque la oratoria exige una serie de conocimientos indispensables para dominar la comunicación en la que la oratoria misma se desarrolla, como la sintaxis, las figuras del lenguaje verbal, el empleo de la voz, el uso del lenguaje del cuerpo, y otros factores que deben ser asimilados por quien pretenda considerarse orador. Estoy totalmente de acuerdo, como indicaba anteriormente.

---

[185] LÓPEZ NAVIA, S.A., *El arte de hablar bien y convencer,* Madrid, 2010, p. 35.
[186] GORGIAS fue un filósofo nacido aproximadamente hacia el año 483 a.C. y pertenece a los denominados sofistas.
[187] FERNÁNDEZ LEÓN, Ó, *Con la venia. Manual de oratoria para abogados,* Thomson Reuters-Aranzadi, 1ª ed., 2013, pp. 51-52.

Por eso, a la pregunta de este autor —y que a muchos inquieta— acerca de si el orador nace o se hace, hay que responder que, sin duda, se hace.

4.3. Aspectos particulares de la comunicación jurídica oral o verbal

Se ha dicho que la capacitación o competencia comunicativa es la base para saber hablar bien[188]. Y ¿en qué consiste, básicamente, esta competencia? En estas cuestiones:

– Por un lado, en el conocimiento preciso de la intención comunicativa y de la situación en que se desarrolla la comunicación (características de los interlocutores, relaciones sociales, relación vivencial entre estos, temática, espacio y tiempo de la interacción, etc.).

– Por otro, en el aprendizaje del uso correcto de la lengua, es decir, de habilidades fónicas, morfosintácticas y léxico-semánticas (pronunciación adecuada, sintaxis cuidada, riqueza léxica…), esto es: la competencia lingüística.

– Finalmente, en la capacidad de integrar los dos conocimientos anteriores, lo que se llama comúnmente la competencia pragmática, el uso adecuado de ese lenguaje aprendido según el propósito u objetivo y la situación en que el acto comunicativo se produce, por ejemplo, el grado o tono de formalidad exigido por dicha situación.

Así, solo en el caso de que la persona logre esa competencia, será capaz de comunicarse óptimamente, porque saber hablar no es un don ya que no proviene de una cualidad innata, sino que se necesitan entrenamiento y ensayos continuos.

Recomiendo la lectura del Estudio sobre lenguaje oral, dirigido por Antonio Briz, para el Ministerio de Justicia[189].

---

[188]   BRIZ, A., *Saber hablar*, Instituto Cervantes, 1ª ed. Madrid, 2008, pp. 19-20.
[189]   http://lenguajeadministrativo.com/sobre-la-modernizacion-del-lenguaje-juridico/ Consultado el 21 de agosto de 2017.

4.3.1. La relevancia del contexto

Creo que es de vital importancia comenzar por concienciarnos de que el contexto comunicativo presenta una gran relevancia. Es decir, las circunstancias —ya sean personas, objetos, lugares, etc.— en las que se produce el hecho de transmitir y recibir información, influyen directamente en la comunicación.

Un abogado, un fiscal o un juez en su primer juicio se mostrarán nerviosos o con cierta tensión porque se trata de una primera ocasión. Es esperable tanto como es lógico y natural. Una reunión con un cliente conocido no es lo mismo que una con un nuevo cliente o con un cliente cuya fama, por distintas razones, le precede.

Ahora se tratará el contexto en función de los momentos de producción del mensaje y de su transmisión y recepción.

4.3.2. La elaboración del mensaje jurídico oral o verbal

Ya expresaba PLATÓN muy acertadamente que "…todo discurso debe estar constituido como un ser vivo, con su propio cuerpo, de suerte que no le falte la cabeza ni los pies, sino que tenga, por el contrario, partes medias y extremas, escritas de modo que convengan las unas con las otras con el todo"[190].

El orador, para CICERÓN[191], debe tener en cuenta tres cuestiones que siguen totalmente vigentes: qué decir, en qué orden y cómo decirlo. De hecho, las grandes enseñanzas de este autor se reflejan en numerosos estudios y cursos de oratoria que se ofrecen en la actualidad por todo el mundo. Su propuesta para estructurar la oratoria tiene tres partes fundamentales y ordenadas: la invención, la disposición y la elocución.

A) La invención. Hay que plantearse cuál es el tema y cómo es. El orador procurará plantear argumentos generales, recorrer los "lugares" que ya existen y sopesará y escogerá ciertos argumentos.

---

[190] PLATÓN, *Fedro,* Introducción y notas de Julián Marías. Versión de María Araujo, Revista de Occidente Argentina, Buenos Aires, imp. 1948, p. 164 (264 c).
[191] CICERÓN, MARCO TULIO, *El orador,* cit., pp. 47 y ss.

B) La disposición. Una vez encontrado lo que va a decir, ordenará estas ideas con diligencia. Debe hacer una introducción y una entrada clara a la causa, y tras atraer el ánimo de los oyentes en el primer contacto, confirmará los argumentos favorables y debilitará y rechazará los contrarios.

Además, de entre los argumentos más sólidos, unos los situará al comienzo, otros al final, e intercalará los más débiles.

C) La elocución. Para Cicerón, unos prefieren el torrente y la facilidad de palabras y ponen la elocuencia en la rapidez del discurso; otros gustan de frases separadas y cortadas, de paradas y pausas.

En todo caso, hay que tener en cuenta distintos aspectos:

a. Acción y movimiento. El orador adoptará un determinado tono de voz según el sentimiento que quiera dar, la impresión que le afecta y según el sentimiento que quiera provocar en el ánimo del oyente.

Así, pues, el que aspire al primer puesto en la elocuencia, deberá pronunciar con tono agudo las partes más violentas; con tono bajo las partes más calmadas, y procurará parecer grave con tonos profundos y patético con inflexiones de voz.

Recurrirá también a los movimientos, sin exageración. En el porte, se mantendrá derecho y erguido; pocos pasos y cortos; desplazamientos moderados y escasos; nada de flaccidez en el cuello, nada de movimiento en los dedos; nada de flexión en las falanges al ritmo de la voz; moderará más bien su movimiento con todo el tronco y con flexiones viriles (inciso de la autora de este libro: obviamente, Cicerón no tenía en cuenta a la mujer oradora o al hombre que no sintiera —como él— la necesidad de mostrar de este modo virilidad alguna; así es que mi matización personal y sugerencia para este aspecto sería: flexiones que denoten seguridad), extendiendo los brazos en los momentos de pasión y recogiéndolos en los de relajación.

Y, en cuanto al rostro, además de la gran importancia que tiene la voz, es sobre todo en los ojos donde es importante moderar la expresión.

b. La elocución. Sugiere:

– Adaptarse. En síntesis: ser preciso a la hora de probar; mediano a la hora de deleitar; y vehemente a la hora de convencer, que es donde reside toda la fuerza del orador.

Y, como indica, y estoy totalmente de acuerdo, en los discursos lo más difícil es analizar qué es lo conveniente.

El orador debe mirar lo conveniente no solo en las ideas, sino también en las palabras.

El orador simple, con tal de ser elegante, no debe ser osado en la creación de palabras; ha de ser discreto y parco en la creación de metáforas (aunque puede ser más abundante en el uso de aquellas a las que recurre con frecuencia todo tipo de lenguaje); moderado en el uso de arcaísmos y demás figuras de palabra y de pensamiento [...].

En definitiva, el orador perfecto, para Cicerón, es quien sabe mezclar estilos: capaz de decir las cosas sencillas con sencillez, las cosas elevadas con fuerza, y las cosas intermedias con tono medio.

4.3.2.1. La idea

Lo primero que hay que tener claro es qué vamos a comunicar a un determinado destinatario. Sin más. Parece muy obvio, pero en ocasiones leo y escucho discursos en que me pregunto por qué no se planteó inicialmente y de modo claro el mensaje principal que se quería transmitir. Por eso, al igual que ocurre con el discurso escrito, el hecho de dedicar el tiempo suficiente a decidir qué decir y quién será su interlocutor, me parece una inversión de tiempo imprescindible e inexcusable para tener éxito en la comunicación.

No es necesaria una formulación perfecta desde el inicio, sino un planteamiento claro. Cuando tengamos planeado totalmente el mensaje, tal vez, precisamente lo último que se defina del todo puede ser cómo plantear la introducción que explique el tema, porque ya somos capaces, al final mejor que al principio, de ver todo el contenido con perspectiva.

4.3.2.2. La preparación

Antes de intervenir, debemos preparar nuestra intervención.

Un esquema o guión. En la preparación de una comunicación oral es recomendable, cuando haya tiempo para poder elaborarlo convenientemente, partir de un escrito de apoyo, de un folio con notas o pantalla en determinado soporte. El dispositivo electrónico es muy práctico, pero, como la tecnología falla en ocasiones, no está de más, reproducir o imprimir las notas del folio para tener un par de medios o plataformas, uno que no dependa de la tecnología y otro que sí.

Me he referido a una pantalla o folio único porque considero importante poder tener todas las ideas reflejadas en un documento a simple vista y sin necesidad de interactuar con las manos, por ejemplo, al pasar hojas. Cuando algo se prepara bien y con tiempo, será, básicamente, lo que necesitemos. Puede que algo más si se requiere leer algún fragmento o realizar una cita literalmente, pero en general, bastará con tener un soporte, folio o lo que sea, con notas para no perder el hilo de lo que se va relatando y hacerlo en el orden que tenemos preparado.

Si no hemos tenido tiempo suficiente como para memorizar la mayor parte de lo que debamos decir, pero sí para redactarlo, entonces prepararemos el esquema y el escrito de forma ordenada y con señales de algún tipo, como el *post it,* o digitalmente como proceda, para poder encontrar lo que se busca de forma rápida, porque con el esquema no será suficiente.

Si no hemos podido redactar tampoco lo que pretendamos decir, entonces, al menos, elaboremos el esquema para poder ordenar cuando llegue el momento de hablar.

Intentar recordar. Con relación a lo que se acaba de apuntar acerca de la memorización, se recomienda no leer si no queremos resultar tediosos, siempre que el formato del contexto lo permita (porque no se exija leer). Por tanto, es aconsejable que nos preparemos para poder recordar el mensaje, si no completo (tampoco nos estresemos con la cuestión de la memoria), sí, al menos, en una buena parte. Ello nos permitirá poder observar las reacciones de nuestros interlocutores y poder modificar en algo nuestra intervención, si resulta adecuado, además de asegurarnos de que no pierden el hilo.

Salvo que hablemos de fuerza mayor o de situaciones urgentes, de entre los errores difícilmente excusables, el principal es no preparar con tiempo lo que vayamos a decir. En consecuencia, reúna documentos, testimonios, todo lo que pueda necesitar y prepare su discurso para poder ensayar y utilizar el esquema o guión.

Hay diferentes métodos nemotécnicos que ayudan a recordar. En general se basan en realizar asociaciones de ideas con otros recursos, como imágenes, que, de forma hilada y coherente, le ayuden a construir mentalmente un relato.

Por ejemplo, si vamos a explicar una sucesión de hechos que se origina por una fuga de agua que deriva en daños a un vecino, continúa por la reclamación y por la inexistencia de un seguro, por poner un caso, sugiero imaginar aquéllas imágenes que nos lo recuerden fácilmente. Podría ser un grifo del que sale un gran caudal de agua, un hogar, un símbolo de un euro u otra moneda y una marca comercial de una aseguradora; y todo a tamaño aumentado y de forma ordenada. Esto es válido para memorizar los grandes rasgos de cualquier tipo de sucesión de hechos y hacerlo como recurso añadido al guión.

Conocer las circunstancias y detalles del acto en el que hablará. Si puede conocer circunstancias que rodeen el momento en el que va a hablar, mejor, porque resta ansiedad y genera confianza. Esto supondrá buscar datos —del modo que tenga posibilidad— acerca del tipo de escuchantes que tendrá, edad, nivel de conocimiento del tema, y otras cuestiones que le resultan útiles, como el conocimiento del lugar concreto, para prever distancias con el público, iluminación, sonoridad (saber si cuenta con micrófono o no y si es necesario, por ejemplo), espacios en general, etc.

Ensayos. Siempre es recomendable el ensayo. Si es posible, aún mejor con algunos oyentes. Lo ideal sería contar con alguna persona de confianza y con criterio suficiente, por ser conocedor de la materia, como para poder aconsejarnos adecuadamente. No obstante, la mayoría de las veces tendremos suerte si podemos tener la presencia de algún amigo o conocido que nos escuche y pueda realizar una crítica constructiva a nuestra intervención. Si no hay nadie, grábese y reproduzca la grabación para visualizarse usted mismo y ser su único crítico (sea objetivo, ni muy rígido ni muy permisivo con todo lo que vea y oiga de sí mismo).

4.3.2.3. El acto de comunicar oralmente y las partes del discurso

Antes de comenzar, recuerde que sentir nervios o ansiedad es parte del acto de comunicar oralmente. De hecho, por experiencia personal y compartida, por mucha práctica que se posea en este campo, cierto nerviosismo es necesario y carecer de él, preocupante, porque la excesiva confianza en uno mismo puede llevar a no prepararse debidamente el acto y a no estar suficientemente alerta en el momento de hablar. Trataré la cuestión de los nervios más adelante en un apartado incluido en el que denomino elementos distorsionadores de la eficacia del mensaje y soluciones.

En todo caso, beber agua antes de comenzar (después volveremos a esto) y realizar una visita al baño (aunque parezca un consejo un tanto superfluo) antes de entrar en la sala —a fin de evitar sorpresas— en especial si se alarga el tiempo de intervención inicialmente previsto, nunca están de más. Otro, también relacionado con la fisiología y por tanto con la generación de tranquilidad (o al menos para evitar la intranquilidad) es no acudir sin una alimentación lógica (ni mucho, que le produzca somnolencia o malestar, ni nada, que le produzca irritación por liberación de adrenalina, o falta de reflejos por carencia de glucosa…).

A continuación, iremos enumerando breves pautas comunicativas según las distintas fases del acto de comunicar. Tienen relación con las analizadas para comunicar por escrito, pero con las lógicas variaciones dada la oralidad en este caso.

A. *Fase inicial*

Preséntese y exponga las ideas clave. Acerca de la presentación, esta resulta tan transcendental como el encabezamiento en un escrito en el que figura el nombre de las partes o intervinientes.

En el caso en que haya un tercero que le presente, solo debe añadir a este momento algo que quiera destacar, pero no reiterar lo que ya sea conocido.

A continuación, piense en exponer la idea clave seguida de cierto breve sumario. En las exposiciones que puedan durar más allá de los veinte minutos, o menos si presentan cierta complejidad por los contenidos, recomiendo que se explique al inicio, primero, la idea clave, y después, a modo de sumario o índice, los apartados del tema se van a tratar. Quien le oiga sabrá a qué atenerse y qué puede esperar de lo que va a decir, además de guiarle en su discurso diferenciando la estructura del mensaje. Por ello, si después de anunciar la idea principal, usted dice: lo explicaré en tres partes (o las que sean), quien le escuche sabrá en qué momento del discurso se encuentra. Si, posteriormente, comienza anunciando cada parte, será muy sencillo que le puedan seguir sin perderse.

B. *Fase intermedia: el cuerpo del discurso*

Teniendo en cuenta que he dejado el informe oral y el interrogatorio en tribunales en otros apartado más adelante, por ser cuestiones clave en la oratoria de tribunales, me refiero ahora a esta fase, de un modo general y sin entrar en particular en ambas cuestiones.

En este momento comienza la exposición de lo que se ha anunciado como idea clave, y si se mencionó la existencia de partes diferenciadas, hay que comenzar con ellas y por orden.

Normalmente, en el ámbito jurídico, tendrá que exponer, por lo general cuestiones de hecho y cuestiones de derecho. Recuerde que lo que ya conste por escrito, merece mención, pero, salvo que haya que discutir algún punto derivado de la propia dinámica del momento de exposición, no reiteración del mismo mensaje. Habrá que centrarse en aquello que sea objeto del momento de la intervención y dejar una pocas, pero claras ideas relevantes.

Las cuestiones de hecho deben ser expuestas con algún tipo de orden. El orden que puede resultar más sencillo, para que quien le escuche pueda ir haciéndose una composición mental de lo que se expone, es el orden cronológico, y hacerlo siguiendo un hilo conductor en sus argumentos.

Las cuestiones de Derecho, oralmente, deben contener un plus de claridad porque no hay oportunidad de releer o ir hacia atrás para comprender y retener lo que se está mencionando y de ahí emergerá la conclusión jurídica que se exponga en la fase final. Cuidado con resultar excesivamente prolijo, igualmente, porque no se trata de un escrito e insisto, para que el mensaje no se pierda y no resulte pesado.

Recuerde utilizar un lenguaje comprensible por quienes le escuchen y resultar explicativo si trata cuestiones que puedan desconocerse por aquellas personas que deban interactuar con usted.

En cuanto al peso de los argumentos, remito, por magistrales, a las mencionadas recomendaciones de Cicerón[192] para la oratoria en general, y que resultan directamente aplicables a la materia jurídica, subrayando, fundamentalmente, el consejo de que, para los momentos en que se necesiten explicaciones algo complejas, "de entre los argumentos más sólidos, unos los situará al comienzo, otros al final, e intercalará los más débiles".

Poco más hay que añadir.

C. *Fase final*

Aunque dependerá del contexto siempre, en general y sin diferenciar situaciones jurídicas diversas, en la fase final habrá que recapitular lo esencial del contenido y, cuando proceda, resumir por qué se adopta tal o cual decisión o petición y, si es el caso, el motivo por el cuál usted tiene razón y la otra parte no. Se trata de ser preciso y de convencer.

En general, ponga cuidado en medir los tiempos y, si lo estima conveniente, puede solicitar conocer de cuánto tiempo dispone si se trata de una parte diferenciada, como ocurre en el momento de la vista oral en la fase de conclusiones e informes. La última frase o motivo expuesto, debería memorizarse y pronunciarse mirando a sus interlocutores (aún así, llévelo escrito literalmente en algún soporte, como ya se ha sugerido anteriormente).

4.3.2.4. Elementos que debe tener en cuenta en su exposición

A. La voz y sus circunstancias[193]

Fisilología mínima y sencilla para entendernos. La voz proviene de la laringe. Cuando pasa el aire, hace vibrar las cuerdas vocales y produce un sonido que es transmitido por la faringe, la boca y la nariz: tres resonadores. Las características del sonido que escuchamos cuando alguien habla dependen del equilibrio existente entre dichos resonadores; una voz sin fuerza se suele producir si la resonancia proviene

---

192   Cicerón, M.T., *El orador*, cit., pp. 47 y ss.
193   Charles, R. y Williame, C., *La communication orale*, Nathan, Condé-sur-Noireau (Francia), 1988, p. 4.

en exceso de la faringe, o demasiado grave y autoritaria si es demasiado bucal, o muy nasal si proviene fundamentalmente de la nariz.

Las características de la voz a tener en consideración son las cuatro que siguen:

1. El *volumen*

   Es la intensidad del sonido[194].

   Puede ir desde muy alto hasta muy bajo. Por eso es necesario modularlo, adecuarlo, para hacernos entender y que nos escuchen bien. Nunca debemos exigir a nuestros escuchantes un esfuerzo considerable por no hablar suficientemente alto, del mismo modo que no podemos molestar con un volumen excesivo.

   En este sentido, ya hemos recomendado ensayos y, en particular, la voz jugará un papel importante en su intervención y habrá que prestarle una especial atención. Si tiene que hablar en una sala de un tamaño importante, es bueno además que alguien pueda presenciar su ensayo y situarse en diferentes lugares de la sala con el fin de informarle, entre otras cuestiones, acerca de la audición desde esas diferentes posiciones. Con ello sabrá, con antelación, si debe aumentar el volumen o no es necesario. Si se trata de un espacio reducido o medio, su volumen deberá adecuarse a esos espacios.

   Por otra parte, puede resultar conveniente, según las circunstancias, que nos familiaricemos con el uso del micrófono. Es frecuente que haya micrófonos en las salas de reuniones, si son amplias, o en las salas de justicia (aquí es lo habitual). Por ello, si usted no ha tenido esa experiencia previamente, es aconsejable, siempre que tenga posibilidad, que pruebe y ensaye, tanto el funcionamiento del mismo como el uso que haga cuando deba hablar o leer, para que cuestiones como la distancia que deba guardar entre el rostro y el micrófono esté bien calculada, y evite, por ejemplo, acercarse o alejarse en exceso, o que su voz resulte formidablemente alta o, al contrario, inaudible por baja.

---

[194]   http://dle.rae.es/?id=c2Xhjoi Consultado el 24 de agosto de 2018.

Todo ello, sin perjuicio de alternar distintos volúmenes a lo largo de su intervención para conseguir captar mayor atención en un momento dado o para enfatizar las distintas partes del mensaje.

2. *El tono*

Al respecto, nos interesan dos de las acepciones del DLE[195]:

"1. Cualidad de los sonidos, dependiente de su frecuencia, que permite ordenarlos de graves a agudos.
2. m. Inflexión de la voz y modo particular de decir algo, según la intención o el estado de ánimo de quien habla".

El tono depende de la vibración de las cuerdas vocales y de ellas obtendremos tonos desde muy graves hasta muy agudos. Entonar bien, implica practicar cambios en la potencia de la voz que puede consistir en insistir sobre una sílaba, más de una, o una o varias palabras.

A través de los cambios de entonación, expresamos mejor las emociones, que deben guardar relación y coherencia con lo que estamos expresando. Un tono en el que apenas haya modulaciones influye enormemente en la pérdida del interés y en el aburrimiento —lo digo así de claro— que se produce en los escuchantes; el tono único, (mono tono) puede resultar, en definitiva, poco soportable y de gran ineficacia con una invitación añadida a dormitar o a abandonar el lugar.

Según indica la segunda acepción del DEL al referirse a la intención del hablante, el tono debería adaptarse como un guante al contenido de lo que se relata. En consecuencia, es esperable un tono más formal cuando se relaten cuestiones serias (más aún si son desdichadas o trágicas) o un tono intermedio o más vivo en función del contenido. En un mismo discurso lo apropiado sería ir modificando el tono en función del carácter de la materia relatada.

3. *El timbre y su relación con la articulación, la vocalización y la dicción*

El timbre es la forma en la que suena la voz. Una característica que resulta, básicamente, de la combinación del sonido de las cuer-

---

195   http://dle.rae.es/?id=a15EQrS Consultado el 24 de agosto de 2018.

das vocales con la suma de los resonadores (boca, nariz…). Ese resultado puede ser desde muy abierto hasta muy cerrado y tiene relación con la articulación, la vocalización y la dicción por el uso que hagamos de los resonadores. Es lógico que estas tres palabras —articulación, vocalización y dicción— se utilicen frecuentemente como sinónimos, aunque haya algunas diferencias. Veamos: "articulación", según el DLE, es la pronunciación clara y distinta de las palabras[196]; "vocalizar" supone articular con precisión las vocales, consonantes y sílabas de las palabras para hacer plenamente inteligible lo que se habla[197]; finalmente, la "dicción", tiene dos acepciones que nos interesan[198]:

"1. Manera de hablar o escribir, considerada como buena o mala únicamente por el empleo acertado o desacertado de las palabras y construcciones; y,
2. Manera de pronunciar".

Todas guardan relación. Es aconsejable utilizar un timbre preferiblemente amplio, lo que se consigue con una buena utilización combinada de las cuerdas vocales y los resonadores para que las palabras que salen de nuestra boca se distingan bien las unas de las otras, estén bien vocalizadas y se nos entienda perfectamente. Por ejemplo, abrir suficientemente la boca —pero sin exagerar—, ayuda a pronunciar mejor que si la boca está más cerrada.

Lo cierto es que, y en general, vocalizamos menos de lo que deberíamos y, con frecuencia, descuidadamente. En ocasiones también tiene que ver con la velocidad en el habla —ahora iremos a ello— porque cuando hablamos rápidamente, es más complicado vocalizar; no obstante, siempre podremos observar algunas personas que hablan lentamente, pero que tampoco vocalizan adecuadamente.

Uno de los problemas de la falta de vocalización, aparte de la incomprensión, es que puede provocar en nuestro interlocutor la duda acerca de lo que se está diciendo, hasta el punto de que pue-

---

[196]   http://dle.rae.es/srv/fetch?id=3qzxRki. Consultado el 23 de agosto de 2018.
[197]   http://dle.rae.es/?id=bzSVqTr. Consultado el 23 de agosto de 2018.
[198]   http://dle.rae.es/?id=DgHZHjf. Consultado el 23 de agosto de 2018.

da perder lo expresado, con los riesgos que se corren, en especial cuando es un juez o una persona con poder decisorio quien no alcanza a entender ciertas palabras.

4. *La duración y la velocidad en el habla*

Entre hablar muy lento y muy rápido hay una amplia gama. En ocasiones, podemos recurrir a la lentitud tanto para conferir solemnidad como para lograr que se preste una atención especial a lo que decimos. Una mayor velocidad puede implicar control del discurso, pero también agitación y, en ocasiones, nerviosismo. No es sencillo —y cansa— seguir un discurso muy rápido. En la variación, entre lo lento y lo rápido se puede encontrar la receta contra la monotonía de los discursos que no alternan uno y otro ritmo, porque se consigue llamar la atención.

En una ocasión realicé un pequeño experimento. A la vista de dos vídeos que contenían juicios completos, me centré en la parte del informe oral, concretamente de dos abogados del estado. Quien les haya observado informar en juicio, habrá comprobado, como yo, la increíble velocidad a la que son capaces de hablar (la oposición de acceso a la profesión deja mucha huella). Medí la cantidad de palabras que se pronunciaban por cada uno de los abogados del estado en el mismo lapso de tiempo: 13 segundos.

De uno de los abogados del estado, llamémosle, "1°", esto es lo que logré recoger:

"Sí, con la venia señoría.
Para instar una sentencia condenatoria conforme a nuestro escrito de conclusiones que hemos ¿elevado? y defendido hace un momento y de acuerdo con los siguientes elementos, analizamos en primer lugar: el elemento objetivo del delito. Después la cuestión de la ¿autoría? y finalmente el dolo".

He puesto deliberadamente interrogantes porque no me resultaba nada claro determinar si esas palabras que yo creía haber oído eran realmente las palabras pronunciadas.

En todo caso, esto supuso que emitió unas cincuenta palabras en ese tiempo, lo que constituía una media de 3,8 palabras por segundo.

Sobre el contenido, y a modo de curiosidad diré que el abogado 1º, cuya intervención total para informar fue de quince minutos, fue muy bueno por razones de claridad, precisión, concisión (explicaba cuándo y cómo se consumaba un delito fiscal) y, a pesar de la brevedad, resultó suficientemente explicativo en lo que considero un tiempo bastante razonable en cuanto a la duración de un informe oral.

Sobre la pronunciación, a mi juicio, unas palabras atropellaban a las siguientes; no siempre, porque, de cuando en cuando, se intercalaban algunas pausas y se aprovechaba la muletilla "ehhh" que se reiteraba y la conjunción "y" que se alargaba para ralentizar (mínimamente, eso sí) el discurso.

En cuanto al ritmo, en ocasiones había una rapidez normal y, en otros muchos, se pronunciaban las palabras en masa, "con ametralladora", que es lo que impedía hasta que el propio cerebro siguiera el discurso con normalidad para su comprensión. Además, aprecié un tono descendente que impedía también la normal audición.

El abogado del estado al que llamaremos "2º", dijo esto:

"Sí, con la venia señoría.
En primer lugar, nos adherimos, por supuesto, a lo manifestado por el Ministerio fiscal en conclusiones que por supuesto compartimos emmm y a la vista de la prueba practicada queremos hacer una serie de puntualizaciones ehhh empezando en primer lugar…".

En este caso conté cuarenta y tres palabras. Suponía una media de 3,3 en los 13 segundos. Le pude entender bien cada palabra sin perder ninguna. Pues bien, la diferencia de la media de 3,3 por segundo del 2º a las 3,8 del 1º, marcó la diferencia de mi comprensión y me hizo pensar que podía recomendar (como así hice) al 1º que disminuyera la velocidad para evitar esas nada deseables pérdidas que se producen por un exceso de celeridad.

El contenido del 2º resultaba claro. Su tono era correcto, modulándolo, lo que invitaba al escuchante a mantenerse alerta en su discurso. El problema aquí fue que resultó algo largo el informe oral (explicaba por ejemplo qué era el procedimiento inspector previo o los requisitos que se exigen para obtener una sentencia condenatoria). En total fueron veintiocho minutos de intervención en un juicio que ya había sido muy largo. Pero, en todo caso, la velocidad fue correcta en este caso.

En definitiva y en resumen, teniendo en cuenta las características de la voz, lo aconsejable puede ser hablar con un volumen de medio a alto, con decisión; con un tono modulado, con predominio del grave; con un timbre amplio y con una velocidad que tienda a la rapidez más que a la lentitud. Recordemos, que la variación conseguirá evitar la monotonía y captar la atención.

B. *Las pausas y los silencios*

Pueden resultar muy elocuentes, dependiendo del momento de su utilización y de la duración de cada uno. Si hay una parada en algún momento, el auditorio puede comprender que hay una cuestión relevante. Por ejemplo, si hay un silencio tras una pregunta, a menos que se trate de una pregunta retórica y, dependiendo de la circunstancia, puede que se trate de un recurso para captar una especial atención o, en otros, casos, que se nos invite inmediatamente a los escuchantes a responder. Si hay un silencio en mitad de una frase, el auditorio, sea de uno o de muchos, mirará al hablante para intentar comprender qué ocurre y el motivo de la pausa. Es decir, se habrá logrado captar la atención que se pretendía.

Afirma Urpí[199] que nos han enseñado a hablar a través de las palabras, pero no a través de los silencios, que pueden tener múltiples significados, como apelar a la prudencia, utilizarlo con inteligencia para expresar con él lo que no se quiere decir con palabras, ya sea un silencio burlón (como reserva maliciosa) o un silencio aprobatorio o diplomático.

Por una parte, el silencio marca el principio y el final de una conversación, marca un espacio en el diálogo entre varias personas, nos permite recoger información y asimilarla, y también elaborarla de forma conveniente para transmitirla adecuadamente según el momento y el interlocutor.

A menudo, de hecho, olvidamos que la comunicación está repleta de silencio, pero, como indica dicha autora, lo necesitamos para comprender, interpretar, escuchar, responder, empatizar, saber cómo

---

[199] Urpí, M., *Aprender comunicación no verbal*, Paidós, Barcelona, 2004, pp. 20 y ss.

se desarrollan las relaciones dentro de un grupo de personas, y para observar cómo se crean y cómo se desarrollan los roles que cada uno asume.

Por otra parte, el silencio se corresponde con la no acción, indica Ur-pí[200], porque deja espacio para la reflexión y nos permite conectar con nuestro ser más interno. Sirve también para observar, determinar nuestra atención y concentrarnos más.

Utilicemos, en consecuencia, los silencios, que resultan tan útiles como significativos si sabemos emplearlos adecuadamente.

C. Los escuchantes

En materia jurídica, los escuchantes pueden ser muy variados, desde clientes, abogados de la contraparte, juzgadores, Letrados de la Administración de Justicia, etc.

Aquí lo que debemos emplear siempre es el registro adecuado. Ya se recomendó por Aristóteles o por Cicerón y seguirá teniendo vigencia. Si no tenemos conciencia de quién es nuestro escuchante en cada momento, la comunicación no resultará efectiva, es decir, el mensaje no llegará adecuadamente. No podemos esperar que nos entienda del mismo modo, ni en materia jurídica ni en cualquier materia con lenguaje especial, quien domina el lenguaje técnico que quien no lo domina.

Obviamente, si nos hallamos en un tribunal, sabemos que, según la fase del proceso podemos tener un público variado, diverso. Así, en fase de vista oral habrá un juez y puede que un miembro de Ministerio Fiscal, un abogado o más de uno, peritos de diferentes especialidades, testigos, demandantes, demandados, denunciantes o denunciados y también puede que público en la sala. Nuestro escuchante objetivo no es el público que asiste, es aquél al que nos dirigimos en cada instante.

Por ello, a un juez podemos y debemos argumentarle técnicamente por qué no se producen, por ejemplo, los elementos típicos de la estafa o la falta de voluntad en un contrato del que se solicite determinada cuestión.

---

[200]   Urpí, M., cit., p. 64.

Si hay que interrogar a una parte no experta en derecho, debemos resultar explicativos si no hallamos el término o expresión adecuados y más sencillamente inteligible. Incluso, aunque nos encontremos ante una persona graduada en Derecho, pensemos que no tiene por qué ser experta en ciertos temas muy complejos, como mercados bursátiles o permutas financieras. Lo mismo ocurriría si pretendemos que un médico de medicina general explique las causas de la deficiencia de la mielina de los axones… cuando lo que se requiere es un neurólogo.

D. La finalidad del discurso

La finalidad del discurso será diversa en función de qué se trate en cada ocasión. Si nos referimos al ámbito del tribunal, la finalidad del pleito es ganarlo. Si se trata de mediar o de negociar, desearemos obtener el mejor acuerdo posible. La oralidad implicará una preparación previa exhaustiva y soltura para resolver, de manera espontánea, los imprevistos.

Según el momento de la comunicación, el destinatario y el tipo de mensaje, tendremos que ir modificando tanto los tiempos que empleemos como el modo de transmitir el contenido, sin olvidar, en ningún momento, la finalidad de la intervención.

Si se trata de una actuación ante tribunales, antes de comenzar un juicio, puede resultar conveniente interactuar ocasionalmente con el resto de letrados o procuradores. Ese acercamiento, ese saludo, cuando proceda o resulte atinado, puede contribuir a relajar el ambiente.

En un juicio, un letrado, por ejemplo, deberá tener la certeza de que su cliente comprenda claramente lo que ocurre; es una cuestión de claridad y de calidad del servicio a prestar y, también, de actitud y de generación de confianza. Para conseguirlo, resulta conveniente realizar un esfuerzo explicativo y utilizar términos comprensibles, es decir, sustituir las formulaciones complejas y los tecnicismos habituales, sin perjuicio de que, además, decida mencionárselos con el fin de que al cliente no le resulten ajenos. Con ello tendrá al cliente informado y satisfecho, ya que habrá comprendido lo que va ocurriendo y sentirá que además de resolver materialmente su asunto, está teniéndole verdadera y personalmente en cuenta.

Si se trata de un juicio, conviene que, en el momento inicial de su participación, ante el juez, usted resulte explicativo ya que la finalidad es centrar la cuestión.

Después, si nos hallamos, por ejemplo, en un interrogatorio, las preguntas que se formulen deben ser directas y claras de modo que la persona interrogada no dude sobre qué se le está preguntando. También debe variar al tono que se emplee; así es lógico que impere la seriedad, pero sin irritación, mordacidad o ironía; se trata de obtener respuestas, de ilustrar al tribunal, pero no de humillar ni herir.

Para saber si nos están comprendiendo, la reformulación es una técnica muy efectiva. Reformular no significa repetir sino más bien, volver a decir con otras palabras lo dicho de modo que se pueda entender mejor. Es un instrumento muy útil; así, si del rostro de nuestro interlocutor apreciamos que lo que acabamos de decir puede no haber sido comprendido en todo o en parte, resulta recomendable reformular lo expresado. Si nosotros no tenemos claro lo que nuestro interlocutor ha querido exponer, entonces podremos pedir que lo reformule, que nos lo explique, dejando patente que no hemos comprendido bien la finalidad de su explicación o un término empleado.

Hacia el final de un juicio, los asistentes al mismo, ya estarán suficientemente familiarizados con la terminología empleada y los hechos ocurridos, aunque, tal vez, convenga insistir en el significado de algún término o cuestión que, dada una posible complejidad, merezca la pena reiterar.

E. El registro lingüístico adecuado: lenguaje técnico y lenguaje coloquial

Aquí llamo la atención sobre la construcción de las frases por un lado, su estructura en general y, por otro, sobre la utilización de tecnicismos.

Si estamos conversando con un jurista, podemos y debemos utilizar los tecnicismos lógicos siempre que la otra parte esté familiarizada con esa parte del derecho de que se trate.

Cuando la conversación se produzca con una persona sin conocimientos de derecho, si de verdad estamos hablando de comunicación, solo cabe hacerlo del modo más explicativo y sencillo posible para evitar errores de comprensión y fallos. Esto implica prescindir de términos y expresiones difícilmente comprensibles. Es decir, si usted le comenta a una persona que no sea jurista que se ha dictado un auto o que debe plantear una declinatoria, esa persona no tiene por qué conocer el término auto ni el de declinatoria. Tendrá que decirle, en su lugar, que el juez ha dictado una resolución, en lugar de referirse al auto, o que va a intentar que el juez que lleve el caso sea otro distinto al que se ha hecho cargo inicialmente, en lugar de mencionarle la declinatoria. Otra opción igualmente válida y más completa es mencionarle los tecnicismos tras la explicación.

Las palabras polisémicas debemos emplearlas con precaución para evitar malentendidos. Un ejemplo es la palabra providencia; otra es deponer, etc.

Por otra parte, los juristas empleamos con tanta frecuencia las siglas, que terminamos utilizándolas también en lenguaje hablado y con cualquier persona, jurista o no. Como antes mencioné, si el interlocutor no es un jurista, olvídese de hablar con siglas como "LOPJ" o "TSJ".

En el supuesto de que debamos, por ejemplo, preparar a una parte, demandante o demandada, para un interrogatorio, explíquele bien las expresiones que pueda que no entienda y coméntele qué cuestiones podrán tratarse, para que vaya entendiendo qué ocurre y, de forma básica, qué actos se producirán en su presencia. Con ello conseguirá que pueda contestar con seguridad y sin temor a tratar un tema que desconoce, además de que el juzgador ahorre explicaciones que debieron producirse por parte del letrado con antelación.

Si la comunicación se produce en el despacho del juez y se da el supuesto de que invita a los letrados a negociar para llegar a un acuerdo, es aconsejable que todos empleen un lenguaje técnico pero muy sencillo y espontáneo, más relajado que el empleado en la sala de vistas del tribunal; se trata de llegar a un acuerdo.

Es interesante, igualmente, que no deje de tener en cuenta el posible nivel cultural de la persona con la que habla para intentar adaptar su discurso y hacerlo comprensible, es decir, que lo trate con atinada delicadeza. Tenga en cuenta que hablo de nivel cultural. Ahí incluyo el desconocimiento que podemos tener todos los que escuchamos a cualquier técnico, por ejemplo, un médico o un físico al que deba interrogar a propósito de sus informes periciales.

Existen numerosos términos, como estamos observando, que son fácilmente sustituibles para poder resultar más claros, en especial si ya resultan arcaicos. Sabemos que muchos se identifican con la cultura jurídica y existe cierto temor en la comunidad jurídica cuando nos escuchan a otros juristas hablar de la claridad. Una vez más y todas las veces que sean necesarias hasta que la idea cale, sostendré que no se trata de restar sino de sumar, de no expresarnos los juristas en un único registro (siempre técnico) sino en dos: el técnico y el no técnico, eligiendo bien, como nos enseñaron Aristóteles o Cicerón, a elegir con sabiduría cuándo debe utilizarse uno u otro. La palabra "Otrosí", por ejemplo, es un término arcaico; no obstante, también conforma una parte del escrito de demanda en forma de tradición consolidada; de acuerdo, pero en escritos. Si ese término lo utiliza en un discurso que ha de entender un lego en derecho, no le podrá comprender.

Expresarnos en tiempos que hoy día resultan poco frecuentes —y a los juristas parece que el futuro de subjuntivo, por ejemplo, nos brota con increíble facilidad (si faltaren diez días…; si hubiere sostenido la pretensión…)— nos alejan del interlocutor lego.

Utilizar reiteradamente los gerundios, en especial en formas compuestas, puede dar como fruto un discurso recargado y alejado de los tiempos actuales (habiéndose indicado por la ley concursal…).

Los latinismos, son frecuentes en el discurso jurídico, pero, hoy día, hay que optar, o por añadir su traducción o explicación, o bien por sustituirlos por palabras o expresiones de la lengua actual con quien no es jurista. Tenga en cuenta que, en la actualidad, los jóvenes que acceden al grado de Derecho, es decir, a los estudios jurídicos, en un número muy pequeño conocen el latín; por eso, también intentaría evitar los latinismos incluso entre juristas, o traducirlos salvo que sean conocidos por la generalidad de los estudiantes, como puede ocurrir con las palabras "habeas corpus" dado que existe una ley cuya denominación es esa y que tendrán que estudiar dentro del marco del proceso penal.

En última instancia, como sostiene JIMÉNEZ YÁÑEZ: un jurista "ha de conocer bien la propia lengua y las peculiaridades del lenguaje jurídico porque de su correcta expresión depende, en muchos casos, la justa solución de los problemas"[201].

Quiero insistir en que, cuando sugiero que se hable con lenguaje sencillo, eso no tiene que ver nada con la ramplonería ni la vulgaridad, sino con la sencillez estructural y terminológica; con un lenguaje que resulte directo, claro y sin circunloquios, esto es, sin rodeos y utilizando muchas más palabras de las necesarias que no supongan mucho más que florituras ampulosas del discurso. Mejor entrénese en un lenguaje personal, directo y claro, persuasivo y elegante.

F. Estilo oratorio

Por último, en cuanto al estilo oral, hay textos que recomiendan cuestiones básicas a la hora de definirlo[202] con aspectos relativos a la puntuación, al vocabulario y a la construcción de frases.

La puntuación en el lenguaje verbal. Aquí no hablamos de frases sino de respiración. Con la voz, su flujo, sus paradas, la entonación, se logra poner la "puntuación" al discurso. Recomiendo leer en voz alta para practicar por constituir un excelente ejercicio que le servirá para acostumbrarse a "puntuar" cuando hable también.

El vocabulario. Si en el lenguaje escrito contamos con tiempo de reflexión que nos permite evitar repeticiones, encontrar el sinónimo adecuado, la palabra justa, y el vocabulario es variado y rico con reglas ortográficas determinadas, en el lenguaje oral es distinto porque los sinónimos no vienen rápidamente a la mente, el número de palabras disponibles al momento es más restringido, etc. Solemos utilizar, en su lugar, ciertas palabras, como: "bien", "entonces", "eh", que nos proporcionan un pequeño tiempo de reflexión. Cuidado con ello para evitar las muletillas que afean el discurso.

La construcción de frases. El tiempo de relectura permite modificar el encadenamiento de las frases en lenguaje escrito. Si se trata de

---

[201] JIMÉNEZ YÁÑEZ, R.M., *Escribir bien es de justicia*, Thomson Reuters Aranzadi, 2ª ed, Cizur Menor, (Navarra), 2016, p. 17.

[202] CHARLES, R. y WILLIAME, C., *La communication orale*, Nathan, Condé-sur-Noireau (Francia), 1988, p. 12.

lenguaje oral, la palabra se elabora en el mismo momento en que se pronuncia. Si usted utiliza frases largas, es bastante probable que su interlocutor —incluso usted mismo— pierda el hilo del discurso.

4.3.3. *Elementos distorsionadores de la eficacia del mensaje y soluciones*

Si nos fijamos en los errores detectados por algunos autores al tratar la comunicación, no tanto la jurídica en especial, como en general, comprobaremos, que muchos de ellos son extrapolables a la comunicación jurídica en particular.

Así, para Campo Vidal, los pecados capitales del mal comunicador son: la improvisación, la falta de escucha, el descontrol del tiempo, la arrogancia, no saber empezar ni saber terminar; descuidar la comunicación no verbal y el déficit o exceso de emoción[203].

Al mismo tiempo, y una vez diagnosticados los problemas, el mismo autor nos ofrece unos claros consejos para evitarlos[204]:

- Concentración;
- Conozca antes el escenario de la comunicación;
- Vocalice bien;
- Lo que tenga que decir, dígalo pronto y claro;
- Brevedad;
- Mire al interlocutor a la cara;
- Identifique al receptor y entérese a quién le habla;
- Ante la duda, sencillez y naturalidad;
- No se preocupe tanto por las preguntas y prepare sus respuestas;
- No mienta (no es rentable), y
- No olvide el protocolo previo.

Ahora, en particular, queremos destacar ciertos errores del ámbito jurídico que pueden solucionarse, sencillamente, con atención, voluntad y decisión.

---

[203]   Campo Vidal, M., *¿Por qué los profesionales no comunicamos mejor?*, RBA, Barcelona, 2011, p. 35.
[204]   Campo Vidal, M., *¿Por qué...?*, cit., pp. 142 y ss.

4.3.3.1. La falta de preparación

Es un tipo de error que suele tener origen en dos motivos: la falta de tiempo o el exceso de confianza. Ninguno trae consecuencias positivas, pero si bien el primer motivo puede resultar excusable en ciertas ocasiones, el segundo, el exceso de confianza, no lo es nunca. No preparar una intervención por el hecho de pensar que ya se conoce bien la materia y que no importan cuestiones como la información acerca del lugar de exposición, las partes implicadas y las que podrán asistir y otras circunstancias, no se debe a otra cosa distinta que a una sobre estimación de sus posibilidades.

Prepararse a conciencia y con tiempo es esencial para cualquier ámbito de la vida, y en una intervención oral, si cabe, más, dado que, en buena medida, hay que permanecer bien alerta para resolver y sobrellevar posibles sorpresas e imprevistos, a diferencia de lo que se formula y se resuelve por escrito.

4.3.3.2. No mantener la atención de los escuchantes y no tener en cuenta la utilización de recursos que ayuden a la comprensión

En la mayoría de las ocasiones, cuando comenzamos a hablar, la atención se mantiene sobre nosotros. En, relativamente, poco tiempo, esa atención disminuye y esto ocurre por múltiples factores que pueden tener relación con el contenido o con la forma de exponer; así, puede que usted aporte demasiada información sobre un asunto (en exceso) o a causa de su entonación (voz que resulta demasiado lineal), por cansancio (de una o más partes), falta de consistencia de su discurso, el sonido de un móvil, la entrada o salida de personas en una sala, etc. Todas son cuestiones que pueden conllevar la temible "desconexión" por falta de escucha atenta.

Prever posibles causas de la falta de atención del escuchante o escuchantes y poner remedio a tiempo, es algo de lo que tenemos que ocuparnos antes de que llegue el momento de intervenir y trabajarlo durante nuestra intervención. Además de ser claros y concisos, utilizar recursos sencillos como pueden ser la variación del tono, ofrecer únicamente la información precisa en cada ocasión, parar levemente cuando se está hablando (solo unos segundos y permanecer en silencio), pueden romper la monotonía de un discurso y volver a atraer la atención.

Por otra parte, suele prepararse un discurso teniendo más en la mente a uno mismo que a las personas que van a escucharlo, es decir, al público objetivo que tendremos en cada ocasión. Como ya hemos indicado previamente, no deje nunca de tomar en consideración quién es el receptor para adecuar tanto el fondo de lo que diga como la forma en la que lo exprese.

Quien le escuche debe poder seguirle con facilidad en el sentido de que está entendiendo lo que dice y de que puede hacer una composición mental de la línea argumental que usted explica. Para tomar conciencia de ello, intente empatizar con los escuchantes, es decir, ponerse en el lugar de quien le pueda o vaya a escuchar y tratar de pensar cómo se recibirá tal o cual información.

Además, resulta adecuado que reitere la información más relevante, el mensaje que verdaderamente deba "calar", cuando su intervención pueda contener muchas cuestiones dispares y pudiera perderse la esencia del mensaje en un mar de datos.

Utilizar recursos que favorezcan la asimilación de conceptos resulta conveniente. Se trata de que podamos lograr utilizar el máximo número de canales posibles para que la información llegue.

Ya se comentó que la programación neurolingüística nos aconseja utilizar recursos visuales, auditivos y emocionales para lograr mayores posibilidades de asimilación de lo que queramos transmitir. Si para explicar el tamaño de un terreno, pongo por caso, no he podido obtener una fotografía para mostrarlo visualmente, tengo que conseguir que se pueda visualizar mentalmente. Ello se puede lograr teniendo en cuenta semejanzas conocidas, es decir, puedo indicar que es tan grande como un campo de fútbol o como la Comunidad de Madrid. Si yo empleo estas semejanzas, quien me escuche o me vea, sabrá a qué me refiero con bastante exactitud, mucha más que si le hablo en términos de "muy grande". Consigo concreción desde la abstracción. Y ello ocurre con otras cuestiones que no se dominan, como pueden ser costes expresados en florines húngaros, que, sin investigar el cambio no me sugieren ninguna cantidad, pero que si me los traducen a euros, la abstracción deja de serlo.

Por otra parte, como apunta O~LIVER~ [205] según un conocido estudio[206], el porcentaje de retención del material presentado, aumenta significativamente cuando el mensaje verbal se apoya en un elemento visual (fotos, gráficos, etc.). De hecho, se retendrían mejor los mensajes visuales que los estrictamente verbales. En definitiva, sume formas de transmisión como lo visual con lo auditivo y lo emocional y tendrá muchas más posibilidades de éxito en la recepción y comprensión de lo que comunique.

4.3.3.3. Complejidad e indeterminación innecesarias

Lo complejo no ayuda. Y más cuando, como suele, es innecesario. Por favor, olvide formulaciones como las de la pregunta: ¿No es más cierto que…? No conseguirá otra cosa, a menos que esa sea su intención, que confundir a quien se lo pregunte, porque, tendrá dudas acerca de las consecuencias de contestar en positivo o en negativo. Haga la pregunta directa: ¿estuvo allí? Es clara. O estuvo o no estuvo, pero ¿no es más cierto que usted no estuvo allí? Sigo escuchándolo hoy día de modo reiterado en nuestros tribunales.

Termine las frases siempre. No suponga que su interlocutor terminará mentalmente la frase del mismo modo que usted lo haría de haberlo dejado a medias. Si se trata de una situación coloquial, puede resultar comprensible que no finalice las frases, tal vez porque emplea refranes que son conocidos, bien, pero tratándose de cuestiones jurídicas, no lo deje a la imaginación: hable, explique y finalice su mensaje.

Lo más importante: imponga la brevedad y la claridad. Para ello, resulta fundamental no alterar el clásico orden: sujeto, verbo y predicado (o complementos). Así de claro.

4.3.3.4. Los nervios

Trato aquí diversas cuestiones relativas al tema: desde la producción hasta el control de los nervios.

---

[205] O~LIVER~ E~RIC~, *Facts Can´t Speak for Themselves,* NITA (National Institute For Trial Advocacy), Chicago, Illinois, USA, 2005, p. 68.

[206] Se refiere a esta obra: H~AROLD~ W~EISS~ and J.B. M~CGRATH~, Jr., *Technically Speaking: Oral Communication for Engineers, Scientists and Technical Personnel* (New York: McGraw-Hill, 1963).

4.3.3.4.1. El origen de los nervios

Sentir inquietud o estar nervioso antes de realizar una intervención, ya sea ante un tribunal, en una reunión o en otro ámbito, es habitual además de lógico. Se trata de un momento en el que estaremos expuestos ante una o muchas personas y, por añadidura, juzgados, tanto por las demás partes afectadas como por las personas que en última instancia puedan, en su caso, tomarlo en consideración o incluso tomar decisiones. Cierto grado de nerviosismo es una consecuencia natural en algunos momentos, como cuando exponemos en público.

Lo que tenemos que llegar a dominar son esos nervios para que la exposición que se haga pueda resultar clara, comprensible y convincente, es decir, para conseguir nuestro objetivo.

Se suele hablar de zona de seguridad personal para hacer referencia al conjunto de situaciones en las cuales una persona se desenvuelve con naturalidad, pudiendo analizar los problemas con calma y aplicando soluciones de forma lógica y racional.

Todos tenemos nuestro propio espacio de seguridad. El problema surge cuando hay que afrontar situaciones más allá del mismo. Para un jurista, hablar ante un grupo de personas, un tribunal, o un jurado (para, por ejemplo, proceder al interrogatorio de un testigo o plantear una argumentación jurídica compleja) debería ser parte de su zona de seguridad.

Aconsejan, con acertada visión, García Ramírez y Ortas Gigorro[207] que no utilicemos expresiones como "yo no valgo para hablar en público", o "yo soy negado para…" porque nos autolimitamos, sin necesidad, y nos impedimos a nosotros mismos avanzar y superar estas barreras. Deberíamos utilizar en su lugar frases como "me cuesta…", porque, con ello, ampliamos la mente de modo que nos permitimos adquirir y potenciar nuestras habilidades comunicativas.

Pero no suele ocurrir así, y en especial, aunque comprensiblemente, en el caso de juristas que afrontan sus "primeras veces" ante una situación.

---

[207] García Ramírez, J, y Ortas Gigorro, S., *Comunique en público eficazmente aprendiendo a controlar sus nervios*, 2ª ed. Rasche, Colex, 2009, p. 40.

Todo tiene remedio. Aunque solo fuera por el paso del tiempo, la práctica y la experiencia, conseguiría llegar a habituarse a hablar en público, por ejemplo, y perder esos temores iniciales. Lo ideal es no tener que esperar a que el tiempo solucione cuestiones que, fundamentalmente dependen de su voluntad, de su esfuerzo y que pueden llegar a dominarse tempranamente para evitar situaciones tan desagradables como aquellas en las que se produce el miedo escénico y en las que podemos quedar desde paralizados a bloqueados temporalmente o a perder el "hilo" del discurso y arruinar nuestro objetivo. Se trata a continuación.

4.3.3.4.2. El miedo escénico

El miedo escénico puede definirse como una serie de reacciones involuntarias del cuerpo humano, de carácter intenso, provocadas por el hecho de tener que hablar o actuar en público[208].

Lo primero que debemos tomar en consideración es que tener miedo a hablar en público es natural, frecuente y normal. Como afirma MARTÍNEZ SELVA[209], cuando se realiza una encuesta para preguntar cuáles son los miedos más comunes, uno de los que encabeza la lista es el miedo a hablar en público, incluso antes que el miedo a la muerte, a volar, a nadar sobre aguas profundas o a las alturas. Por añadidura, numerosos y experimentados oradores han sentido miedo en alguna ocasión, en especial antes de sus intervenciones.

Partiendo de la normalización del temor ante esta situación, retomamos el análisis del concepto. Por partes, se puede entender mejor el fenómeno psicológico del que estamos hablando y sus posibles soluciones:

– Se trata de una reacción involuntaria: el miedo escénico sucede porque, por alguna razón, el organismo comienza a actuar de tal forma que al orador no le resulta posible controlarlo. Este es el inicio de una

---

[208] Esta explicación proviene del *Memento Práctico, Acceso a la abogacía*, 2016-2017, Francis Lefebvre, en pp.342-343, en la parte de "Oratoria", por Francisco Valiente Martínez y Cristina Carretero González.

[209] MARTÍNEZ SELVA, J.Mª, *Manual de comunicación persuasiva para juristas: (marketing de servicios profesionales, oratoria forense, técnicas de negociación)*, 2ª ed. La Ley, 2008, p. 249.

espiral que, al menos, podemos intentar reconocer, y con el tiempo, controlar.

– Frecuentemente tiene carácter intenso: solo estamos ante una situación de miedo escénico cuando la tensión natural del momento degenera en temor, temor a ser juzgados (y, por añadidura, rechazados). La consecuencia es que el orador no es capaz de desarrollar todo su potencial y su actuación no cumple sus expectativas ni los objetivos marcados.

– Se trata de un fenómeno psicológico: no hay ninguna razón física por la cual las personas podamos entrar, físicamente, en este estado. La sudoración, los titubeos, los temblores, el sonrojo y el resto de manifestaciones equiparables, no se deben a una enfermedad o a malestar físico, sino a un proceso mental ajeno a la voluntad de la persona.

– Si nos encontramos así, es por tener que hablar o actuar en público: este hecho es lo que causa lo aquí expuesto. El temor no llega sólo en el momento de intervenir ante ese público, sino que incluso puede darse previamente al pensar en el momento en el que haya que hablar o actuar.

El miedo escénico tiene varios tipos de manifestaciones o síntomas que lo reflejan y que, en ocasiones, pueden impedir al orador actuar conforme a sus previsiones. Estas manifestaciones son de tres tipos:

– Físicas: tartamudeo, sonrojo, sudor en la cara y las manos, temblores en las manos y las piernas (al estar sentados), deseo de ir al baño…

– Cognitivas: bloqueo mental, dificultades para concentrarse, falta de atención…

– Conductivas: silencios incómodos, deseo de huir, reacciones ariscas…

Algunas sugerencias para controlar el miedo son las siguientes[210]:

– Conocer profundamente el tema a tratar. Es lógico pensar que cuanto más se haya preparado un tema, mayores serán los conocimientos del

---

[210] Igualmente, como se ha manifestado anteriormente, parte de estas explicaciones provienen del Memento Práctico, Acceso a la abogacía, 2017-2018, Francis Lefebvre, en pp. 343-344 (autores en la parte de "Oratoria": Francisco Valiente Martínez y Cristina Carretero González).

orador. Dicho de otro modo, cuando un orador sabe que su preparación no es la adecuada, estará siempre temiendo que sus lagunas
queden al descubierto. Esto es una evidente fuente de inseguridad
que sólo puede corregirse de una forma: con una preparación previa exhaustiva y trabajo. Los nervios pueden llegar a controlarse, pero
ello no solucionaría el problema de fondo ni cubriría las lagunas.

- Ensayar previamente. El jurista, con gran frecuencia por su profesión,
  tiene que hablar o leer documentos en voz alta. De hecho, es menos
  frecuente en la práctica jurídica española tener que improvisar. El
  ensayo es esencial, tanto si se habla con dos personas como si se da
  un discurso ante un auditorio. Realmente, la lectura en voz alta es un
  excelente ejercicio para ensayar cómo hacernos entender mejor y su
  entrenamiento resulta totalmente recomendable. Al leer en voz alta,
  nos obligamos a escucharnos a nosotros mismos, a ser capaces de
  detectar posibles fallos y a buscar recursos para mejorarlos.

  Lo ideal es que alguien pueda escucharle y hacer crítica constructiva de su lectura. Si no puede contar con otra persona que le ayude,
  cuente consigo mismo. Si yo hago una crítica objetiva de mi propia
  lectura, puedo intuir, por ejemplo, si mi tono resulta adecuado en cada momento y para cada contenido, si leo muy rápido o muy lento y
  que ello pueda implicar incomprensión en el primer caso y cansancio
  y desconexión en el segundo, observar la capacidad de mi voz para
  prever si en una sala amplia se me escuchará bien, etc.

- Hacer uso de tranquilizantes naturales. Beber agua, nada más natural, tiene un efecto calmante. Por ello, y por hidratación, es conveniente que tengamos siempre a mano una pequeña botella de
  agua. En algunos lugares en los que tengamos que exponer puede
  que dispongamos de agua en la mesa o atril, pero no siempre ocurre. Es conveniente haber bebido un poquito antes de comenzar a
  hablar, porque despeja y consigue que fluya mejor el discurso, ana-
  tómicamente hablando. Y me he referido al agua, porque, aunque
  podríamos pensar en otros productos como los habituales que contienen teína o cafeína, no son los más adecuados si ya hay nervios
  porque contribuyen a aumentarlos (salvo que no haya descansado
  suficientemente y prefiera tomar algo que le mantenga más alerta).
  Como detalle, tenga cuidado al servir el líquido, sea cual sea, ya que

los nervios pueden jugar una mala pasada si se intenta servir uno mismo la bebida mientras habla y está nervioso, porque puede derramar el contenido o tirar la copa o el vaso por la mesa o el suelo, con el consiguiente estrépito y el aumento, precisamente, del nerviosismo por esa causa. En consecuencia, vierta el agua antes de su intervención y ahorrará sorpresas.

- La respiración. Cuando respiramos profunda y lentamente, nos calmamos. Controlar la respiración, su ritmo, depende de nosotros y es importante para provocar relajación. Si, cuando vayamos a intervenir oralmente, notamos cierto nerviosismo, respirar previamente de este modo, lento, profundo y durante un tiempo (bastan unos minutos), contribuiremos a disminuir la inquietud.

- Visualizar la situación con antelación. Cuando debamos participar en un acto, el hecho de imaginar las circunstancias en las que puede producirse resulta práctico, y más si nuestra actitud es positiva. Si conseguimos pensar en nosotros mismos de forma que nos "veamos" teniendo éxito en nuestra tarea, será más fácil que consigamos acabar teniéndolo, por imitación y tendencia hacia esa previsualización positiva.

- Además, recuerde que el cerebro, en situaciones como esta que describimos, con miedo, una de sus zonas, concretamente la amígdala, se activa a su máxima potencia y toma el mando de los recursos del resto del cerebro, obligándolos a atender la situación que acaba de presentarse. Cuando la amígdala está activa, los recuerdos se almacenan con más riqueza de detalle que en circunstancias normales, ya que se ha activado un sistema de memoria secundario[211].

4.3.3.5. Los imprevistos

Ante los imprevistos, actuemos según el momento. Solo el hecho de tenerlos en cuenta, nos alertará y nos preparará para observar detalles con antelación que de otro modo nos pasarían por alto. Por eso, el ejercicio de intentar prever los posibles contratiempos ya es una garantía. Más adelante, y

---

[211] EAGLEMAN, D., *El cerebro*, Anagrama, Barcelona, 2017, p. 85.

ya durante su intervención, intentar conservar la calma y actuar con sentido común es lo más aconsejable.

4.3.4. Sugerencias para evitar errores frecuentes

- Prepare con tiempo su discurso y hágalo profundamente.
- Estructure el discurso. Recuerde que toda disertación o charla, como ocurre con los escritos, tiene varias partes, una introductoria, otra con el cuerpo del mensaje y otra con una y destacable parte final en la que conste qué solicita o qué decide. Cada parte, por tanto, tiene una función distinta y deberíamos adecuar el discurso a esos fines.
- Intente no leer. Memorice todo lo que pueda, cuando no deba leer literalmente y apóyese en un esquema que tenga siempre a la vista (en un folio o dispositivo, como ya se ha comentado) para evitar bloqueos o pérdidas en el discurso.
- Ensaye. Y si puede, que sea en el contexto más parecido al real y con algún tipo de público que le pueda ofrecer su crítica.
- Prever posibles reacciones de las partes que le puedan escuchar y que deban o puedan intervenir. Empatice con ellos. Para ello, escuche activamente, para poder reaccionar y responder según sus intereses.
- Conserve la serenidad e intente no alterarse. Si en alguna ocasión ha perdido los nervios y ha podido faltarle el respeto debido a alguna persona, no lo dude, discúlpese.
- Céntrese en su discurso, no divague y no realice circunloquios ni repita lo ya dicho, a menos que quiera insistir, a propósito, en una idea, pero que sea importante.

4.3.5. Oratoria en tribunales

4.3.5.1 Cuestiones generales de la oratoria en tribunales

Explica MAJADA[212] que, en Derecho, con el plan de estudios de septiembre de 1845, se fundó una cátedra llamada "Estilo y elocuencia con aplicación al

---

[212] MAJADA, *Técnica del informe ante los tribunales,* Bosch, Barcelona, 1982, XII y XIII.

Foro", que, por cierto, se suprimió más tarde, tal vez porque se pensó que en la de "Procedimientos judiciales y práctica forense", podría tener cabida la enseñanza a que estaba aquélla dedicada. El procesalista FÁBREGA, protestó contra esta denominación oficial de la asignatura y reconoció, por una parte, la necesidad de encomendar a los alumnos trabajos de índole práctica sobre asuntos reales, y, por otra, le resultaba indispensable la Oratoria como complemento del Derecho procesal.

Pues bien, hoy día las carencias en la formación en oratoria están patentes en las actuaciones de muchos juristas en los tribunales. Solo las generaciones más jóvenes, debido a ligeras modificaciones progresivas en los planes de estudio de las facultades de Derecho, están recibiendo nociones sobre oratoria en general y oratoria en los tribunales en particular. En mi opinión, aunque no se reciban aun clases de oratoria en tribunales de manera habitual en asignaturas troncales y con un número de créditos relevante (como se deberían recibir también específicamente las de redacción jurídica) vamos mejorando con respecto a años anteriores a base de asignaturas optativas en unos casos y de tímidos complementos de asignaturas troncales en otros. El panorama, aunque lento, es esperanzador.

Las características que más nos interesan destacar como deseables en la oratoria de tribunales, pueden resumirse en los siguientes apartados:

4.3.5.1.1. Claridad, concisión y precisión

Como se ha apuntado con anterioridad, la claridad debe constituir prácticamente una exigencia.

Ya sostuvo Aristóteles que tendríamos que definir la claridad como "una virtud de la forma de hablar (buena señal de ello es que si un discurso no demuestra algo, no logrará su objetivo), que no debe ser ni ramplona ni excesivamente elevada, sino la adecuada"[213].

Esto nos lleva a reflexionar acerca de cuál ha de ser el registro adecuado, ya que, según elijamos, influirá de manera proporcionalmente directa en esa claridad. Recomiendo, como en otros casos, la modificación del registro oral en función del destinatario, del momento y de la intención. Sabemos que es

---

[213]   ARISTÓTELES, *Retórica*, Alianza, Madrid, 2009, p. 241.

muy distinto dirigirse al juez, a un cliente o a un testigo en sala. En el primer caso, el lenguaje deberá contener todos los tecnicismos propios del momento procesal y en el segundo caso, clientes o testigos, intentar evitarlos.

Afirma Briz[214], con gran acierto, que el ciudadano medio no suele comprender el lenguaje técnico, porque no le es familiar; por eso no suele entender el léxico jurídico. No obstante, los profesionales tienen tendencia a utilizar, con mayor frecuencia, términos y expresiones técnicas que resultan opacos y crípticos para el lego en la materia, que es el afectado o el implicado, el que tiene que saber qué está ocurriendo. Por eso, dice el autor, en lugar de utilizar expresiones como:

 – existe una "*corroboración periférica…*";
 – mejor diga: "tenemos un testigo…". Más claro, ¿verdad?

Por otra parte, la precisión y la concisión significan evitar divagaciones e ir directamente a la cuestión a tratar, y hacerlo sin ambigüedades ni circunloquios. Una cosa es situar una acción en un determinado contexto y otra, bien distinta y rechazable, es terminar tratando cuestiones impertinentes o inútiles.

Necesitamos hacernos entender y conseguir mensajes inteligibles igualmente. Hacerlo con eficacia es lo ideal.

Con el sugerente título: "*Los Árboles contra el Bosque*" (haciendo alusión al dicho: "no dejes que los árboles te impidan ver el bosque"), Eric Oliver[215] nos advierte de los peligros de confundir lo específico con lo detallado; por ello hay abogados que temen omitir datos relevantes y descienden, demasiado, a niveles de minucia cuando están intentando resultar claros acerca de la versión de su cliente. Tendríamos que imaginarnos tratando de seguir un relato en el que nos han hablado, en un caso, por ejemplo, de negligencias médicas, nombrando media docena de instrumentos médicos, después de otros doce términos de anatomía —muchos de ellos, latinismos— y otros etiquetados como médicos y que suenan extraños. Esto supone escuchar un discurso para el que hay esforzarse en seguir y que puede resultar, básica-

214   Briz, A. y Grupo Val.Es.Co, "El discurso judicial oral a partir de un análisis de corpus", Hacia la modernización del discurso jurídico, (Montolío Durán, E., Ed.), Publicacions i Edicions, Universitat de Barcelona, 2012, p. 51.
215   Oliver, Eric, *Persuasive Communication. Twenty five years of teaching Lawyers*, Trial Guides, LLc, Portland, Oregon, 2009, p. 47.

mente, impenetrable para quien deba formarse una idea de qué ha podido ocurrir y cómo.

Merecerá la pena, por el contrario, dejar muy claros los contenidos imprescindibles y escoger muy bien lo que tenga carácter secundario.

4.3.5.1.2. Orden del discurso

Tras "inventar" o pensar en una idea, (inventio), el paso siguiente es determinar el orden de sus elementos, regla básica de formidable relevancia para la comprensión.

Según el momento en que nos hallemos, así habremos de ordenar nuestro discurso. En todo caso, al igual que ocurre en la mayoría de los escritos procesales, en la oratoria de tribunales es lógica una breve introducción de las cuestiones a desarrollar con posterioridad. Después se relatará el cuerpo del mensaje que contenga una relación de los hechos, el derecho aplicable a los mismos y, al final, una petición o decisión en forma de conclusión.

Particularmente, hay fases, como la de la audiencia previa en los procesos civiles, o la de conclusiones, en general, en las que, ciertos factores como la brevedad y la precisión deben tenerse siempre en mente.

No hay muchas actividades que puedan "cansar" más a los jueces (por no mencionar al resto de personas presentes), que unos informes o unas conclusiones desproporcionados en tiempos o que parezcan ideados para un supuesto lucimiento personal; ello provoca las interrupciones de los jueces con un: "concluya por favor letrado" (bastante común en nuestras salas) y las miradas a los relojes, o lo que es peor, a esa reprochable (pero comprensible) solicitud, de algunos jueces, de que se presenten las conclusiones por escrito.

A propósito, exprese siempre alguna frase indicativa de que ha finalizado su intervención para evitar que el juzgador tenga que preguntarle si lo ha hecho o no.

4.3.5.1.3. Juicios con Jurado

Muchos de los ciudadanos elegidos para ser jurado experimentan cierta ansiedad fruto de la responsabilidad que recae en ellos, básicamente por el desconocimiento de sus cometidos y por dudar de sus capacidades para entender todo lo que sucede y hacerlo correctamente.

Tenga en cuenta que el jurado es, en cierta medida, influenciable. En un mundo globalizado con cercanía a las informaciones rápidas, tecnológicamente hablando, y a las redes sociales, es complicado conseguir la abstracción de todo lo que nos rodea. Si actúa en un juicio del que hay comentarios o artículos en los medios de comunicación o redes sociales, debe, con sus explicaciones, recordarle al jurado (también lo debería hacer quien haga las funciones de magistrado-presidente) que lo mediático del caso debe permanecer fuera de la sala y que son ellos, únicamente, quienes conocen directamente el caso. Al fin y al cabo, como ya he comentado en alguna ocasión (CARRETERO GONZÁLEZ[216]), la mayoría de las personas tienen conocimiento de lo que ocurre en los tribunales por los medios de comunicación.

Si desea que los miembros de un jurado puedan sentirse más cómodos, relajados y tranquilos, cuenta con un recurso sencillo: ofrecer todas las explicaciones necesarias para que puedan comprenderle sin grandes esfuerzos. Parte de esa responsabilidad recae en el magistrado-presidente, de acuerdo, pero otra parte, en los letrados. Aquí los esfuerzos por acercar el lenguaje al ciudadano deben ser aún mayores.

Hay momentos en los que esa cercanía ha de ser especialmente notable. Esto ocurre, por ejemplo y de modo muy claro, en el momento del informe oral. Como afirma VALERO ROMERO[217] "la presencia de rasgos coloquiales en la textualidad argumentativa del informe oral obedece a una estrategia discursiva que se manifiesta en la selección de recursos conversacionales con una finalidad comunicativa concreta. Estos recursos reducen la formalidad y ubican el registro en la periferia de lo formal o, incluso saltan hacia la escala de lo coloquial". Todo en aras de obtener esa cercanía a un jurado que le va a entender mejor en estos términos coloquiales que si utiliza un registro más formal, del que se sentirá más alejado.

Por otra parte, apunta ERIC OLIVER[218] que incluso los jurados que votan a favor de una teoría no tienen la misma reconstrucción mental de la misma, y

---

[216] CARRETERO GONZÁLEZ, C. (Dir.), *El Derecho en los medios de comunicación*, Thomson-Reuters Aranzadi. Cizur Menor, Navarra, 2013, p. 101.

[217] VALERO ROMERO, M.A., *La argumentación lingüística en los juicios con jurado*, Tirant lo Blanch y PUV, Valencia, 2018, p. 246.

[218] OLIVER, ERIC, *Persuasive Communication...*, *cit.*, pp.91 y ss.

las teorías que tienen pueden presentar numerosas similitudes con las versiones ofrecidas por el abogado o los testigos al presentar el caso, pero también pueden diferir de modo significativo. Por ello, indica que al aprender cómo elaborar el argumento del caso, es importante dejar atrás la antigua noción de que los hechos hablan por sí mismos ya que, por sí mismos, ofrecen poco. Será usted, por el contrario, el encargado de instalar en el cerebro de quien le escuche unos hechos detrás de otros.

El autor aconseja, con el fin de conseguir que quienes han de decidir reconstruyan el caso del modo en el que deseamos ofrecerlo, que se tengan en cuenta diversas cuestiones como:

- Invitar a formarse una idea del caso, más que pretender insertar o introducir directamente las ideas; en consecuencia, mejor lograr que se infiera (que se saquen conclusiones), más que ofrecer directamente una determinada explicación.

- Tener en cuenta la importancia de los inicios y no dejarlo todo para las conclusiones, porque la mente va captando todos los detalles desde el primer momento.

Otras cuestiones que pueden resultar de utilidad son las que siguen. Cuando se dirija al jurado, recuerde acompañar su discurso con otros recursos como fotografías, gráficos, esquemas, o aquello que suponga aligerar una narración que puede resultar más fácilmente comprensible con estos sencillos recursos.

Por lo que a la actitud física se refiere, recomiendo mirar a los jurados con atención, pero sin insistencia, haciendo una especie de "barrido con la mirada" para observar a cada uno de ellos, a todos en definitiva, pero sin detenerse en especial en uno en particular.

Recuerde vocalizar correctamente, variar el tono y el ritmo, más rápido o más lento, en función de la atención que necesita, y observe las miradas de los miembros del jurado.

No olvide que la terminología que utilice debe ser comprensible (ofreciendo todas las explicaciones necesarias).

Cuide la extensión de su discurso para evitar fatiga por escucha (desconexión o sueño por aburrimiento).

Finalmente, el ensayo es vital; por lo tanto, ensaye siempre y cuanto más, mejor.

4.3.5.2. El interrogatorio en particular

He dedicado un apartado tanto al interrogatorio en este punto, como, a continuación, al informe oral, porque son dos de los momentos, en los que, a mi juicio, resulta especialmente interesante la oratoria empleada en ellos.

El interrogatorio está contemplado en la Ley de Enjuiciamiento Civil — LEC— (evito referirme, en general, a otras leyes de enjuiciamiento porque esta es la que resulta de aplicación subsidiaria al resto y la que ofrece una completa regulación del mismo). Se trata de uno de los medios de prueba en los que la fuente es una persona, y me voy a referir al interrogatorio de la parte (la parte contraria, en principio) y a los testigos en un juicio.

En ese interrogatorio se formulan preguntas destinadas a obtener respuestas que, debidamente formuladas en fondo y forma, tendrán mayor o menor éxito para conseguir lo que esperamos.

A continuación, vemos, fundamentalmente, las preguntas y se hace mención a las respuestas.

4.3.5.2.1. Las preguntas

A. Formulación

La LEC contiene ciertas exigencias con relación a las preguntas que pueden hacerse en juicio, de este modo:

"Las preguntas del interrogatorio se formularán oralmente en sentido afirmativo, y con la debida claridad y precisión. No habrán de incluir valoraciones ni calificaciones, y si éstas se incorporaren se tendrán por no realizadas (art. 301.1 LEC)".

– Esto supone, en primer lugar, y con relación al sentido afirmativo, que la norma rechaza preguntas formuladas en sentido negativo.

Es lógico. Recuerdo las caras de los interrogados ante preguntas en sala del tipo: ¿No es más cierto que no sabía…? o peor, ¿no es menos cierto que no sabía? La verdad es que el interrogado no sabía con exactitud ni qué se preguntaba, y menos aún en qué sentido debía contestar para decir lo que se tenía que decir; y no por desconocer un contenido determinado, sino por temer las consecuencias de hacerlo incorrectamente al contestar preguntas formuladas con dichas expresiones. En ocasiones, cuando los interrogados se atrevían, preguntaban, con algo de confusión: ¿si digo que no es menos cierto... es como si dijera que es cierto?, y otras preguntas que denotaban inquietud cuando no desconcierto absoluto.

– Después exige la ley que se pregunte con claridad y precisión.

Hay preguntas, lo hemos comprobado en demasiadas ocasiones, que reúnen, sin pudor, tanto la oscuridad como la imprecisión. Estas preguntas deben ser objeto de protesta si no es el mismo juez quien las rechaza. Claro es sencillo y comprensible; preciso es concreto.

En este sentido, ABEL LLUCH[219] indica que esta exigencia "...comporta que las preguntas se formulen de modo comprensible y que cada pregunta incluya un solo extremo o hecho". Si la pregunta, por el contario, comprende varios hechos al tiempo, antes de rechazarse por el juez, se debe permitir, como indica el autor, que se reformulen.

Es decir: si un letrado pregunta algo como lo siguiente, generará ciertas dudas:

"¿Es cierto que es usted era el propietario de la finca, que usted la había adquirido por herencia y que pleiteó por ella con su hermano?"

Aquí se demandan tres cuestiones al declarante:

• Saber si le pertenecía la propiedad;
• Saber si la propiedad provenía de una adquisición por herencia; y
• Saber si había pleiteado por dicha propiedad con su hermano.

En consecuencia, se debería pedir rectificación de la pregunta para que se hicieran tres y no una.

– Las preguntas, no deben ser, por otra parte, objeto de valoraciones ni de calificaciones.

Si fueran objeto de valoraciones o de calificaciones, no se trataría de preguntas, sino de peticiones de adhesión a la valoración de quien interrogue o intentos de manipulación del ánimo del interrogado.

---

[219] Cit. p. 54.

Hay que tener en cuenta, como advierte ABEL LLUCH[220], que las califi-caciones se tienen por no realizadas, sí, pero en el momento en el que se formulan, se escuchan ya por la parte interrogada, a la que ya se ha podido sugerir una posible respuesta. Cuidado.

- El tribunal tendrá que comprobar que las preguntas se correspon-den con los hechos sobre los que el interrogatorio se hubiera ad-mitido y la decisión sobre su admisión [...], (art. 302.2 LEC).

Por eso, es muy importante que las preguntas resulten pertinen-tes, recordando también que el juez puede invitar al letrado a re-formular la pregunta antes de declararla impertinente, así como a solicitar aclaraciones y adiciones, razón por la cual la pregunta debe ser clara desde el inicio para evitar el riesgo de malentendi-dos y de "pérdidas de hilo" del contenido de las respuestas[221].

Para el mencionado autor[222], el hecho de que las preguntas deban ser relativas a los hechos del juicio, "excluye solicitar de la parte inte-rrogada cuestiones jurídicas o de juicios técnicos, salvo que la parte interrogada sea técnica en la materia. Y deberán ser relativas al ob-jeto del juicio (art. 301 LEC), exigencia que, en realidad, ya queda subsumida en el parámetro de la pertinencia (art. 283.1 LEC)".

La LECrim completa en su artículo 389 la prohibición de cierto ti-po de preguntas —sugestivas, impertinentes o inútiles— con las capciosas, es decir, aquellas que se "manipulan" con la utilización de engaños para poder conseguir una respuesta determinada.

B. Tipología

Recurro a los conceptos de TARANILLA[223] para tratar ahora los tipos de pre-guntas denominadas: "abiertas", "cerradas", "disyuntivas" y "declarativas".

- Preguntas **"abiertas"**

[220] Cit. p. 54.
[221] ABEL LLUCH, X, en El interrogatorio de partes, ABEL LLUCH, X., y PICÓ I JUNOY, J. (Dirs.), Bosch, Barcelona, 2007, p. 51.
[222] Cit. p. 55.
[223] TARANILLA, R., La Justicia narrante, Thomson Reuters, Aranzadi, Cizur Menor (Navarra), 2012, pp. 180 a 197. Entre otros, citará a Mª Victoria Escandell, en La interrogación en español: semántica y pragmática, Universidad Complutense, Madrid, 1988.

Para la autora, una pregunta abierta es aquella que puede recibir una respuesta abierta, es decir, que no pertenece a una serie cerrada porque no demandan un "sí" o un "no", o la elección de una respuesta de una lista ofrecida.

Una pregunta abierta, si se formula mediante interrogación, conllevará alguno de estos elementos: qué, quién/es, cuál/es, cuánto/s, dónde, cómo, cuándo o por qué.

Por ejemplo: ¿Por qué compró ese objeto

Estas preguntas abiertas pueden ser poco informativas, en ciertos casos, o poco determinantes.

Se puede preguntar abiertamente de otros modos, así por ejemplo, en imperativo: cuénteme cómo era su relación con…

También se puede preguntar de forma indirecta, en forma de posibilidad: ¿podría relatarnos qué ocurrió ese día?

Habría también preguntas amplias parciales cuando demandan una información concreta: ¿A quién compró el inmueble?

Añaden DE LANUZA y LILLO[224] que las preguntas varían en su contenido dependiendo del interés que se tenga en cada ocasión. Así, si se interroga a un testigo a instancias de una parte interesada, la pregunta abierta irá encaminada a demostrar sentimientos y emociones que consigan comprometer a los oyentes, a empatizar. Para ello, aconsejan la utilización de palabras clave en estas cuestiones como "sentir", "percibir", "miedo", "angustia", etc., para lograr que quienes estén presentes puedan llegar a "ver" lo que ocurrió e intentar hacer llegar ese sentimiento.

– Preguntas **"cerradas"**

Serían, para la mencionada autora, y me adhiero —como en todos estos conceptos ofrecidos por ella— aquellas preguntas de las que se espera un "sí" o un "no". Por ejemplo: ¿usted lo reconoció?, o ¿se lo entregó a la policía?

---

[224] DE LANUZA TORRES, J.J., y LILLO CAMPOS, F.J., *Interrogatorio*, Economist & Iurist, Difusión Jurídica, Madrid, 2011, p. 223.

Con estas preguntas, el interrogador, que tiene claro qué información desea destacar, construye él mismo la historia y solo pide colaboración al interrogado para que afirme o niegue. Es decir, maneja la historia que pretende que se exponga.

Dentro de las preguntas cerradas, las habría *neutras*, como las del ejemplo, que son aquellas en las que no hay una determinada orientación negativa o afirmativa (¿usted lo reconoció?, solo cabe un "sí", un "no" o, tal vez, "un poco"…). El interrogador se muestra neutro aquí.

También hay preguntas cerradas, pero de contenido *afirmativo* que estarán encabezadas por fórmulas similares a estas: ¿es cierto que usted estaba…? ¿es verdad que el día…? Aquí, se trata de preguntas a las que cuesta responder en negativo. Es decir, es más sencillo alinearse con la pregunta respondiendo en afirmativo que en negativo porque, en este último caso, necesitaría poner en marcha recursos contra-argumentativos o para matizar: bueno, en realidad yo pasaba por allí, o, ese día yo solo…

Y hay preguntas cerradas de contenido *negativo*, las que contienen un "elemento de polaridad negativa", por ejemplo: ¿no tiene usted mala relación con su vecino? Con estas preguntas se expresa "el desacuerdo del emisor ante hechos o situaciones que parecen contradecir sus expectativas". Así, ante una pregunta como: "¿no era de su grupo de personas […]?", se puede responder: "de nosotros no, porque […]". Estas preguntas supondrían una presunción de afirmación por parte de quien las plantea.

De Lanuza y Lillo[225], vuelven a sugerir que nos fijemos siempre en la intención al preguntar. Por eso, y recurriendo nuevamente al supuesto de interrogar a un testigo a instancia de parte interesada, una pregunta cerrada buscaría matizar o señalar algo que el testigo ha olvidado o no ha remarcado lo suficiente. Aquí, el orden cronológico otorgaría coherencia y facilidad de comprensión, y, en consecuencia, los oyentes podrían entender mejor lo ocurrido.

- Preguntas **"disyuntivas"**

---

[225]   De Lanuza Torres, J.J., y Lillo Campos, F.J., *Interrogatorio*, cit., p. 223.

Son aquellas que restringen, de modo expreso y mediante recursos léxicos, las posibles respuestas obtenidas, un conjunto cerrado de posibilidades del que ha de extraerse la contestación, sin dar pie a otras opciones[226]. Estas preguntas condicionan la respuesta siguiente. Por ejemplo: ¿estaba arriba o abajo?, ¿eres de España o de fuera? Son muy claras y deben realizarse cuando se desee obtener una respuesta muy precisa y clara.

- Preguntas **"declarativas"**

Son aquellas en las que, quien interroga lo hace con una declaración de la que se espera que quien responda, o la afirme o la niegue. Hay, para la autora citada, tres tipos de preguntas declarativas:

1. De petición de conformidad. Llevan, tras la declaración, una pregunta de confirmación que puede ser afirmativa: ¿verdad? ¿cierto?, o negativa: ¿no es cierto? ¿no es verdad?

2. Prosódicas. Son las que comienzan siendo declarativas, pero acaban con la entonación interrogativa. Constituyen un género intermedio entre la afirmación y la interrogación: los hechos, ¿ocurrieron sobre las seis?

3. Puramente declarativas. Son aquellas afirmaciones y negaciones que hace un interrogador. El interrogador va proporcionando, progresivamente, la historia, en un relato fragmentado que el interrogador va confirmando, matizando o negando. Sería una forma de narrar y preguntar por aquellos abogados y fiscales que desconfían de la capacidad narrativa de los interrogados. Así, el interrogador puede relatar él mismo la historia (siempre que no le reprochen que son preguntas sugestivas): ¿la llamada se hizo la noche del …?, ¿ocurrieron los hechos sobre las seis?…

C. Preguntas en casos de sujetos de especial consideración por su condición o edad

De modo muy breve, quiero únicamente llamar la atención sobre el hecho de que habrá que ser especialmente cuidadoso (en el

---

[226] Citando a ESCANDELL.

más amplio sentido de esta palabra) en el caso de personas que deban resultar especialmente protegidas, como el caso de los menores de edad o de personas con algún tipo de discapacidad o de dificultades, que tengan que responder en un interrogatorio.

En el caso de los menores, en los que me parece que hay que detenerse en especial, el interrogatorio debe ser adecuado a su edad y a las circunstancias concretas. Por ejemplo, la Carta de Derechos de los Ciudadanos ante la justicia, en sus números 26 a 28, sobre protección de los menores, afirma —y esta es la orientación que ha de llevar un interrogatorio— que, por un lado, su comparecencia ante los órganos judiciales tenga lugar de forma adecuada a su situación y desarrollo evolutivo (e incluso con la utilización de elementos técnicos tales como circuitos cerrados de televisión, videoconferencia o similares) y, por otra parte, se procurará que las distintas actuaciones judiciales se practiquen en condiciones que garanticen la comprensión de su contenido.

El Defensor del Pueblo en el estudio sobre "La escucha del menor, víctima o testigo"[227], recomienda:

«Si resulta necesario e inevitable tomar declaración al menor para esclarecer los hechos, sería necesario disponer de un entorno amigable a la hora de tomar declaración [...]
El Estatuto de la víctima del delito (Ley 4/2015, de 27 de abril) establece **el derecho de la víctima a "entender y ser entendida"** (artículo 4). La letra a de este artículo indica que "todas las comunicaciones con las víctimas, orales o escritas, se harán en un **lenguaje claro, sencillo y accesible**, de un modo que tenga en cuenta... su minoría de edad". Asimismo, el artículo 21b dispone que "se reciba declaración a las víctimas el menor número de veces posible, y únicamente cuando resulte estrictamente necesario para los fines de la investigación penal"».

Adecuación y claridad es lo que, en consecuencia, debe predominar.

---

[227] Defensor del Pueblo, *Estudio sobre La escucha del menor, víctima o testigo*, Madrid, mayo, 2015.
https://www.administraciondejusticia.gob.es/paj/PA_WebApp_SGNTJ_NPAJ/descarga/Carta_de_derechos_de_los_ciudadanos.pdf?idFile=0a3af68a-cfe3-4243-83ba-fd-4c05610e72 Consultado el 5 de noviembre de 2016. Pp. 34 y 35.

4.3.5.2.2. Las respuestas

Sobre las respuestas, únicamente un par de apuntes. Por una parte, tengamos en cuenta que, según la ley, no se permite cualquier tipo de respuesta al interrogatorio, sino que se debe responder por uno mismo y sin utilizar borradores de respuestas, aunque sí se admite la consulta de documentos y notas o apuntes, cuando, a juicio del tribunal, y tras la debida propuesta, sean convenientes para concretar datos necesarios. En numerosas ocasiones me asalta la duda acerca de si se habrá asesorado suficientemente a los declarantes en este sentido porque, con bastante frecuencia, presencio la misma escena: jueces dirigiéndose a los declarantes para indicarles que no lean y que, simplemente, se limiten a consultar algún dado concreto, y a los declarantes muy desconcertados. Advirtamos y preparemos la declaración pues.

Por otra parte, las respuestas han de ser afirmativas o negativas. Si no es posible por la forma de preguntar —y ya hemos apuntado que hay múltiples formas de interrogar y con diferentes contenidos—, exige la ley que sean precisas y concretas. Además, se contempla y permite que el declarante agregue, en todo caso, las explicaciones que estime convenientes y que guarden relación con las cuestiones planteadas.

4.3.5.3. El informe oral

He querido dedicar un pequeño apartado al informe oral por la importancia que tiene en el desarrollo de un juicio y por la directa relación que tiene con la comunicación del Derecho.

Como ha expuesto Taranilla[228], el informe oral entra en el género argumentativo, ya que en él se proponen las razones que tratan de convencer al juez de la conveniencia de fallar en un sentido concreto. Además, como afirma Fernández León[229], en oratoria, la palabra informe puede tener un significado amplio, como alegaciones orales en general, y un sentido más restringido al centrarse en las alegaciones orales que realiza el letrado para valorar la prueba ya practicada y antes de quedar el procedimiento visto para sentencia.

---

[228] Taranilla, R., *La Justicia narrante*, cit., p. 264.
[229] Fernández León, Ó., *Con la venia*, cit., pp. 99-100.

En este último sentido, el propio autor acoge el concepto de MAJADA al definirlo como "alegación oral de fiscales y abogados, con la finalidad de persuadir al órgano jurisdiccional en interés a la parte a quien dirigen o representan, realizada en derecho con carácter total o parcial sobre un determinado asunto, ante el Tribunal competente para fallarlo u otro distinto, en audiencia pública o sin ella".

La LEC, al tratar el desarrollo del acto del juicio, indica en su artículo 433 que (añado la negrita con relación a aquellos aspectos que son destacables en materia de comunicación oral):

1. ...

2. Practicadas las pruebas, las partes **formularán oralmente sus conclusiones** sobre los hechos controvertidos, exponiendo **de forma ordenada, clara y concisa**, si, a su juicio, los hechos relevantes han sido o deben considerarse admitidos y, en su caso, probados o inciertos.

   A tal fin, harán un **breve resumen** de cada una de las pruebas practicadas sobre aquellos hechos, con remisión pormenorizada, en su caso, a los autos del juicio...

   En relación con el resultado de las pruebas y la aplicación de las normas sobre presunciones y carga de la prueba, cada parte principiará refiriéndose a los hechos aducidos en apoyo de sus pretensiones y seguirá con lo que se refiera a los hechos aducidos por la parte contraria.

3. Expuestas sus conclusiones sobre los hechos controvertidos, cada parte podrá **informar sobre los argumentos jurídicos** en que se apoyen sus pretensiones, que no podrán ser alteradas en ese momento.

Como recomendaciones generales relativas a la oratoria y contenidos del informe oral, aconseja PÉREZ GURREA[230] y estoy totalmente de acuerdo, ciertas características que debe tener un buen informe oral:

- Claridad. Se hace referencia a que lo expuesto pueda ser comprendido por el juez sin dudas ni ambigüedades.

---

[230] PÉREZ GURREA, R., "Cómo preparar y exponer el informe oral en juicio", en: http://www.abogacia.es/2016/12/16/como-preparar-y-exponer-el-informe-oral-en-juicio Consultado el 10 de enero 2018.

- Concisión. Relativa a la expresión de los hechos probados y de los argumentos jurídicos en los que no debe haber juicios de valor, opiniones o aspectos de escaso interés para el asunto que no aportan y que pueden alargar el informe innecesariamente.

- Brevedad. Es decir, se deben abordar todas las cuestiones relevantes en un tiempo razonable atendiendo a la complejidad del caso.

- Orden y coherencia. Es lo esperable si se pretende que se entienda, con lógica, el hilo argumental que se inicia con los hechos y que concluye con los argumentos.

- Flexibilidad. Que nos permita realizar las modificaciones oportunas en función de las circunstancias e imprevistos que podamos ir encontrando en el desarrollo de la vista.

- Solidez en la argumentación jurídica. Se refiere a la convicción que es esperable en la expresión de los hechos y sus calificaciones jurídicas.

Es necesario, por tanto, emplear el tiempo necesario, hablar siguiendo el orden ideado, sin repeticiones y sin generar confusión.

4.4. La comunicación jurídica oral no verbal

En términos generales, si la comunicación verbal es el mensaje, aquello que se explica con palabras, el lenguaje no verbal es todo lo demás. El lenguaje o comunicación no verbal incluye la mirada, la vestimenta, los gestos y otros aspectos que van más allá de las palabras empleadas. Lo incluyo todo de este modo, pero hay múltiples clasificaciones para lo que, de modo general, se puede englobar dentro del lenguaje no verbal; no trataré, (salvo una breve mención) expresiones tales como la "proxemia", el "paralenguaje" o la "oculesia" porque pretendo tratar categorías más amplias.

Para comenzar a ilustrar con un ejemplo real que muestre la importancia que va adquiriendo la valoración de los mensajes que transmitimos de manera no verbal, traigo aquí un párrafo —casi literal porque solo modifico las circunstancias personales— de una sentencia en la que el Magistrado Rafael

Rosel[231] expresa cómo tiene en cuenta la comunicación no verbal. Se trata de una sentencia de divorcio y dice así en uno de sus Fundamentos de Derecho (la negrita es mía):

> "Se hace bastante difícil decidir. Hay que resumir dos vidas en un párrafo y determinar algo que dos personas no han sabido acordar. Entrar en sus vidas para resolver dónde ha de vivir cada uno. Y eso tras la lectura de unos papeles y haber escuchado a los hijos. Realmente es difícil. Susana y Javier, casados hace treinta años, él de 55, ella 52 e hijos de veinte y muchos. Pero vamos a aprovechar todo, **hasta los gestos, hasta la comunicación no verbal,** para decidir quién se queda con la casa [...]".
>
> [...] Otros datos: los hijos. Parecen más unidos a la madre que al padre. Que la hija entre en sala, que le dé el abrigo a Susana y que, al terminar de declarar, vaya a sentarse a su lado —es la funcionaria la que le manda atrás— pues da para pensar en lo arriba dicho. Y él, Jorge, el hijo, que nos asegura que su madre es la que más se ocupa de él [...].

Me parece no solo interesante, sino necesario, que un juzgador, más allá de lo que se comunica por escrito u oralmente, ponga su atención en la comunicación no verbal. Ya sabemos que transmitimos y que, en numerosas ocasiones, resultamos especialmente creíbles por la coherencia del mensaje, verbal y no verbal, que ofrecemos conjuntamente. Examinar y extraer consecuencias de todo el contexto, me parece un ejercicio que denota esfuerzo e interés por descubrir la verdad y hacer justicia. Plausible.

Precisamente, según ERIC OLIVER, para apreciar el porcentaje de credibilidad de un mensaje oral, y según un estudio de Robert Mehrabian, de UCLA —que ya data de los años 70—, el convencimiento de lo dicho proviene, en un 7% del contenido del mensaje, en un 38% del tono de voz, y el restante 45% del lenguaje del cuerpo, es decir, de cuestiones relativas a los gestos, posturas y miradas[232].

La cuestión siempre suscita debate. Con ánimo aclaratorio, señalan ARROYO y YUS[233] que, tras publicar ese estudio, el propio Mehrabian aclaró taxativamente que su experimento trabajaba la comunicación de sentimientos y

---

231   Magistrado Rafael Rosel Marín. Juzgado nº 7 de Primera Instancia e Instrucción de Leganés y Decano de los Juzgados de la misma localidad en Madrid.
232   OLIVER, ERIC, *Persuasive Communication. Twenty five years of teaching Lawyers*, Trial Guides, LLc, Portland, Oregon, 2009, p. 118.
233   ARROYO, L., y YUS, M., *Los cien errores en la comunicación de las organizaciones*, ESIC, Pozuelo de Alarcón, Madrid, 2011, p. 255.

actitudes (como el gusto y el disgusto), y que, a menos que el comunicador se estuviera refiriendo a sus sentimientos o actitudes, los datos no serían aplicables. Por eso, indican, será fundamental tener en cuenta esa investigación cuando una persona esté hablando de su estado de ánimo.

Como indica PEASE[234], es de gran importancia observar todo el conjunto de gestos y no solo uno de forma aislada. Si fuera ese el caso, cualquier persona que se iniciara en esta materia, podría pensar que un interlocutor que se cruza de brazos mientras mira a otro, le está mostrando rechazo. En realidad, podría ocurrir que quien se cruza de brazos esté sintiendo frío, o molestias digestivas, o pretenda ocultar una mancha que acaba de observar en su propia camisa, o no sabe qué hacer con los brazos o, sencillamente, busca la comodidad cambiando la postura. Por ello, afirma ese autor lo siguiente:

> "Uno de los errores más graves que puede cometer un novato en el lenguaje del cuerpo es interpretar un gesto aislado de otros y de las circunstancias [...]. Para llegar a conclusiones acertadas, deberemos observar los gestos en su conjunto.
> Como cualquier otro lenguaje, el del cuerpo tiene también palabras, frases y puntuación. Cada gesto es como una sola palabra y una palabra puede tener varios significados. Solo cuando la palabra forma parte de una frase, puede saberse su significado correcto. Los gestos se presentan "en frases" y siempre dicen la verdad sobre los sentimientos y actitudes de quien los hace. La persona perceptiva es la que lee bien las frases no verbales y las compara con las expresadas oralmente".

Esto último nos lleva a la congruencia o coherencia en los mensajes. Si lo que se dice mediante lenguaje verbal entendemos que no coincide con lo que se dice en lenguaje no verbal, percibiremos que "algo no encaja". Esa impresión viene dada por la incoherencia que se transmite con ambos mensajes. Sostiene el citado autor que "las señales no verbales influyen cinco veces más que las orales y que, cuando son incongruentes entre sí, la gente se fía más del mensaje no verbal"[235]. En materia jurídica, esta cuestión cobra una especial relevancia. Imaginemos un testigo en la sala de un tribunal que afirma que no estaba en un lugar y se muestra especialmente inquieto, ya sea porque no para de mover una o ambas piernas, se toca la nariz o se tapa

---

[234] PEASE, Allan, *El lenguaje del cuerpo*, Paidós, Barcelona, 1989, p. 17.
[235] PEASE, ALLAN, El lenguaje… cit., p. 18.

la boca (o varios gestos similares al tiempo). Probablemente, ya sea de forma consciente o inconsciente, comenzaremos a dudar de la credibilidad de su afirmación.

Aunque el lenguaje no verbal está compuesto por elementos muy variados, hay que tener presentes las limitaciones que, en numerosas ocasiones, se producen, en la oratoria del mundo del derecho en general y ante los tribunales en particular. En los tribunales, por ejemplo, en primer lugar, el orador está sentado; en segundo lugar, se leen documentos para un público muy específico y, en tercer lugar, queda constancia de lo que ocurre (salvo excepciones) en las grabaciones.

Al tener que permanecer sentado, el orador no puede mostrar muchos de los recursos del lenguaje no verbal ya que, si no hay posibilidad de moverse, se reduce la capacidad gestual y el dominio de la escena. Esta reducción no es un impedimento sino un acicate para que se aprovechen las oportunidades que ofrece cada momento, incluso el estar sentado, ya sea para mirar al tribunal y a la contraparte, para enfatizar con las manos lo dicho verbalmente o para gesticular.

4.4.1. *Todo comunica: aspectos concurrentes en la comunicación jurídica no escrita*

Desde que alguien nos ve por primera vez en cualquier situación, estamos comunicando. Antes de que pronunciemos las primeras palabras, ya hemos comunicado. Ya estaremos vestidos, peinados, y aseados de determinada manera que "hablará" por nosotros.

Estoy de acuerdo con FERNÁNDEZ LEÓN[236] en que la presencia que se transmite es muy importante y, en un ámbito como el jurídico, se requiere coherencia en el aspecto con la labor que se ejerce. Proyectar seriedad, responsabilidad y confianza, no vendrá nunca de una apariencia descuidada. El contexto manda y, tal y como indica el autor, las ropas reflejan edad, profesión, e incluso personalidad.

Dada la importancia de esta presencia, hay que tener en cuenta que, cuando no se nos conoce, quien nos observa cuenta con la información de

---

[236] FERNÁNDEZ LEÓN, Ó., *Con la venia.*, cit., pp. 63-64.

la que dispone en ese momento, y se hace "una idea" de nosotros, basada en su propia experiencia y en contextos vitales personales.

Por ello, tener en cuenta la impresión que previsiblemente podemos causar a través de cualquier elemento y acción, resulta imprescindible.

El vestuario es una de las cuestiones más evidentes. Para pensar en el más adecuado a cada situación, tendríamos que considerar la temática a tratar, los receptores y cuestiones de contexto tales como el lugar en el que se comunicará.

Si, por abreviar y mostrar un ejemplo claro, nos comunicamos en el contexto de los tribunales, el vestuario se adecuará a la situación precisa. Al igual que los magistrados y jueces deben llevar la toga en la mayoría de las ocasiones en sala y se espera que vistan formalmente cuando no han de llevarla, cuando se trata de abogados o procuradores, vestir formalmente —ya sea con toga, cuando sea nuestro turno o sin ella cuando estemos a la espera del mismo— también resulta esperable en ese ámbito. Ante la duda, nunca fallará un traje de chaqueta si estamos en una situación profesional de este tipo.

A propósito de la toga, si se trata de tribunales, cuando debamos llevar una, en España, puede o bien obtenerla de la sala de togas o bien llevar la propia. En el primer caso, compruebe que es de su talla y cuídela. En el segundo, llévela limpia y cuidada (con frecuencia se ven togas descuidadas que propician una muy mala imagen; impida por tanto que el estado de su indumentaria reste importancia a su discurso y sea un factor a comentar o de distracción).

Vestirse apropiadamente, no comer en la sala, no hablar por el móvil (aunque vea justamente a otros juristas haciéndolo) y otras cuestiones elementales de corrección debida, también son relativas al respeto a la función jurisdiccional. En especial, insisto, cuide la vestimenta para evitar la llamada de atención de su señoría (he observado casos de prendas poco adecuadas para un tribunal, como chanclas, pantalones cortos y otras poco apropiadas). Evite estas innecesarias llamadas de atención que no le generan una especial simpatía ante quien le reconviene por resultar inapropiada la indumentaria.

4.4.2. *El lenguaje oral no verbal*

4.4.2.1. Las emociones

Según el DLE, en su primera acepción, una *emoción*, es:

"Alteración del ánimo intensa y pasajera, agradable o penosa, que va acompañada de cierta conmoción somática"[237].

Me interesan todos los aspectos de esa definición porque antes ya se dijo que "todo comunica" y aquí nos centramos en cuestiones muy relevantes como el ánimo (actitud, alma); la alteración (sobresalto, alboroto, conmoción); el modo de esa alteración (intensa y pasajera); los tipos de alteración (agradable o penosa) y la somatización[238] (parte corporal). Cuando decimos que se somatiza alguna emoción, entendemos generalmente que hay señales en el cuerpo de lo que pasa por la mente (entendiendo que cuerpo y mente estuvieran separados y sin entrar ahora en análisis más profundos de esta cuestión).

El experto MARTÍN OVEJERO ha explicado de un modo muy claro y sencillo en qué consisten[239]. Cada una de ellas se refleja en diversas manifestaciones físicas:

1) La alegría (patas de gallo, mejillas y labios elevados...).

2) La tristeza (cejas en forma de triángulo; labios en U invertida, barbilla ascendente...).

3) La ira (cejas en descenso y forma de V; mirada intensa; nariz y labios en tensión).

4) La sorpresa (ojos abiertos en forma de O; párpados superiores elevados e inferiores; boca abierta pero relajada).

5) El asco (párpado inferior en tensión; nariz arrugada; labio superior ascendente).

---

[237]   http://dle.rae.es/?id=EjXP0mU. Consultado el 27 de enero de 2018.
[238]   Somatizar es, según el DLE: "Transformar problemas psíquicos en síntomas orgánicos de manera involuntaria". https://dle.rae.es/?id=YK2PpZx Consultado el 21 de marzo de 2019.
[239]   JOSÉ LUIS MARTÍN OVEJERO, es abogado y experto en Comportamiento No Verbal, Retórica y Argumentación Jurídica y en Detección de la Mentira. Tras asistir a sus cursos, lo mencionado en estas páginas con su cita corresponde a la documentación que facilitó en sus cursos presenciales de Madrid de junio de 2016. En la web: www.martinovejero.com pueden consultarse sus publicaciones en red.

6) El miedo (cejas en ascenso y contracción con tensión; párpado superior elevado y el inferior tenso; boca en tensión y puede abrirse).

7) El desprecio (expresión facial más unilateral; elevación lateral del labio; marcada línea "nasogenal").

Las emociones esperadas, son las razonables y coherentes en una determinada situación. Las emociones presentadas, son las que se aprecian al verse en el rostro de una persona.

Lo lógico es que las emociones presentadas coincidan con las esperadas; es lógico pensar que lo que se expresa es cierto, es verdad. Cuando esto no ocurre así, puede deberse a patologías, simulaciones o engaños.

Es importante tener en cuenta, como ha explicado EAGLEMAN[240] que, en todo momento, nuestro circuito cerebral decodifica las emociones de los demás basándose en pistas faciales extremadamente sutiles.

Este autor llevó a cabo un experimento para poder comprender mejor cómo somos capaces de leer las caras de manera tan rápida y automática. Invitó a un grupo de personas a su laboratorio y les colocó dos electrodos en la cara para poder medir sus cambios de expresión, y a continuación les hizo observar fotos de caras. Pues bien, cuando los participantes veían una foto que mostraba, por ejemplo, una sonrisa o una cara con ceño[241], podía medir breves periodos de actividad eléctrica que indicaba que sus músculos faciales se movían, a menudo de manera sutil. Se debe al denominado efecto espejo: de manera automática utilizaban sus propios músculos faciales para copiar las expresiones que veían. Una sonrisa se reflejaba en otra sonrisa, aun cuando el movimiento de los músculos fuera demasiado imperceptible para verse. Razón: las personas se imitan.

Si pensamos en extraer un aprendizaje práctico de este experimento, tengamos en cuenta esta imitación y el modo en que podemos provocar, aunque pueda ser de modo inconsciente, la tendencia anímica hacia determinada emoción que acompañe, de modo más eficaz a aquello que estemos expresando.

---

[240] EAGLEMAN, D., *El cerebro*, Anagrama, Barcelona, 2017, pp. 177 y 178.

[241] En su acepción del DLE, de: "Demostración o señal de enfado y enojo que se hace con el rostro, arrugando el entrecejo". https://dle.rae.es/?id=8HU42UI|8HVrAYK Consultado el 21 de marzo de 2019.

4.4.2.2. La postura corporal en general

Hay numerosos manuales de consulta sobre lenguaje no verbal, y conviene consultar unos cuantos si nos queremos acercar con cierto criterio a este mundo seleccionando información de las lecturas; no es una cuestión científica al uso, pero sí un complemento del conocimiento, interesante y práctico.

En los diversos estudios que existen, encontraremos claves tales como las explicaciones relativas al modo de movernos o de permanecer en diferentes posturas. Por ejemplo, podrá encontrar explicaciones similares a esta: una mano sobre la mesa y otra a la altura de la boca, apoyando la cabeza en ella suavemente transmite concentración en lo que se está escuchando.

La postura corporal en general, y las manos en particular serán focos importantes de atención. Sobre la postura en general, nos puede indicar si una persona muestra nerviosismo, cansancio, temor, y otras emociones que necesitarán de cierta observación.

El hecho de que los juristas, en la mayoría de los casos debamos permanecer sentados al comunicarnos, no impide que el lenguaje no verbal deba descuidarse. Todo lo contrario: nos permite ensayar determinados gestos y actitudes, controlar aquello que no debe transmitirse y elegir en qué momento del discurso y en qué palabras o términos desea hacer un mayor hincapié para enfatizarlos.

Por lo que al movimiento en general se refiere, sugiero entrar en aquél lugar al que acuda, como una reunión o un juicio, con paso firme y decisión, mostrando seguridad con elegancia. Si ha de utilizar una silla, no la arrastre y realice movimientos suaves y pausados, ni bruscos ni súbitos. Es frecuente cambiar de postura en la silla para acomodar mejor la espalda, pero no debe hacerse de forma repentina sino natural y cuidada.

Por lo que a las manos se refiere, pueden emplearse para transmitir mejor determinadas ideas, de tal manera que algunos gestos resulten muy típicos e ilustrativos:

• Las palmas de las manos abiertas y extendidas reflejan ofrecimiento.

• Las palmas de las manos enfrentadas entre sí, como si se estuviese sosteniendo algún objeto, denotarán que se abarca algo en su totalidad.

• El dedo índice elevado con los demás doblados pretende advertir.

• El puño cerrado pretende transmitir fuerza o energía.

- Pegar las yemas de los dedos índice y pulgar, con los demás dedos doblados, puede indicar que "un poco" o que algo es "pequeño".

Por último, en cuanto al mantenimiento de las distancias, tenga en cuenta una distancia prudente con las personas con las que trate. Ni muy cercano que resulte invasivo y molesto, ni muy alejado que impida la escucha normal.

4.4.2.3. El rostro. La mirada en particular

– **El rostro.** El comunicador puede y debe gesticular cuando sea necesario para dar mayor énfasis a su mensaje. La cara es, o puede ser, tremendamente expresiva. Quiero expresar con esto que también deben aprovecharse los recursos que el propio rostro puede aportar al mensaje. No se trata de transmitir siempre seriedad o alegría, pero sí aprovechar los múltiples músculos faciales para emitir mejor un mensaje, incluso cuando no se está en el uso de la palabra:

  • Asentir con la cabeza o sonreír puntualmente transmite aceptación o acuerdo.

  Por el contrario, el hecho de mostrar un ceño fruncido, negar con la cabeza, mirar al techo, cerrar los ojos o cubrírselos con las manos son gestos que fácilmente comunican desagrado o desacuerdo[242].

– **La mirada.** La mirada es sumamente importante. Para empezar, hay que mirar a los ojos de nuestros interlocutores. El hecho de no mirar, también habla de usted y transmite información, pero, en general, ninguna positiva, téngalo en cuenta. Soy consciente de la timidez de muchas personas, pero esto es un libro de comunicación para juristas y para estos profesionales, la timidez no es excusable y la línea que existe entre la timidez y la falta de consideración y respeto es demasiado delgada.

  Tenga en cuenta que su interlocutor puede ser uno, seis, veinte o cien, es decir, tenemos que estar preparados para diferentes audiencias.

---

[242] Charles, R. y Williame, C., *La communication orale*, Nathan, Condé-sur-Noireau (Francia), 1988, p.6.

Cuando mire a su interlocutor, dirija la mirada a sus ojos, pero no de forma fija, sino intercalándola, a propósito, con vistazos a otros lugares cercanos –por ejemplo, a sus folios, a las manos, etc., de modo que no parezca invasivo, aunque tampoco distraído; por eso tendrá que manejarlo con habilidad.

Si tiene más de un interlocutor, tendrá que repartir, adecuadamente su mirada entre la de sus interlocutores en función del peso que tengan en el momento. Por ejemplo, si son dos socios en una reunión, a los dos por igual. Si uno asume, por ejemplo, por motivo del trabajo que se realiza, un mayor protagonismo, entonces habrá que mirar, a este, fundamentalmente, y al otro también, pero en menor medida.

Si tiene veinte interlocutores, depende del número de interlocutores principales, así hará un reparto proporcionado, y siempre, sin dejar de mirar al resto en alguna ocasión.

Si lo que tiene es un auditorio importante, hay que esforzarse por mirar, siempre que sea posible, a todos los asistentes, al menos en algún momento mientras le miran, es decir, que se crucen las miradas.

4.4.2.4. La mentira y algunas pistas para su detección

Por la trascendencia que tiene en el mundo jurídico, he querido dedicar unas líneas a la mentira y ofrecer, a través de algunos especialistas, algunos indicios prácticos para poder detectarlas, o, al menos, para que nos pongan en alerta.

4.4.2.4.1. Concepto de mentira

Una mentira, según el Diccionario de la Lengua Española y sus tres primeras acepciones[243] (que son las relativas al uso que se tratan aquí), es:

1. f. Expresión o manifestación contraria a lo que se sabe, se piensa o se siente.
2. f. Cosa que no es verdad.
3. f. Acción de mentir.

---

[243]   http://dle.rae.es/?id=Ox7CoE4 Consultado el 28 de febrero de 2017.

Ekman[244], uno de los grandes expertos del mundo en el conocimiento de la mentira, en su definición de mentira o engaño (para él significan lo mismo y lo utiliza de manera indistinta) se refiere al mentiroso como una persona "que tiene el propósito deliberado de engañar a otra, sin notificarla previamente de dicho propósito ni haber sido requerida explícitamente a ponerlo en práctica por el destinatario".

Lo importante es que la persona que miente está en condiciones de elegir entre mentir y decir la verdad, y conoce la diferencia. Tengamos en cuenta que hay mentirosos patológicos que saben que faltan a la verdad pero que no controlan su conducta (estos, por ejemplo, no están incluidos entre los mentirosos que describe). Más bien se refiere a una conducta elegida y controlada, es decir, se decide mentir y se controla cuándo y cómo hacerlo.

Además, explica que existen dos formas fundamentales de mentir: ocultar y falsear. Según el autor, el mentiroso que oculta, retiene cierta información sin decir en realidad nada que falte a la verdad. El que falsea da un paso adicional: no sólo retiene información verdadera sino que presenta información falsa como si fuera cierta.

4.4.2.4.2. Características e indicadores de la mentira. El cuerpo en general y el rostro y el lenguaje en particular

Antes hemos tratado las emociones. Nuestra mente parte del intento de reconocer cada una de ellas, siempre intentamos encajar lo que vemos (y percibimos con otros sentidos también) en categorías que nos resulten conocidas. Por eso, explica Steven Pinker[245] que el psicólogo Paul Ekman "causó furor entre los antropólogos al demostrar que los habitantes de las tierras altas de Papúa y Nueva Guinea reconocían las expresiones faciales de los estudiantes de Berkeley que aparecían reproducidas en las fotografías (las emociones, como todo lo demás, se consideraba que era algo culturalmente relativo)". Es decir que se trata de reconocimientos universales.

---

244   Ekman, P., *Cómo detectar mentiras,* Paidós, Barcelona, 1ª ed. 1991, pp. 25 y ss.
245   Pinker, Steven, *Cómo funciona la mente,* Destino, 2ª ed., Barcelona, feb. 2004, p. 284.

Cita Steven Pinker[246], a propósito del hecho de establecer categorías, al humorista Robert Benchley, quien dijo que "en el mundo hay dos tipos de personas: quienes dividen a las personas del mundo en dos clases y las que no". Y lo introduce para examinar el que denomina "hábito de categorizar". Para Pinker:

> "… Ponemos a las cosas y a las personas en cajas mentales, damos a cada caja un nombre y, después, tratamos los contenidos de las cajas de forma idéntica. Pero si nuestros congéneres son tan únicos que sus huellas dactilares son diferentes y no hay dos copos de nieve idénticos, ¿por qué ese irrefrenable instinto a clasificar?
> Los manuales de psicología suelen dar de forma típica dos explicaciones, pero ninguna tiene sentido. Una es que la memoria no considera todos los acontecimientos que bombardean nuestros sentidos; al almacenar sólo sus categorías, reducimos la carga. En cambio, el cerebro, con sus billones de sinapsis, difícilmente presentaría escasez de espacio […].
> La otra razón putativa es que el cerebro está obligado a organizar; sin categorías, la vida mental sería un caos. Con todo la organización por sí misma es inútil. […].
> No, la mente tiene que obtener algo del hecho de formar categorías, y ese algo se llama inferencia. Ciertamente no podemos conocerlo todo de cada objeto, pero sí podemos observar algunas de sus propiedades, asignarle una categoría y formar la categoría que predice las propiedades que hemos observado. Si Mopsy tiene orejas largas, es un conejo; si es un conejo, comerá zanahorias, se moverá dando brincos y se reproducirá, pues, como un conejo. Cuanta más pequeña es la categoría, mejor es la predicción".

Pues bien, con relación a la categoría de lo que podamos considerar mentiras, el cuerpo entero puede reflejar que lo que está diciendo no corresponde a la verdad, que es mentira. Ya sea en el rostro, ya sea en cualquier otra parte del cuerpo, la mentira se puede manifestar. Y a menos que quien miente sea un verdadero especialista en ocultación, pueden llegar a detectarse.

Destaca el experto Martín Ovejero[247] como ideas introductorias del "mundo" de la mentira, las siguientes:

– Las personas nos comunicamos de modo distinto cuando contamos algo y cuando inventamos algo.

– No existe ninguna técnica o sistema que permita conocer, de manera infalible, si alguien está engañando. Lo que se puede hacer es obser-

---

246 Pinker, Steven, *Cómo funciona la mente*, cit., pp. 397-8.
247 Martín Ovejero, JL, blog cit.

var ciertos indicios de comportamiento verbal y no verbal que puedan llevarnos a pensar en la mentira.

- Los recuerdos externos se generan por la percepción real y, por ello, contienen mucha y variada información (como olores o sonidos), es decir, hay un importante grado de detalle.

- Los recuerdos internos son producto de nuestra imaginación y contienen reflexiones y pensamientos del sujeto.

Para este experto, la actividad cerebral de la mentira implica tres tipos de actividades:

- Emocional. Con tres reacciones principales, alegría, miedo y culpa.

- Cognitiva. Para inhibir la respuesta verdadera y construir la historia falsa.

- Conductual. Se pierde espontaneidad porque se fuerza al cerebro a la elaboración de una historia alternativa. Se ralentizan los movimientos y los gestos.

Según EKMAN[248], ponerse una máscara es la mejor manera de ocultar una fuerte emoción, es decir, si una persona se cubre el rostro o parte de él con la mano o lo aparta de la persona que habla dándose media vuelta, habitualmente eso dejará traslucir que está mintiendo. Considera que la mejor máscara es una emoción falsa, porque consigue desconcertar y actuar como camuflaje. La emoción falsa más utilizada habitualmente es la sonrisa, porque actúa como lo contrario de todas las emociones negativas: temor, ira, desazón, disgusto, etc. Además, según el autor, la sonrisa goza de tanta popularidad porque es fruto de una emoción que puede producirse con facilidad a voluntad. De hecho, ha constatado que para la mayoría de las personas, las emociones que más les cuestan producir (falsamente) son las negativas, es decir, la generalidad de las personas que han participado en sus investigaciones, no son capaces de mover voluntaria y fácilmente los músculos específicos necesarios para simular, por ejemplo, falsos temores o preocupaciones.

Con los citados EKMAN y MARTÍN OVEJERO, como características e indicadores de la mentira, podemos fijarnos en el comportamiento corporal en general y en el rostro de forma particular.

---

[248] EKMAN, P., *Cómo detectar mentiras,* cit., pp. 33 y ss.

A) Comportamiento corporal en general

Para Martín Ovejero:

- En las posturas en general, hay escasez de movimiento porque hay máxima atención en crear la mentira.
- El cuerpo y los pies se dirigen hacia alguna salida de donde se esté (deseos de salir de esa situación, huir).
- Se colocan objetos delante suyo como barrera.

Para Ekman[249]:

- Son muy típicas las "manipulaciones". Son los movimientos en los que una parte del cuerpo masajea, frota, rasca, agarra, pincha, estruja, acomoda o manipula de algún otro modo a otra parte del cuerpo.
- Las manipulaciones pueden ser de muy corta duración o extenderse varios minutos. Las más breves parecen dotadas de algún propósito: ordenarse el cabello o rascarse alguna parte del cuerpo. Otras, en especial las que duran mucho, no parecen tener finalidad alguna: enrollar y desenrollar indefinidamente un haz de cabellos, frotarse un dedo contra otro, dar golpes rítmicos con el pie contra el piso en forma indefinida. La mano es la manipuladora típica; pero puede ser receptora de la manipulación, como cualquier otra zona del cuerpo. Los receptores más comunes son el pelo, las orejas, la nariz y la entrepierna.
- Aunque a continuación tratamos el rostro, se mencionan aquí otras acciones manipuladoras que pueden observarse también y en las que interactúan una parte del rostro contra otra parte (lengua contra mejilla, dientes que muerden levemente el labio) o, ya en el cuerpo, una pierna contra otra pierna.
- Hay objetos que pueden formar parte del acto manipulador: cerilla, lápices, un cigarrillo, etc.
- En el sistema nervioso también hay indicios, como los siguientes:
  - Aumento del ritmo respiratorio
  - Aumento de frecuencia al tragar saliva

---

[249] Ekman, P., *Cómo detectar mentiras*, cit., pp. 114 y ss.

- Aumento de la sudoración
- Excitación.

B) El rostro y el lenguaje en particular

B. 1. El rostro

Con MARTÍN OVEJERO ya se ha tratado la descripción de las emociones. Básicamente, todas ellas se pueden ver reflejadas en un rostro y se pueden interpretar cuando se tiene un poco de experiencia.

Ahora, con el mismo autor, nos referimos a las "microexpresiones", que son movimientos involuntarios de los músculos de la cara en momentos que se consideran especialmente emotivos.

Detectar las "microexpresiones" puede ayudar a saber interpretar lo que una persona siente realmente y completar la información de la comunciación.

Estas expresiones según el profesor Ovejero son muy difíciles de falsear porque responden a respuestas automáticas de los individuos, no se controlan y son cortas en el tiempo. Pueden detectarse en:

- La asimetría facial,
- El tiempo de ejecución en las expresiones,
- La ralentización y la no sincronización de la expresión oral o la corporal con la facial, dado que esta última es posterior.
- La mirada. La persona que miente suele mirar a los ojos del interlocutor para comprobar si la mentira está causando efecto; si está avergonzado, evita mirar a los ojos.

Para EKMAN[250]:

En el sistema nervioso también hay indicios en el rostro que se caracterizan porque ocurren involuntariamente cuando hay emociones, son de difícil ocultación y, por tanto, detección:

- Rubor
- Tendencia a empalidecer
- Dilatación de las pupilas

---

[250] EKMAN, P., *Cómo detectar mentiras,* cit., pp. 114 y ss.

B. 2. El lenguaje y la voz en particular

– Para Ekman[251], a muchos mentirosos les traicionan sus palabras sencillamente porque las descuidan, es decir, no es que no pudieran disimular, o que lo intentaran, pero fallaron: lo que ocurre es que se despreocuparon en el momento de inventar cuidadosamente su historia.

– Por otra parte, indica que se debe ser cauteloso, ya que cualquier desliz verbal no tiene por qué ser manifestación de una mentira. Y a la inversa, no hay que caer en el error de considerar veraz a quien no comete ningún desliz verbal (muchas mentiras no los incluyen).

– En el caso de la voz, este autor destaca que los indicios vocales más comunes de un engaño son las pausas demasiado largas o frecuentes. La vacilación al comenzar a hablar, en particular cuando se debe responder a una pregunta, puede suscitar sospechas, así como otras pausas menores durante el discurso si son frecuentes. Otras pistas las dan ciertos errores que no llegan a formar palabras, como algunas interjeciones ("Ah", "ohh", "esteeee"), repeticiones ("yo, yo, yo quiero decir que…") y palabras parciales ("en rea-lidad …").

– Además, acerca del tono, indica el autor que en un alto porcentaje de los sujetos estudiados, el tono se eleva cuando están bajo el influjo de una perturbación emocional. No obstante, hay que tener en cuenta que el tono elevado puede ser signo de rabia, temor o excitación.

Con relación al discurso, Martín Ovejero indica que hay que observar los cambios. El experto recomienda fijarnos en:

• La debilidad de las narraciones (generalizaciones, ofrecer pocos detalles, vaguedades, omisiones, carecer normalmente de descripción de emociones…).

---

[251] Ekman, P., *Cómo detectar mentiras*, cit., pp. 90 y ss. y 127 y ss.

- El lenguaje del distanciamiento (sin utilizar el pronombre "yo" y frecuente uso de la tercera persona y las pasivas; términos genéricos).
- La falsa perfección (justificaciones innecesarias; lenguaje más cuidado de lo normal).
- La necesidad de tiempo (porque hay que elaborar una respuesta; se cambia de tema; se utilizan frases hechas, silencios…).
- La voz vacila, la respuesta tarda, se perciben dudas al responder y se producen cambios en los tiempos verbales.

C) Síntesis

Nunca existe certeza absoluta acerca de si la interpretación del rostro y el cuerpo, obedece a la realidad. Hay que centrarse en todos los indicadores para crear un contexto, y se puede detectar en distintos momentos, en los silencios y en la conversación.

En síntesis, para el profesor Ovejero, la actividad cerebral de la mentira requiere mayor esfuerzo, sobrecarga y ello deriva en errores que dejan señales. Así, al requerirse mayor esfuerzo mental y derivarse la actividad a la elaboración de una ficción, los gestos y movimientos se ralentizan o se abandona su control sobre ellos. De contarse la verdad, esta brota con mayor facilidad y toda la actividad puede centrarse únicamente en la memoria.

Hasta aquí se han ofrecido unas breves consideraciones acerca de los indicadores de la mentira que pueden aportar una información valiosa, en especial, si los podemos contrastar con otros indicadores más objetivos que conformen nuestro juicio.

4.5. Claves de la comunicación jurídica no escrita verbal y no verbal

En definitiva y en síntesis, de fondo y de forma:

- Educación ante todo. Además, preste atención a los protocolos exigibles en cada situación, como ocurre, en general con la puntualidad, y, en particular, por ejemplo, en las salas de justicia al sentarse o intervenir cuando proceda según el caso.

- Prepare muy bien el material de fondo. Consulte las fuentes que resulten solventes y elija la documentación que necesita, separando y jerarquizando lo importante de lo secundario.
- Decida la estructura de su exposición oral en función de qué va a transmitir, en qué contexto y a quien. Recuerde las partes lógicas de un discurso, con una primera parte introductoria en la que presente sujetos y objeto del tema, una segunda, en la que desarrolle las cuestiones a tratar de modo ordenado y claro, exponiendo lo más relevante y potente al principio, y un parte final en la que exponga una conclusión, propuesta o decisión, de forma breve y decidida.
- Ensaye en un contexto similar, de espacio y tiempo, a aquél en el que tendrá que hablar o exponer, controle los tiempos y prepare diferentes versiones (más extensa y más breve) por si se da el supuesto de que le exigen reducir el tiempo que tiene previsto, pero no concertado previamente porque es imposible.
- No tema. El miedo no debe dominarnos, pero puede hacer de la inquietud un aliado que le mantenga en alerta y que le haga reparar, rápidamente, en aspectos que, sin esa inquietud, se le podrían pasar.
- Emplee el registro adecuado para quien deba escucharle o con quien deba tratar. Así, empleará un registro más técnico o más coloquial según la situación. A propósito de esto mismo, intente informarse acerca de quiénes serán las personas de su auditorio, ya sea un magistrado, un árbitro, la contraparte en una mediación, el representante de una empresa, o cualquier otra. Esa información puede hallarse en muchas ocasiones disponible en internet y le puede ofrecer una idea acerca de trayectorias, decisiones previas, y otros aspectos que le harán conocer mejor a los interlocutores y le generarán mayor seguridad por esa previsión informativa.
- Recuerde que el lenguaje no verbal ofrece numerosa información. Por eso, su mensaje debe ser coherente de forma que lo que diga y la forma en la que lo diga, resulten perfectamente compatibles si quiere resultar creíble. Al mismo tiempo, la observación de su interlocutor le prevendrá de posibles inconsistencias entre el lenguaje verbal y el no verbal y, si tiene un interés en particular, podrá indagar en ello.

- Intente relajarse antes de empezar y cuando comience:
  - Vocalice,
  - No hable muy lento ni muy rápido, pero hágalo con tendencia a la rapidez más que a la lentitud; en todo caso, varíe la velocidad.
  - Mantenga un tono modulado y variado, con predominio del tono grave más que del agudo.
  - Emplee un volumen de medio a alto, decidido y con un timbre amplio.
  - Mire a los ojos, sin resultar molesto por incisivo.
  - No se alargue más de lo previsto y no pierda de vista la finalidad de su intervención.
- Intente no leer más allá de un esquema o resumen que le sirva de guía para no perderse, o de las citas que deban leerse literalmente.
- Practique, busque la naturalidad y confíe en usted mismo.

5. BREVES CONCLUSIONES ACERCA DE LA COMUNICACIÓN EN EL ÁMBITO JURÍDICO

Para finalizar, expongo unas breves conclusiones, en forma de cuatro apartados, acerca de la comunicación global en el ámbito jurídico.

5.1. Formación

5.1.1. Formación como recomendación general

Me parece relevante manifestar, como prioridad, la necesidad de formación espefícica en comunición jurídica. En España existe una escasa cultura formativa en el modo de comunicar en, prácticamente, todos los ámbitos, y esto repercute en múltiples sectores de la vida. Por esta razón, cuanto más temprana sea la etapa educativa para aprenderlo, mejores resultados se obtendrán. Pues bien, para un jurista, esta formación es primordial, dado que la palabra constituye su herramienta de trabajo principal. En cuanto al momento, debemos trabajar la comunicación jurídica en los estudios del grado en Derecho (o denominación similar) y hacerlo, fundamentalmente, con juristas especializados en esta materia y con el apoyo de otros profesionales.

Durante la etapa de posgrado, en su caso, resulta igualmente imprescindible continuar practicando comunicación jurídica y aplicarla a estos estudios de tránsito a la profesión elegida y realizarlo de manera eminentemente práctica.

Por otra parte, la formación continua, resulta altamente recomendable porque el mundo de la comunicación evoluciona constantemente. Estudiar e investigar, periódicamente, acerca de la oratoria, tanto de modo autodidacta como recibiendo clases y cursos de especialistas, consituye la mejor sugerencia para enriquecer los conocimientos de oratoria y redacción jurídicas.

5.1.2. El objeto de la formación

Con el fin de conseguir una preparación lo más completa posible en materia de comunicación, aconsejo leer e investigar dos categorías de materias relacionadas:

1) Las clásicas jurídicas sobre redacción y oratoria (incluyo lenguaje verbal y no verbal) y

2) Otras materias relacionadas con las clásicas, como las distintas formas por las que aprendemos, los disintos tipos de memoria, nociones de programación neurolingüística en general, conocer la influencia de las denominadas "soft skills" como destrezas personales que van más allá de las competencias básicas y clásiscamente exigidas (la buena preparación en Derecho, los idiomas o las tecnologías) etc., porque manejar estos conocimientos, en mi opinión, harán de nosotros unos comunicadores más completos y efectivos.

5.2. Lenguaje jurídico escrito

Este lenguaje debe poseer la precisión necesaria y esperable por la materia que trata y, al mismo tiempo, debe adaptarse al siglo actual en el sentido de salvar todos los obstáculos por los que ha recibido progresivas y constantes críticas a medida que el ciudadano tomaba conciencia de sus derechos y rechazaba la innecesaria complejidad.

Las características más relevantes e ideales, para poder referirnos a escritos comprensibles y claros, llevarían a una redacción: bien ideada y proyectada según narremos, describamos o argumentemos, trabajada en cuanto al fondo, estructurada y ordenada, concisa, sencilla (con frases y párrafos tendentes a cortos), respetuosa, empleando el registro adecuado al lector, con explicaciones de los términos más técnicos, si no fuera posible su sustitución por otro análogo pero más claro y, por último, revisada. La comunicación que cuente con estas características, que van más allá de la lógica corrección lingüística, será preferible a cualquier otra.

5.3. Lenguaje jurídico oral o verbal y no verbal

Este lenguaje, en la actualidad, debe trabajarse tanto, e incluso con más empeño, que el escrito debido a que, la mayoría de personas poseemos más hábito, en general, de redactar que de hablar o expresarnos en público. La ansiada naturalidad de un interviniente al exponer, suele venir precedida de muchas horas de trabajo y entrenamiento o práctica.

Hay que llegar al interlocutor, hay que hacerse entender y tenemos que contar, igual que en el lenguaje escrito, con ciertas y deseables característi-cas, muchas de ellas, similares a las esperables de un buen texto. Las más re-levantes podrían sintetizarse en la búsqueda de una exposición: respetuosa y cuidada en la forma y bien preparada e informada en cuanto al fondo, bien proyectada, estructurada, ordenada, clara y comprensible para nuestro in-terlocutor (es decir, utilizando el registro lógico, más o menos técnico, según la situación), ajustada en el tiempo, con recursos que favorezcan la inteligi-bilidad del mensaje, adecuando nuestra indumentaria al contexto, poniendo énfasis en la voz (y sus circunstancias), utilizando el lenguaje no verbal como complemento de coherencia con el lenguaje verbal, comprendiendo que la inquietud (no el miedo) es tan lógica como, en su medida justa, necesaria y, finalmente, siempre con ensayos.

5.4. La reivindicación de políticas públicas como necesidad y co-mo derecho

En estas páginas se han analizado multitud de inicitativas adoptadas en paí-ses de varios continentes. La mayoría presentan, como denominador común, la búsqueda de acciones tendendes a la mejora de la expresión jurídica, basada en la claridad, cuando el destinatario es un ciudadano. Comenzando por las leyes, que se dirigen al conjunto de la ciudadanía, y continuando por los actos y deci-siones del ejecutivo, terminamos por el poder judicial, para recordarles a todos sus responsables que los ciudadanos deseamos comprender aquello que se nos comunica, ya sea como conjunto social, ya sea como particulares. El "derecho a comprender" debe materializarse en medidas que promuevan la claridad en el uso de las comunicaciones por parte de todos los poderes. Tengamos siempre en cuenta el nivel de estudios medio de la población a la que cada país se dirige al comunicarse con ellos si pretendemos hablar de comunicación real.

Con relación a este último apartado de reivindicación de políticas, finalizo con una idea basada en palabras de Antonio Garrigues W.[252], una de mis mayores fuentes de inspiración, quien, durante años, con decisión y constancia, ha realizado un llamamiento generalizado a los estamentos públicos para que atiendan a sus respectivas responsabilidades. Afirma el autor, que el estamento jurídico es el que mejor puede emplear, de forma objetiva e independiente, una fuerza de acción significativa. Este estamento incluye las ramas, judicial, académica y profesional y demanda una mayor coordinación entre las tres para alcanzar retos relevantes.

Pues bien, en mi opinión, uno de los retos más importantes por los que trabajar, y que puede encabezar el estamento jurídico con consecuencias para el resto de esferas, lo constituye la elaboración y práctica de políticas públicas de claridad en el empleo del lenguaje del Derecho. Ello nos aportará, finalmente y de modo global, una democracia más auténtica basada en la información y en la toma de decisiones fundadas en la comprensión. Es responsabilidad de los poderes públicos adoptarlas y es responsabilidad de los ciudadanos exigirlas.

Madrid, 2019

---

[252] Garrigues Walker, A., "Las responsabilidades del estamento jurídico", en Retos de la abogacía ante la sociedad global, Carretero González, C, y de Montalvo Jääskeläinen, F., (Dirs.), Civitas-Thomson Reuters, Cizur Menor (Navarra), 2012, pp. 99-108.

BIBLIOGRAFÍA, LIBROS, MANUALES DE ESTILO Y RECURSOS ÚTILES

I. BIBLIOGRAFÍA

1. **Abel Lluch, X., y Picó i Junoy, J.,** (Dirs.), *El interrogatorio de partes,* Bosch, Barcelona, 2007.
2. **Álvarez Ramiro J.,** *Manual práctico de P.N.L. Programación Neurolingüística,* Desclée De Brouwer, Bilbao, 1996.
3. **Alsina Naudi, A.,** "Endeavours towards a plain legal language: The case of Spanish in context", *International Jorunal of Legal Discourse,* vol. 3, Isue 2, 2018, p. 235. Published Online: 2018-11-27 | DOI:
   https://doi.org/10.1515/ijld-2018-2010.
4. **Aramburu-Zabala Higuera, L.,** *Guía de la negociación para mujeres,* Pirámide, 2010.
5. **Arenas Arias, Germán,** "Lenguaje claro (derecho a comprender el Derecho)", *Eunomía. Revista Cultura de la Legalidad.* ISSN 2253-6655 N°. 15, octubre 2018 – marzo 2019, pp. 249-261. DOI:
   https://doi.org/10.20318/eunomia.2018.4355
6. **Aristóteles,** *Retórica,* Alianza, Madrid, 2009.
7. **Arroyo, R.,** "El lenguaje de las leyes", *Revista Congresistas,* n° 318, 1 a 18 de septiembre, México D.F., 2017, p. 15.
8. **Arroyo, L. y Yus, M.,** *Los cien errores en la comunicación de las organizaciones,* ESIC, Pozuelo de Alarcón, Madrid, 2011.
9. **Atienza Rodríguez, M.,** *Curso de argumentación jurídica,* Trotta, 3ª reimp., 2015.
10. **Bajo Molina y otros (Coords.),** *Mente y cerebro,* Alianza Editorial, Madrid, 2016.
11. **Bajo, Fernández, Ruiz y Gómez-Ariza,** "Memoria: estructura y funciones", *Mente y cerebro,* Bajo Molina y otros (Coords.), Alianza Editorial, Madrid, 2016.
12. **Borrego Nieto, J.** Estudio sobre las plantillas procesales, 2011 [en línea].
    http://lenguajeadministrativo.com/wp-content/uploads/2015/10/CMLJ-Documentos-para-el-informe.pdf
13. **Braceras Peña, N., y Carretero González, C.,** "Por una justicia comprensible para el ciudadano", *Confilegal*:
    https://confilegal.com/20161124-justicia-comprensible-ciudadano/
14. **Braceras Peña, N., y Carretero González, C.,** "Una justicia moderna debe ser una justicia comprensible", en *Confilegal,*
    https://confilegal.com/20160905-una-justicia-moderna-una-justicia-comprensible/
15. **Braceras Peña, N., y Carretero González,** "La claridad y precisión de las resoluciones judiciales: de la tendencia a la exigencia", Abogacía Española, Revista del Consejo General, n°103, mayo, 2017.
16. **Briz, A.,** (coord..), *Saber hablar,* Instituto Cervantes, 1ª ed. Madrid, 2008.
17. **Briz, A.,** *Estudio sobre el lenguaje oral,* 2011 [en línea]. Disponible en:

http://lenguajeadministrativo.com/wp-content/uploads/2015/10/CMLJ-Lenguaje-oral. pdf

18. **Briz, A. y Grupo Val.Es.Co,** "El discurso judicial oral a partir de un análisis de corpus", *Hacia la modernización del discurso jurídico*, (Montolío Durán, E., Ed.), Publicaciones i Edicions, Universitat de Barcelona, 2012.

19. **Briz, A.,** (Coord.), *Manual de estilo para abogados*, Tirant lo Blanch, Valencia, 2018.

20. **Campo Vidal, M.,** *¿Por qué los españoles comunicamos tan mal?* Plaza & Janés, Barcelona, 2008.

21. **Campo Vidal, M.,** *¿Por qué los profesionales no comunicamos mejor?*, RBA, Barcelona, 2011.

22. **Carreiras, Costa, Cuetos, Perea y Sebastián**, "Procesamiento del lenguaje", *Mente y cerebro*, Bajo Molina y otros (Coords.), Alianza Editorial, Madrid, 2016.

23. **Carretero González, C.,** «La formación lingüística de los futuros juristas en España", *Anuari de Filología. Estudis de Lingüística*, núm. 7, 2017, ISSN-e 2014-1408, pp. 149-171.

24. **Carretero González, C., Duñaiturria Laguarda, A., y Ferrer Calvo, M.,** "Redacción", *Memento Práctico, Acceso a la abogacía*, 2016-2017, Francis Lefebvre.

25. **Carretero González, C. y Valiente Martínez, F.,** "Oratoria", *Memento Práctico, Acceso a la abogacía, 2017-2018*, Francis Lefebvre, pp. 338-349.

26. **Carretero González, C.,** «La claridad y el orden en la narración del discurso jurídico», *Revista de Llengua i Dret, Journal of Language and Law*, núm. 64, 2015, DOI: 10.2436/20.8030.02.116, pp. 63-85.

27. **Carretero González, C.,** "Reflexiones acerca de la expresión y comunicación del Derecho por los juristas españoles en la actualidad", *Revista Aranzadi Doctrinal*, núm. 1, 2015. pp. 229-247.

28. **Carretero González, C.,** "La formación de abogados y el lenguaje jurídico", en *Retos de la abogacía ante la sociedad global*, CARRETERO GONZÁLEZ, C, y DE MONTALVO JÄÄSKELÄINEN, F., (Dirs.), Civitas-Thomson Reuters, Cizur Menor (Navarra), 2012.

29. **Carretero González, C.,** (Dir.), *Estudio sobre políticas públicas comparadas,* 2011 [en línea] http://lenguajeadministrativo.com/wp-content/uploads/2015/10/CMLJ-Estudio-de-campo.pdf

30. **Carretero González, C.** (Dir.), *El Derecho en los medios de comunicación*, Thomson-Reuters Aranzadi. Cizur Menor, Navarra, 2013.

31. **Carretero González, C.; Garrido Nombela, R.; Gómez Lanz, J., Grande Yáñez, M.**, *Jueces y ciudadanos: elementos del discurso judicial,* Dykinson, Madrid, 2009.

32. **Carretero González, C.,** "Características del lenguaje jurídico. El lenguaje procesal de ciertos actos de comunicación", *Revista de Derecho Procesal*, Madrid, 2006, pp. 189-218.

33. **Cazorla Prieto L. M.**, *El lenguaje jurídico actual*, Thomson Reuters Aranzadi, Cizur Menor, 2007.

34. **Charles, R. y Williame, C.,** *La communication orale*, Nathan, Condé-sur-Noireau (Francia), 1988.

35. **Chaves, J.R.,** "Cosas que me irritan de los abogados, como juez", https://confilegal.com/20170810-cosas-juez-irritan-abogado-26062015-1855/ *Confilegal, 10 de agosto de 2017*.

36. **Chinchilla, N.,** "Cerebro de hombre, cerebro de mujer: ¿son diferentes?",

http://blog.iese.edu/nuriachinchilla/2014/11/cerebro-de-hombre-cerebro-de-mujer-son-diferentes/

37. **Chomsky, Noam**, *Reflexiones sobre el lenguaje*, Ariel, Barcelona, 1979.
38. **Chozas Alonso, J.M.**, *El interrogatorio de testigos en los procesos civil y penal. Su práctica ante los tribunales,* La Ley, Madrid, 2010.
39. **Cicerón, Marco Tulio**, *El orador,* Alianza, Madrid, 2001.
40. **De Cucco Alconada, M.C.**, "¿Cómo escribimos los abogados? La enseñanza del lenguaje jurídico", *Academia. Revista sobre enseñanza del Derecho,* Año 14, número 28, Buenos Aires, Argentina, pp. 127-144.
41. **De Cucco Alconada, M.C.**, "Escribir para que nos lean. Primer paso para convencer", en *Problemática jurídica de la empresa.* Coordinado por Martín Caselli, 193-208, Erreius, Buenos Aires, 2018.
42. **De Lanuza Torres, J.J., y Lillo Campos, F.J.**, *Interrogatorio,* Economist & Iurist, Difusión Jurídica, Madrid, 2011.
43. **De Vega, M., y Palma, A.**, "El lenguaje: la representación del significado en el cerebro", *Mente y cerebro,* Bajo Molina y otros (Coords.), Alianza Editorial, Madrid, 2016.
44. **Defensor del Pueblo**, *Estudio sobre la escucha del menor, víctima o testigo,* Madrid, mayo, 2015.
https://www.defensordelpueblo.es/informe-monografico/la-escucha-del-menor-victima-o-testigo-mayo-2015/
Consultado el 7 de febrero de 2019.
45. **Duarte Montserrat, C.**, «Lenguaje administrativo y lenguaje jurídico», en *Lenguaje judicial,* Escuela Judicial, Consejo General del Poder Judicial, Madrid 1997.
46. **Eagleman, D.**, *El cerebro,* Anagrama, Barcelona, 2017.
47. **Ekman, Paul**, *Cómo detectar mentiras,* Paidós, Barcelona, 1ª ed. 1991.
48. **Escandell, MªV.**, *La interrogación en español: semántica y pragmática,* Universidad Complutense, Madrid, 1988.
49. **Fernández León, Ó.**, *Con la venia. Manual de oratoria para abogados,* Thomson Reuters-Aranzadi, 1ª ed., 2013.
50. **Fuentes Carsí, F.** "La terminología procesal y sus arcaísmos", *Revista General del Derecho,* febrero, 1951.
51. **Fuentes Gómez, J.C.**, "Algunas consideraciones prácticas sobre la forma de legislar de nuestros días", *Legislar mejor 2009,* Ministerio de Justicia, 2009.
52. **García García, E.**, "Neuropsicología y género", *Revista de la Asociación Española de Neuropsiquiatría* [en línea] 2003, (junio): Disponible en:
<http://www.redalyc.org/articulo.oa?id=265019667002> ISSN 0211-5735.
53. **García López, J.C.**, "El método de lectura fácil de las sentencias para las personas vulnerables", La Ley, nº 9042, de 15 de septiembre de 2017.
54. **García Ramírez, J. y Ortas Ramírez, S.**, *Comunique en público eficazmente aprendiendo a controlar sus nervios,* 2ª ed. Rasche, Colex, 2009.
55. **Garrido Nombela, R.**, "Los jueces y la penumbra de las palabras", en Jueces y ciudadanos: elementos del discurso judicial, Carretero González, C.; Garrido Nombela, R.; Gómez Lanz, J., Grande Yáñez, M., Dykinson, Madrid, 2009.

56. **Garrigues Walker, A.,** "Las responsabilidades del estamento jurídico", en *Retos de la abogacía ante la sociedad global,* CARRETERO GONZÁLEZ, C, y DE MONTALVO JÄÄSKELÄINEN, F., (Dirs.), Civitas-Thomson Reuters, Cizur Menor (Navarra), 2012.

57. **Gómez Fernández, D.,** "El proceso comunicativo. Una revisión", *CAUCE*, núm. 18-19. pp. 787-815. Disponible en línea: http://cvc.cervantes.es/literatura/cauce/pdf/cauce18-19/cauce18-19_47.pdf

58. **Gómez Lanz, F.J.,** "Lenguaje legal y actividad judicial: la reducción teleológica de tipos penales", en *Jueces y ciudadanos: elementos del discurso judicial*, Carretero González, C.; Garrido Nombela, R.; Gómez Lanz, J., Grande Yáñez, M., Dykinson, Madrid, 2009.

59. **González Salgado, J.A.,** «El lenguaje jurídico del siglo XXI», Diario La Ley, nº 7209 (2009). [en línea] Disponible en: http://www.uria.com/docs/069salgado.pdf y en http://www.diariolaley.es [Consulta 10/01/2015].

60. **González Salgado, J.A.,** *Manual de estilo Uría Menéndez,* Uría Menéndez Abogados, Madrid, 2018.

61. **González Zurro, G.D.,** "Sentencias en lenguaje claro", *Revista Jurídica Argentina La Ley*, Buenos Aires, 26/12/2018, 1. On line: R/DOC/2608/2018.

62. **González Zurro, G.D.,** *Otra mirada a las decisiones de la Corte Suprema*, EBM, 2015, New York University.

63. **Graiewski, Mónica,** "El lenguaje como herramienta para superar la oscuridad", *Clarín*, 12-05-18, https://www.clarin.com/opinion/lenguaje-herramienta-superar-oscuridad_0_HJSV_uXAz.amp.html

64. **Guasp, J.,** *Estudios jurídicos* (Edición al cuidado de Pedro Aragoneses), Civitas, Madrid, 1996.

65. *Guía de comunicación no sexista*, Instituto Cervantes y Aguilar, Madrid, 2011.

66. **Gutiérrez Ordóñez, S.,** (Dir.), *Estudio de campo: Lenguaje De Las Normas. Comisión para la Modernización del Lenguaje Jurídico.* 2011 [en línea] http://lenguajeadministrativo.com/wp-content/uploads/2015/10/CMLJ-Lenguaje-de-las-normas.pdf

67. **Gutiérrez Ordóñez, S.,** "Del arte gramatical a la competencia comunicativa", Discurso leído en la RAE, el día 24 de febrero de 2008, Madrid, 2008, http://www.rae.es/sites/default/files/Discurso_Ingreso_Salvador_Gutierrez.pdf.

68. **Hernández Galilea, J. M.,** «El proceso judicial como "espacio comunicativo"», *Revista de Llengua i Dret, Journal of Language and Law*, núm. 64, 2015, pp. 29-46.

69. **Informe de la Comisión de Modernización de lenguaje jurídico**: https://lenguajeadministrativo.com/wp-content/uploads/2013/05/cmlj-recomendaciones.pdf. Consultado el 14 de febrero de 2019.

70. **Jiménez Yáñez, R.M.,** *Escribir bien es de justicia*, Thomson Reuters Aranzadi, 2ª ed, Cizur Menor (Navarra), 2016.

71. **Jiménez Yáñez, R,** "¿Se puede enseñar a persuadir a los alumnos de derecho con el metadiscurso? Una propuesta docente", *Revista de Llengua i Dret*, 59, 2013, 42-58.

72. **Juanes Peces, Á.,** Entrevista a D. Ángel Juanes Peces, Revista Acceso a la justicia, Lenguaje claro, nº 4, 2017, pp. 9-13. https://issuu.com/pedropalacios7/docs/revista_4_lenguaje_claro_eb7e84026c3ad4 Consultado el 13 de mayo de 2018.

73. **Lavilla Cerdán, L.,** "La memoria en el proceso de enseñanza/aprendizaje", *Pedagogía Magna*, 11, 2011, 311-319.

74. **Lázaro Carreter, F.**, "Para nada"
http://elpais.com/diario/2001/06/05/opinion/991692006_850215.html
75. *Legislar Mejor 2009,* Ministerio de Justicia, 2009.
76. **Libro de estilo Garrigues**, Thomson-Aranzadi y Centro de Estudios Garrigues, 2ª ed., Pamplona, 2006.
77. *Libro de estilo de la Justicia*, Real Academia Española, Espasa, Consejo General del Poder Judicial, Muñoz Machado (Dir.), Barcelona, 2017.
78. *Libro de estilo de la lengua española*, Real Academia Española, Espasa, Barcelona, 2018.
79. **López Navia, Santiago A.**, *El arte de hablar bien y convencer,* Temas de hoy, Madrid, 2010.
80. **Lyon, William,** *La escritura transparente. Cómo contar historias,* Libros del K.O. S.L.L., 2ª ed. 2015.
81. **Llewellyn, K.N.**, *Belleza y estilo en el Derecho,* Bosch, Barcelona, 1953.
82. **Majada,** *Técnica del informe ante los tribunales,* Bosch, Barcelona, 1982.
83. **Manes, Facundo, y Niro, Mateo,** *Usar el cerebro,* Paidós Contextos, 4ª impr., 2015. ISBN: 978-84-493-3085-8.
84. **Martí Mingarro, L.,** Prólogo al *Libro de estilo del Ilustre Colegio de Abogados de Madrid,* ICAM y Marcial Pons, Madrid, 2007, pp. 9 a 11.
85. **Martín del Burgo Marchán,** A. *El lenguaje jurídico,* Bosch, 2000.
86. **Martín A. y Sanz, V.J.**, *Dilo bien y dilo claro,* Larousse, Barcelona, 2017.
87. **Martín Ovejero, J.L.**, *Tú habla que yo te leo,* Aguilar, Madrid, 2019.
88. **Martínez Selva, J. Mª**, *Manual de comunicación persuasiva para juristas: (marketing de servicios profesionales, oratoria forense, técnicas de negociación)* 2ª ed. La Ley, 2008.
89. **Medina Gutiérrez, V.,** *Guía básica de los servicios comunes de actos de comunicación y ejecución,* Dykinson, Madrid, 2002.
90. **Mellinkoff, David,** *The Language of the law, 1963, Ed.* Resource Publications, USA, 2004.
91. **Memento Práctico,** *Acceso a la abogacía,* 2016-2017 y 2016-2017, Francis Lefebvre.
92. **Montolío Durán, Estrella,** (Dir.), *Estudio de campo: Informe sobre lenguaje escrito. Comisión para la Modernización del Lenguaje Jurídico.* 2011 [en línea] http://lenguajeadministrativo.com/wp-content/uploads/2015/10/CMLJ-Lenguaje-escrito.pdf
93. **Montolío Durán, Estrella,** *Hacia la modernización del discurso jurídico,* Publicaciones i Edicions, Universitat de Barcelona, 2012.
94. **Muñoz Machado, S.,** (Dir.,) *Diccionario del español jurídico,* http://dej.rae.es/#/entry-id/ E152500
95. **Muñoz Machado, S.,** (Dir.,), *Libro de estilo de la Justicia, Real Academia Española y Consejo General del Poder Judicial, Espasa, Madrid, 2017.*
96. **Muñoz Machado, S.,** "La claridad de los textos es un deber para el jurista", entrevista: *https://politica.elpais.com/politica/2017/01/24/actualidad/1485287452_141787.html* Consultado el 20 de enero de 2018.
97. **Muñoz Machado, S.,** (Dir.,), *Diccionario Panhispánico del español jurídico,* Real Academia Española y Consejo General del Poder Judicial, Santillana, Madrid, 2017.
98. **Musicco, G.,** "Soft skills & coaching: motor de la Universidad en Europa", Revista Universitaria Europea Nº 29. julio-diciembre 2018: 115-132 ISSN: 1139-5796.
99. **O´Connor y Seymour, J.,** *Introducción a la PNL,* Urano, Barcelona, 2012.
100. **Oliver, Eric,** *Persuasive Communication. Twenty five years of teaching Lawyers,* Trial Guides, LLc, Portland, Oregon, 2009. ISBN: 978-1-934833-12-4.

101. **Oliver, Eric,** Facts Can´t Speak for Themselves, NITA (National Institute For Trial Advoca-cy), Chicago, Illinois, USA, 2005, ISBN: 1-55681-790-8.
102. **Pease, Allan,** *El lenguaje del cuerpo,* Paidós, Barcelona, 1989.
103. **Pérez Colomé, J.,** *Cómo escribir claro,* UOC, Barcelona, 2011.
104. **Pérez de la Cruz, A.,** *Abogado en ejercicio,* Pons, Madrid, 2009.
105. **Pérez Gurrea, R.,** "Cómo preparar y exponer el informe oral en juicio", en: http://www.abogacia.es/2016/12/16/como-preparar-y-exponer-el-informe-oral-en-juicio Consulta-do el 10 de enero 2018
106. **Pinker, Steven,** *Cómo funciona la mente,* Destino, 2ª ed., Barcelona, feb. 2004. ISBN: 84-233-3269-1.
107. **Platón,** *Fedro,* Introducción y notas de Julián Marías. Versión de María Araujo, Revista de Occidente Argentina, Buenos Aires, imp. 1948.
108. **Poblete, Claudia Andrea y Fuenzalida González, Pablo,** «Una mirada al uso de len-guaje claro en el ámbito judicial latinoamericano». *Revista de Llengua i Dret, Journal of Language and Law,* núm. 69, (junio 2018), pp. 119-138.
109. **Prieto de Pedro, J.,** *Lenguas, lenguaje y Derecho,* Universidad Nacional de Educación a Distancia, Civitas, Madrid, 1991.
110. **Radbruch, Gustav,** *Introducción a la Filosofía del Derecho,* Breviarios, Fondo de Cultura Económica, México, 8ª reimpres. 2002 (1ª impres. en alemán: 1951; 1ª impres. en español: 1951).
111. **Ronda J.,** y **Muñoz, J.,** *De juzgado de guardia,* Oberón, Madrid, 2002.
112. **Sanz Bayón, P.,** "El desafecto de la sociedad hacia el mundo del derecho: breve co-mentario sobre la situación en España", en Carvalho Leal, V./Álvarez Robles, T. (coords.), *Direito, Sociedades e Meio Ambiente,* Ed. Fasa, Recife (Brasil), 2018, pp. 151-168. ISBN: 9788570843586.
113. **Sanz Bayón, P.,** "El lenguaje jurídico: factor del desafecto social hacia el derecho", *Revista jurídica de la Universidad de León,* Nº 3, 2016, págs. 140-141. ISSN: 1137-2702.
114. **Solan, M. Lawrence,** *The language of judges,* Chicago University Press, Chicago, 1993.
115. **Soto Morales, Carlos A.,** https://reflexionesjuridicas.com/2017/01/18/video-sentencias-ciudadanas/ Consultado el 20 de febrero de 2018.
116. **Strandvik, I.,** "La modernización del Lenguaje Jurídico en Suecia: ¿enseñanzas aplica-bles a otras tradiciones?", *Hacia la modernización del discurso jurídico,* (Montolío Durán, E., Ed.), Publicacions i Edicions, Universitat de Barcelona, 2012.
117. **Taranilla, R.,** *La Justicia narrante,* Thomson Reuters, Aranzadi, Cizur Menor (Navarra), 2012.
118. **Taranilla, R., y Yúfera, I.,** «La tipología textual en la enseñanza de la lengua del dere-cho: consideraciones a partir de una experiencia docente», *Revista de Llengua i Dret,* 58, (2012), pp. 35-52.
119. **Traversi, Alessandro,** *La Defensa Penal, Técnicas argumentativas y oratorias,* Thomson Reuters, Aranzadi, Cizur Menor, Navarra, 2013.
120. **Urpí, M.,** *Aprender comunicación no verbal,* Paidós, Barcelona, 2004.
121. **Valero Romero, M.A.,** *La argumentación lingüística en los juicios con jurado,* Tirant lo Blanch y PUV, Valencia, 2018.
122. **Weiss, Harold and J.B. McGrath, Jr.,** *Technically Speaking: Oral Communication for Engi-neers, Scientists and Technical Personnel,* New York: McGraw-Hill, 1963.

II. LIBROS Y MANUALES DE ESTILO PARA JURISTAS

- **Libro de estilo de la Justicia**. Dirigido por Santiago Muñoz Machado. Real Academia Española y Consejo General del Poder Judicial, Espasa, Madrid, 2017.
- **Libro de estilo Garrigues**, Thomson-Aranzadi y Centro de Estudios Garrigues, 2ª ed., Pamplona, 2006.
- **Libro de estilo del Ilustre Colegio de Abogados de Madrid**, Marcial Pons, 2007.
- **Manual de estilo Uría Menéndez**, Uría Menéndez Abogados, Madrid, 2018.
- *Manual de estilo para abogados*, Briz, A., (Coord.), Tirant lo Blanch, Valencia, 2018.

III. RECURSOS ÚTILES

1. Diccionarios
   - Generales:
     - Diccionarios de la Real Academia de la Lengua:
       http://www.rae.es/recursos/diccionarios
     - Además del Diccionario de la Lengua Española (DEL), en especial:
     - Diccionario panhispánico de dudas:
       http://www.rae.es/recursos/diccionarios/dpd
   - Sobre cuestiones jurídicas:
     - Diccionario del español jurídico:
       http://dej.rae.es/#/entry-id/E152500 y,
     - Diccionario panhispánico del español jurídico.
2. Riqueza léxica:

   Sinónimos y antónimos: http://www.wordreference.com/sinonimos/
3. Consultas y dudas lingüísticas:
   a. RAE: http://www.rae.es/consultas-linguisticas
   b. FUNDÉU: https://www.fundeu.es/ (recomiendo, en este caso, escoger un buscador —tipo Google—, teclear la duda concreta y añadir la palabra Fundéu).
4. Libro de estilo general: *Libro de estilo de la lengua española*, Real Academia Española, Espasa, Barcelona, 2018.
5. Webs de lenguaje jurídico y administrativo:
   - Lenguaje administrativo: blog de Javier Badía
     http://lenguajeadministrativo.com/sobre-la-modernizacion-del-lenguaje-juridico/
   - Instituto del Lenguaje jurídico: blog de Ricardo Oliva
     http://www.lenguajejuridico.com/
   - Estilo Jurídico: blog de Manuel Moralo Aragüete
     https://estilojuridicoblog.wordpress.com/
6. Web de lenguaje no verbal y detección de la mentira. De José Luis Martín Ovejero: www.martinovejero.com

OTROS TÍTULOS DE LA COLECCIÓN